Temas de Gramática

CON EJERCICIOS PRÁCTICOS

NIVEL SUPERIOR

INCLUYE CLAVE

CONCHA MORENO GARCÍA

SOCIEDAD GENERAL ESPAÑOLA DE LIBRERÍA, S.A.

Primera edición en, 2001
Cuarta edición en, 2005

Produce: SGEL-Educación
Avda. Valdelaparra, 29
28108 ALCOBENDAS (MADRID)

Agradecimientos:
*A Fina G. Naranjo
por la lectura y la revisión
y también a Piedad Zurita
y Yolanda Domínguez
por sus sugerencias
de corrección*

ISBN: 84-7143-875-5
Depósito Legal: M-5883-2005
Printed in Spain-Impreso en España

CUBIERTA: Carla Esteban
Diagramación: Susana Martínez

Composición: AMORETTI, S.F., S.L.
Impreso por: SITTIC, S.L.

Contenido

Presentación

Temas de gramática *es un manual pensado para las personas que tienen todavía problemas con los "clásicos" de la gramática española.*

¿Qué contiene?

Teoría y práctica

- ***Un estudio pormenorizado de la teoría****, que explica las reglas gramaticales y el uso de estos temas. Acudimos tanto a la estructura gramatical como al significado pragmático, para apoyar nuestras afirmaciones. En algunos casos damos trucos para facilitar la comprensión y la memorización.*
- ***Una serie de prácticas*** *para la interacción y otras —la mayoría— que pueden realizarse en casa o en clase, acompañadas del solucionario correspondiente.*

¿A quién va dirigido?

- ***A profesores*** *que busquen una respuesta clara a sus dudas o a las de sus alumnos sobre diferencias entre conjunciones o nexos de significado parecido, sobre diferencias entre los distintos verbos de cambio, sobre las distintas construcciones con* ***se****, etcétera.*
- ***A alumnos de nivel avanzado o superior*** *que quieran ampliar o detallar lo aprendido en sus clases y seguir practicando al volver a casa, a su país.*
- ***A autodidactas****; es decir, a las personas que, no teniendo tiempo para asistir a cursos, deseen estudiar por su cuenta. Por ello hemos procurado dar explicaciones claras e incluir ejercicios que no necesiten siempre la interacción.*
- ***A quienes deseen prepararse para la gramática de los exámenes oficiales.***

TEMA

1

La ortografía. Acentos

1. Según el tipo de acento, las palabras, en español, se dividen en:

- **Agudas.**
  El acento tónico está en la **última** sílaba.
  *aves**truz**; ventila**dor**; alta**voz**; fe**liz**; bai**lar**; ven**der**; escri**bir**; fa**rol**; fa**tal**; Ma**drid**.*

- **Llanas.**
  El acento tónico está en la **penúltima** sílaba. A estos efectos, la **y** funciona como consonante.
  *cua**der**no; car**te**ra; **tri**bu; estu**dian**te; **te**sis; **bai**lan; **ven**den; es**cri**ben.*

- **Esdrújulas.**
  El acento tónico y el gráfico (tilde) están en la **antepenúltima** sílaba.
  ***úl**tima; **mé**dico; **pá**jaro; **cóm**pralo; **dí**selo; **ré**gimen.*

- **Sobreesdrújulas.**
  El acento tónico y el gráfico (tilde) están en la sílaba **anterior a la antepenúltima**.
  Son siempre palabras compuestas.
  ***cóm**pramelo; po**nién**dosela.*

Cuando a los verbos se les añaden pronombres, hay que volver a usar con ellos las reglas generales de acentuación. De esta manera, hay palabras que no llevan tilde sin pronombre (*com**pran**do, **di**, arre**glar***), pero que deben acentuarse cuando van con pronombres y se convierten, por tanto, en esdrújulas:
*com**prán**doselo, **dí**selo, arre**glár**selo.*

2. Hay que poner tilde o acento gráfico cuando:

- las palabras agudas terminan en **vocal, n** o **s.**
  *ta**bú**; bai**ló**; so**fá**; so**ñé**; vi**ví**; can**ción**; a**diós**; sa**lís**.*

- las palabras llanas terminan en **consonante distinta de n** o **s.**
  También si terminan en **ps**.
  ***ár**bol; **Cá**diz; **hués**ped; al**mí**bar; ca**rác**ter; **bí**ceps; **fór**ceps; **tó**rax.*

- se trata de palabras **esdrújulas** y **sobreesdrújulas**, como hemos visto.
  ***bál**samo; **pér**tiga; **cuén**tamelo; ha**bién**doseme.*

3. En plural

- Las palabras agudas que terminan en **í** o en **ú** añaden **es**; a veces no se respeta esta regla. Las que terminan en **n** o en **s** pierden el acento ortográfico.
  *ta**búes**; alhe**líes**; es**quís**; canci**ones**; adi**oses**.*

- Las palabras que terminan en **y** también añaden **es**.
  *re**yes**; bue**yes**; le**yes**.*

- No siguen esta regla: *jersey, paipay, rentoy,* cuyos plurales son:
  *jers**éis**, paip**áis**, rent**óis***

- Las palabras llanas acentuadas conservan el acento gráfico porque se convierten en esdrújulas.
  ***ár**boles; **hués**pedes; al**mí**bares.*

- Los plurales de *régimen* y de *espécimen* no son **ré**gimenes* ni **espé**cimenes*, sino
  *re**gí**menes y espe**cí**menes.*

- El plural de *carácter* es *carac**te**res* y no **ca**rác**teres*. Ha habido un desplazamiento del acento, como en las palabras anteriores y, siguiendo las reglas, no debemos acentuarla.

4. Las palabras compuestas

- Cuando una palabra simple pasa a formar parte de una compuesta, hay que volver a usar las reglas generales de la acentuación y acentuar o no la nueva palabra, según sea el caso. Por ejemplo, *tras**piés*** debe llevar acento, aunque *pies* no lo lleve, porque se ha convertido en una palabra aguda que termina en **s**; *balon**ces**to* no se acentúa porque es una palabra llana que termina en vocal. Sin embargo, *ba**lón*** sí lo lleva por ser aguda que termina en **n**.
  *decimo**quin**to; asi**mis**mo*;
  pero: ***dé**cimo; a**sí**.*

- Los adverbios en **-mente** conservan el acento gráfico si lo llevaba el primer elemento.
  ***fá**cilmente; **ú**nicamente;*
  pero*: fe**liz**mente; ca**sual**mente.*

5. Los monosílabos

No se acentúan, salvo cuando hay dos de la misma forma, pero con distinta función.

Sé	(verbos *saber* y *ser*)	**Se**	(pronombre)
Dé	(verbo *dar)*	**De**	(preposición)
Té	(sustantivo)	**Te**	(pronombre)
Más	(adverbio de cantidad)	**Mas**	(sinónimo de *pero)*
Tú	(pronombre sujeto)	**Tu**	(adjetivo posesivo)
Mí	(pronombre personal)	**Mi**	(adjetivo posesivo)
Él	(pronombre)	**El**	(artículo)
Sí	(pronombre y afirmación)	**Si**	(conjunción)
Ó	(cuando va entre números)	**O**	(conjunción disyuntiva)

Hay otros monosílabos que no se acentúan a pesar de darse un doblete: *son*, del verbo *ser* y *el son*, sustantivo; *di*, indefinido del verbo *dar* y *di*, imperativo del verbo *decir*.

6. Otros cambios en función de la tilde

- **Aún** = todavía — **aun** = incluso
  Sólo, adverbio — **solo**, adjetivo

- **Qué, quién(es), cuál(es), cómo, cuándo, cuánto/a/os/as, dónde**, interrogativos y exclamativos.
  Que, quien(es), cual(es), como, cuando, cuanto/a/os/as, donde, relativos.

- **Por qué**, pregunta — **porque**, respuesta — **el porqué**, sustantivo.

- Los demostrativos se acentúan obligatoriamente cuando son pronombres, si hay peligro de confusión. Si no, no es necesario. Los neutros *esto, eso, aquello*, no se acentúan nunca.

7. Los diptongos y triptongos

Funcionan como una vocal simple.

LAS VOCALES

Débiles	**U**		**I**
Fuertes	**O**	**A**	**E**

LAS UNIONES DE VOCALES

DIPTONGO Dos vocales que se unen formando una sola sílaba.	***DÉBIL + FUERTE*** u + o, u + a, u + e i + o, i + a, i + e	ard**uo**, ag**ua**, h**ue**le v**io**, anc**ia**no, h**ie**rro
	FUERTE + DÉBIL o + u, o + i e + u, e + i a + u, a + i	B**ou**, h**oy** f**eu**do, v**ei**s **au**la, **ai**re
	DÉBIL + DÉBIL U + i, i + u	L**ui**s, v**iu**do
TRIPTONGO Tres vocales que se unen formando una sola sílaba	***DÉBIL + FUERTE + DÉBIL*** u + e + i u + a + i i + a + i i + e + i	averig**üéis** averig**uáis** aver**iái**s aver**iéi**s
HIATO Vocales que van juntas pero que **no** van en la misma sílaba. Los diptongos se rompen cuando la vocal débil (u, i) lleva el acento.	a + e / o e + a / o o + e / a ú + o / a / e í + o / a / e o + í	***a-é***reo / ***a-ho***ra v***e-a***mos / l***e-ón*** r***o-e***dor / l***o-a*** b***ú-ho*** / acent***ú-a*** / act***ú-e*** r***í-o*** / Mar***í-a*** / r***í-e*** ***o-í***

Para facilitar la lectura, la vocal débil llevará tilde.	e + ú / í a + ú / í	r**e**-**ú**ma / r**e**-**í** **a**-**ú**nan /**a**-h**í**

ai	*baile, hay, amáis*	**ei**	*peine, rey*	**oi**	*oiga, hoy*
au	*pausa*	**eu**	*reunión*	**ou**	*Souza*
ia	*diario*	**ie**	*viene, recién*	**io**	*patio*
ua	*cuarto*	**ue**	*bueno, huésped*	**iu**	*ciudad*
uo	*cuota*	**ui**	*ruina*		

Puede intercalarse la **h** y no se deshace el diptongo: *pr**ohi**bió, re**hu**só.*

iai	*estudiáis*	**uai**	*averiguáis*
iei	*odiéis*	**uei**	*apacigüéis, buey*
iau	*miau*	**uau**	*guau*

Los hiatos se producen cuando se rompe el diptongo o el triptongo:

aí	*ma**í**z, pa**í**s*	**eú**	*re**ú**ne*	**íe**	*sonr**íe***
aú	*la**ú**d*	**ía**	*sab**ía***	**oí**	***oí**do*
eí	*cre**í**do*	**ío**	*fr**ío***	**oú**	*n**oú**meno*
úa	*acent**úa***	**úe**	eval**úe**	**úo**	*contin**úo***
íai	*cambiar**íais.***				

Vamos a practicar

1. Las frases. Pon la tilde donde sea necesario.

1. No se cuando volvera, ni siquiera ha dicho adonde iba.
2. ¿No son esos los chicos con quienes salis?
3. Si intentais freir esas patatas con tan poco aceite, se os van a quemar.
4. "Dime con quien andas y te dire quien eres".
5. Cuentame cosas de tu vida, que hace mucho que no hablamos.
6. Se gasto un monton de dinero en el viaje; exactamente no se cuanto, pero facilmente pudo llegar a 3.000 euros.
7. No tenian intencion de salir, pero al final se animaron y fueron con todo el mundo al baile.
8. Esta es una epoca muy dificil para que los jovenes encuentren trabajo porque hay mucho paro.

9. Trabaja hasta el limite de sus fuerzas y puede caer enfermo.

10. Los egoistas solo piensan en si mismos.

11. No quiero oir hablar mas de lo que hareis cuando esteis de vacaciones, ¿no comprendeis que es terrible para mi porque yo tengo que quedarme aqui encerrada todo el verano?

12. ¡Que caracter! Se mosquea si le llevas la contraria.

13. Estoy de mal humor porque me contraria que las cosas no salgan bien.

14. Escuchame: no actues a lo loco, se prudente y las cosas te iran mejor.

15. ¿Cuanto valia el coche que queriais comprar?

16. Escuchadme y no digais despues que no os he avisado: la situacion va a cambiar y teneis que estar atentos si no quereis quedaros fuera de los repartos.

17. Lo que me asombra de ti es que no te alteras ni por las alegrias ni por las penas.

18. Pidele una reunion para que te de una explicacion del porque no te ha incluido en el nuevo equipo.

19. El te me gusta de cualquier manera, solo, con leche, con limon, pero siempre con azucar.

20. Oye, me parece que la leche esta agria; mira, pruebala.

21. El futbol es el deporte que mas se ve en España.

22. Esta recien llegada a la ciudad y no conoce a nadie. ¿Por que no la invitamos y asi empieza a entrar en ambiente?

23. Dice el cantante David de Maria que su musica es para todos los publicos.

24. Hay quien dice que el caracter se agria con los años.

25. En esa calle hay un continuo ir y venir de gente, parece un rio de aguas turbulentas.

2. La literatura. Pon las tildes necesarias.

Cuando llego por primera vez a aquella ciudad, solo llevaba una bolsa de viaje, justo lo necesario para los tres dias que durarian los examenes. Recuerda que al bajar del tren en aquella apestosa estacion de azulejos amarillos y tuneles inhumanos, indigna de lo que se ha dado en llamar la capital de Europa, se metio en una cabina y llamo a Alvaro:

—Mi amor, estoy deseando que me suspendan para no tener que quedarme aqui.

Alvaro se rio, lejos, en Madrid, donde aun era de dia y la tarde estaria marchandose, dorada, hacia los senderos de la sierra:

—No me lo creo. Tu has nacido para ganar, vas a sacar la oposicion y me voy a quedar sin ti.

Pero por una vez se equivoco Alvaro, el infalible. La suspendieron en aquellas oposiciones al Parlamento Europeo, a ella que habia nacido para ganar. En lo que si acerto Alvaro fue en que se quedo sin ella, o mas bien ella sin el, porque fue Mariana quien empezo a perderlo, poco a poco, a su regreso a Madrid. Y a lo mejor por eso regreso a aquella estacion sucia y a aquella ciudad oscura, para nunca mas marcharse.

La mancha de la mora. Dolores Soler Espiauba. 1997. Ediciones B.

3. Los periódicos. Pon las tildes necesarias.

1. La cirugia sin grandes cortes de bisturi revoluciona la medicina. En 1987 se presento por primera vez este tipo de operacion realizada por video. En aquel momento los expertos no creyeron en esa posibilidad. Hoy dia esta tecnica, que reduce al minimo las molestias de la recuperacion es una realidad.

2. A los 80 años Chavela Vargas, mexicana, trovadora desgarrada del amor y testigo de la vida de este siglo, se despidio de los escenarios con dos recitales en el teatro Albeniz de Madrid los dias 29 de septiembre y 2 de octubre, y con un disco en el que participan Ana Belen, Joaquin Sabina, Armando Manzanero y Lucrecia. Pedro Almodovar ejercio de maestro de ceremonias en este adios de lujo.

3. Una fundacion creara en Cordoba una biblioteca que recogera la memoria de Al-Andalus. Estara ubicada en el Palacio de Bailío y se intentara incluir en ella el conocimiento de la epoca andalusi y el actual, tanto de Andalucia como de todo el Mediterraneo.

4. Segun un reciente informe realizado entre jovenes de doce paises de todo el mundo, la calidad de vida ha sustituido al dinero y al *status* en las aspiraciones de exito.

5. El cine español no esta en crisis. En 1995 se recogio la mayor recaudacion desde hacia trece años y, como es logico, eso disparo la produccion. A esto hay que añadir la incorporacion de "sangre nueva" tanto en la interpretacion como en el aspecto economico. De todos modos la ultima palabra la tiene el publico.

6. He leido que hay una exposicion en Viena que reune tesoros arqueologicos de distintos museos. Esta muestra brinda una vision historica de la cuna geografica de la Biblia: empieza con restos del paleolitico y llega hasta la epoca romana bizantina.

7. El Festival Internacional de Cine de San Sebastian ofrecera, como siempre, una alta calidad en sus sesiones oficiales, pero tambien habra categoria en las peliculas que van a concurso, cosa esta menos frecuente. Esa es, al menos, la opinion de nuestra enviada especial, Maruja Torres.

8. Severiano Ballesteros fue el primer europeo continental que jugo la *Ryder Cup* y el primer capitan del equipo europeo no britanico. Gracias a el esta competicion se jugo por primera vez fuera del Reino Unido y en España en 1997.

9. Una de las pocas cosas positivas de todas las Cumbres de la Tierra celebradas ultimamente, es que se ha reconocido el cambio climatico y la necesidad de atajarlo. Los cientificos pintan un panorama amenazador para el futuro, pero las grandes potencias y muchos ciudadanos de a pie siguen sin querer ver esa amenaza.

10. Algunos empresarios sostienen que lo unico que hace falta para que una empresa funcione es que existan hombres y mujeres trabajadores detras, con independencia de donde esten situadas sus compañias. Juan Mata, fabricante de material de escritorio, empezo a trabajar cuando era pequeño en el almacen de papeleria que tenia su padre. En cuanto pudo, decidio montarselo por su cuenta y creo un anexo a la empresa de su padre especializandose en la fabricacion de carpetas.

4. Algunos contrastes. **Pon la tilde donde sea necesaria.**

1. Se rio con ganas. — El rio casi no tiene agua.
2. Hoy es jueves. — Oi lo que dijeron
3. No cai en la cuenta a tiempo. — Seguire adelante caiga quien caiga
4. Brasil es un pais enorme. — El paisaje es espectacular.
5. Me rei de sus tonterias. — Nuestro rey se llama Juan Carlos.
6. Todavia tengo el baul de mi abuela. — Me pareces excesivamente cauto.
7. Busca la palabra que se acentua. — A ver si averigua la verdad.
8. No tiene miedo a la verdad. — Nunca sonrie, es muy antipatico.
9. No le de motivos de enfado, o lo lamentara. — No somos de aqui.
10. El buho es un ave nocturna. — Es asiduo de las discotecas.

TEMA 2

Los pasados

En el español actual tenemos cuatro pasados que se usan con regularidad: el pretérito perfecto; el pretérito perfecto simple o indefinido; el pretérito imperfecto y el pretérito pluscuamperfecto.

Se ha perdido de la lengua hablada el pretérito anterior (las formas de *haber* en pretérito indefinido + participio: *hubo hablado, hube comido, hubiste salido...*), quizá por su proximidad al significado del pluscuamperfecto.

Antes de estudiar los cuatro pasados usuales hoy en día, convendrá recordar algunas cosas:

El **pretérito perfecto** y el **indefinido** tienen en común el expresar acciones completas. Lo que los diferencia es la unidad de tiempo. Con el pretérito perfecto, el hablante está dentro de esa unidad de tiempo.

Con el **pretérito indefinido**, el hablante se sitúa fuera de la unidad de tiempo.

El **pretérito imperfecto** puede acompañar a los dos tiempos perfectivos (el perfecto y el imperfecto).

En muchas zonas de España (Asturias, León, Galicia) y en casi toda Latinoamérica, se prefiere el indefinido en la lengua hablada.

Marcadores y usos

1. Marcadores de pretérito perfecto

Esta mañana / semana
Este fin de semana / mes / año /siglo
Hoy
Esta tarde / noche
Hasta ahora
¿Alguna vez...?

Durante + cantidad de tiempo
Todavía no
Ya
Últimamente
Una vez / muchas veces
En mi vida / nunca + p. perfecto

Usamos el pretérito perfecto:

a. Para referirnos a una unidad de tiempo en la que todavía está el hablante.
- — *Hoy hemos ido* de excursión a Toledo.
- — *Este año ha aumentado* el número de turistas en España.
- — *Esta semana no he hecho* ningún circuito.

b. Para hacer preguntas sin especificar a qué momento del pasado nos referimos.
— *¿Has estado alguna vez* en Cuba?
— *¿Habéis recibido* nuestra carta?
— *¿Les ha gustado* el curso?
— *¿Cuándo han abierto* ese hotel?

c. Para referirnos a hechos o sucesos considerados en relación con el presente.
— *Últimamente* el nivel de vida *ha mejorado mucho*
— *Hasta ahora no he conocido* a nadie a quien le guste pagar impuestos.
— El correo *todavía no ha llegado.*

d. Para referirnos a un pasado inmediato. En este caso también se puede usar el presente de *acabar + de +* infinitivo.
— Perdona, ¿qué *has dicho*? No te *he oído* bien.
— El tren con destino a Madrid *acaba de salir.*
— ¡Qué ruido tan grande! ¿Qué *ha ocurrido*?

e. ¡Ojo! Para preguntar o para dar una opinión también se usa el pretérito perfecto.
— ¿Qué te *ha parecido* la película?
— A mí me *ha encantado.*
— Sí, está bien, pero no me *ha entusiasmado.*

2. Marcadores de pretérito imperfecto

De niño/a
Cuando era pequeño/a
En los años 60/ 70/ 80
En la Edad Media
Antes + p. imperfecto
En tiempos de...
En aquella época
Antes de la guerra

Usamos el pretérito imperfecto:

a. Para expresar costumbres del pasado.
— Cuando *era* estudiante, *trabajaba* en un bar.
— En los años 60 *estaba* de moda el seiscientos.

También podemos emplear el verbo *soler.*
— Cuando *iba* de vacaciones a España, *solía ir* mucho a la playa.
— Mientras *estudiaba* en Santiago, *solía* jugar al tenis los sábados.

b. Para referirnos a las circunstancias, a lo que no es acción, a lo estático, a lo que ya estaba ocurriendo cuando pasó algo.
Observemos que esto ocurre con el pretérito perfecto y con el indefinido.
— Cuando he entrado en la tienda, no *había* nadie.
— *Estaba* muy cansado y por eso me fui pronto de la fiesta.
— No he madrugado porque no *tenía* que trabajar.

c. Ampliando la idea anterior, podemos decir que el imperfecto nos sirve para:
- describir los ambientes
- describir a las personas

— presentar una situación
— presentar las circunstancias que rodean los hechos. Es el **decorado**.

— Aquella habitación *era* su preferida: *Estaba* llena de libros, *olía* a madera y en ella *se sentía* protegida.
— En la foto que encontró, el abuelo *parecía* un general: *tenía* unos bigotes enormes y *llevaba* el traje de los domingos.
— Esta noche he soñado una cosa muy rara: *Había* gente que no veo hace mucho, *estábamos* celebrando algo y, de repente, nos pusimos a gritar y a pelearnos como histéricos; *parecía* una guerra.

d. Para expresar intención; sobre todo, como justificación por algo que no se ha hecho como estaba previsto.
— Perdona que no te haya llamado; *iba a hacerlo*, pero no pude.
— *Pensaba enviarte* este regalo, pero ya que estás aquí...

— Hola, Meli, ¿qué haces?
— Hola, Martina, *salía* en este momento.
— Bueno, entonces, nada. Ya te llamaré otro día.

e. Para expresar que la realidad o la información actual no coinciden con lo que sabíamos o con lo que teníamos planeado.
— Aquí no vive ese señor.
— ¡Vaya! Pues yo *pensaba* que sí.

— Te he comprado un pantalón corto para ir al gimnasio.
— Yo *quería* un chándal, pero me pondré el pantalón. Gracias.

f. Para expresar que hemos perdido el contacto, la relación con las personas:
— Qué buenas ideas *tenía* Marta.
— Y las seguirá teniendo, ¿no?
— Imagino que sí, pero como hace tanto tiempo que no la veo...

g. Para expresar cortesía. En ese caso sustituye al presente.
— Buenos días, señor, ¿qué *deseaba*?
— *Quería* hablar con usted. ¿Es posible?

h. En textos escritos, a veces, para empezar y terminar la historia.
— *Érase* una vez una princesa que *vivía* en un castillo...
Nos dijeron que llegaríamos enseguida y, efectivamente, al poco tiempo *llegábamos* al pueblo.

3. Marcadores de pretérito indefinido

Ayer / anteayer
El verano / otoño... pasado
El mes / año pasado
Hace unos días / un mes...
A finales del año pasado
En 1996
La primera / segunda vez que

Anoche / anteanoche
La semana pasada
El otro día
Un día + indefinido
Durante + cantidad de tiempo
Aquel año
Cualquier día de la semana (no hoy)

¡OJO! Verbo *ser*: *Fue en* + temporada = *ocurrió.*
— Eso que cuentas *fue en verano*, ¿no?

Era + temporada.
— *Era verano* cuando los conocí.

Usamos el indefinido:

a. Para referirnos a una unidad de tiempo en la que ya no está el hablante:
— La semana pasada *fui* a Madrid, a ver a mi hijo.
— Nos *conocimos* hace seis años.

b. Para hablar de cantidades determinadas de tiempo:
— El sábado *estuve* trabajando todo el día.
— *Viví* allí tres años.

c. Para contar los hechos o las acciones como algo independiente, no como costumbres. Por eso se utiliza para informar y para narrar.
— *Nos conocimos* un domingo y *nos hicimos* amigos.
— *Me encontré* con él, casualmente, hace unos meses.

d. Cuando hay varias acciones, para ordenarlas.
— Primero *llegué* a casa; luego *me puse* cómoda y después, *lo llamé*.
— *Se compró* un coche, *se sacó* el carné y *empezó* a buscar trabajo.

e. Para dar opiniones, lo mismo que el pretérito perfecto, pero dentro de sus límites temporales, como acabamos de ver.
— ¿Qué tal la película del otro día?
— A mí *me encantó*.
— Sí, *estuvo* bien, pero no *me pareció* tan extraordinaria.

4. **Usamos el pluscuamperfecto:**

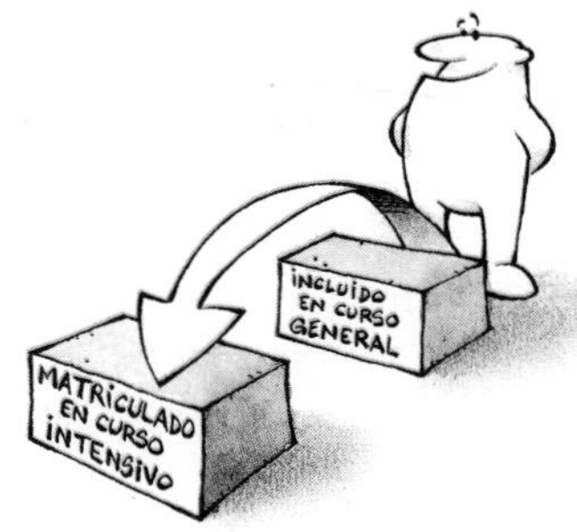

a. Para referirnos a una acción pasada, anterior a otra también pasada.
— ¿Cuál es el problema?
— Que *me había matriculado* en un curso y me han puesto en otro.

— El servicio de este hotel es excelente: En la habitación teníamos fruta y champán, y eso que *no habíamos pedido* nada especial.

b. A menudo, se sustituye el pluscuamperfecto por el indefinido, excepto si ello produce alguna confusión en la información.
— No tuvimos problemas: Nos alojaron con la misma familia con la que *vivimos (habíamos vivido)* la primera vez.

Pero:
— Cuando llegó el profesor, la clase *empezó*,
no significa lo mismo que:
— Cuando llegó, la clase *había empezado*.

c. Para expresar posterioridad, acompañado de expresiones como: *al poco rato / tiempo; a los pocos minutos / días; al día / año siguiente...* En realidad, es posterior al indefinido, pero anterior a la expresión de tiempo.

— Fina es un encanto: le pedí que me grabara un CD, y *al día siguiente,* me lo *había grabado.*

— ¡Qué inteligente es! Le explicaron el problema y *a los pocos minutos había encontrado* la solución.

5. **Aquí tienes un esquema para ayudarte a contar historias:**

Presentar el marco, el decorado	**Contar hechos**	**Contar hechos simultáneos**	**Terminar el relato**
imperfecto — *Estábamos asistiendo* a un Congreso muy importante sobre el medio ambiente. **Describir el ambiente, las circunstancias, las personas, etcétera** Imperfecto Pluscuamperfecto — *Había / se había reunido* allí gente de todo el mundo, que *intentaba* buscar soluciones a los graves problemas del planeta. **Presentar causas** Imperfecto Indefinido — *Como llevaba* mucho tiempo trabajando y *estaba* cansada,… — *Como llegué* tarde, me perdí el principio de la película.	indefinido — Me *fui* a dar una vuelta por la ciudad, sin decírselo a nadie. *Salí* del Palacio de Congresos y me *puse a* caminar sin rumbo, para descubrir una ciudad distinta.	imperfecto indefinido — *Cuando estaba* a punto de sentarme / *Mientras estaba sentada* en un banco del Gran Parque, *oí* unos gritos terribles y *vi* a dos hombres peleándose. La gente *miraba,* pero no *hacía* nada. **Contar más hechos** indefinido — *Entonces yo empecé* a gritar, a llamar a la policía y *fue* como si todos despertaran; también ellos *reaccionaron e intentaron* separar a los dos hombres.	indefinido — *Total, que* todos *acabamos* en la comisaría; unos, detenidos y otros, como testigos. Y mi paseo misterioso y solitario *tuvo* su parte de aventura. *Al final, tuve que llamar* a la secretaría del Congreso para explicar mi ausencia.

Vamos a practicar

1. **Pon estos infinitivos en el pasado que te parezca adecuado. Si puedes, trata de explicar la razón de tus elecciones.**

Antes de empezar, busca en el diccionario estas palabras:

ombligo	*recuperar*	*ladera*	*rostro*	*trasladar*
hegemonía	*excavar*	*cantera*	*torso*	*arrastrar*

LOS ÚLTIMOS GIGANTES

Estamos en **el ombligo** del mundo, en una isla de 160 m^2: en la isla de Pascua. Aquí donde la vida parece imposible, se levantan quince gigantes de roca que *(recuperar)* ______ (1) su **hegemonía** en la isla de los misterios. Quince titanes de piedra, de espaldas al mar y que miran al horizonte. Son los últimos *moai*. Pero hasta hace unos meses *(ser)* ______ (2) poco más que unas piedras derribadas a causa de un violento movimiento sísmico. Los *moai (encontrarse)* ______ (3) desordenadamente tirados en el suelo. Hoy reinan de nuevo.

La cuenta atrás *(comenzar)* ______ (4) hace 36 años. En abril de 1960 un maremoto *(destruir)* ______ (5) la plataforma. Muchos nativos recuerdan que la gran ola que *(venir)* ______ (6) de Chile a 600 km. por hora, *(sacar)* ______ (7) peces y langostas del agua y los *(llevar)* ______ (8) tierra adentro. El pueblo entero *(poder)* ______ (9) comer pescado durante una semana sin salir a pescar.

En 1993 *(comenzar)* ______ (10) los trabajos de restauración. El arqueólogo Claudio Cristino *(ser)* ______ (11) el jefe de la obra, coordinada por la Universidad de Chile.

Durante los trabajos de **excavación** *(recogerse)* ______ (12) más de 17.000 piezas y *(descubrirse)* ______ (13) ciento cuarenta esqueletos. La inauguración oficial del monumento *(producirse)* ______ (14) en 1995.

El *Tongariki,* que mide más de cien metros de longitud y cuatro de altura, sostiene quince *moai* y *(deber)* ______ (15) de construirse alrededor del año 800 de nuestra era.

Los trabajadores pascuenses *(comenzar)* ______ (16) su trabajo escogiendo un lugar adecuado en **la ladera** de **la cantera**; después *(trazar)* ______ (17) los contornos del **torso** y el **rostro** del *moai* y *(continuar)* ______ (18) esculpiendo los laterales en dirección a la espalda. Pero *(ser)* ______ (19) una vez terminada la gran figura, cuando (empezar) ______ (20) el problema, porque estos artistas *(tener)* ______ (21) que **trasladar** sus descomunales esculturas a muchos kilómetros de distancia.

Se dice que el viaje lo *(realizar)* ______ (22) sobre un mar de troncos y que los *moais (ser)* ______ (23) **arrastrados** por decenas de trabajadores. Luego *(irse)* ______ (24) levantando las estatuas por medio de un montón de piedras, cada vez más grandes, en su parte delantera. Así *(llegar)* ______ (25) a colocarse en posición vertical en el sitio previsto.

Transforma el infinitivo en el tiempo correcto del pasado.

1. La muerte del fotógrafo *(ocurrir)* ______ ayer, entre las 7 y las 8,30h. de la mañana, según *(informar)* ______ **el forense**.
   El detective Aranda lo *(descubrir)* ______ muerto en su casa y, aunque *(buscar)* ______ señales o **huellas**, no *(encontrar)* ______ nada.
   Un poco más tarde, *(llegar)* ______ **los de homicidios**; *(tomar)* ______ fotos, *(revolver)* ______ toda la casa en busca de **pistas**, pero el posible **asesino o asesina** no *(dejar)* ______, aparentemente, ninguna **prueba** de su **crimen**.

Las palabras en negrita están relacionadas con la policía. ¿Puedes explicar su significado? Pregunta a tu profesor(a) o busca en el diccionario.

2. Una mañana, a comienzos de septiembre, *(llegar, yo)* ______ a Elche. Nunca *(estar)* ______ allí y, la verdad, aquella ciudad me *(sorprender)* ______ porque *(haber)* ______ tantas palmeras juntas, que casi *(resultar)* ______ increíble.

3. > ¡Hombre, Javier! ¡Qué alegría verte! ¿Cuándo *(volver)* ______?
   < Hace tres días.
   > Entonces las vacaciones *(resultar)* ______ más cortas de lo que *(pensar)* ______, ¿no?
   < Sí, es verdad. Pero al final *(decidir)* ______ regresar antes para no pillar la caravana de los últimos días del mes.

4. > ¿Dónde *(estar, vosotros)* ______ de vacaciones el año pasado?
   < En un pueblecito de la sierra.
   > ¿Y cómo es que *(ir)* ______ allí?
   < Porque nos *(decir)* ______ que *(ser)* ______ precioso y nada turístico y la verdad es que *(resultar)* ______ todo cierto.

¿Cuál es el tema de las frases 2, 3 y 4? Señala los elementos relacionados con él.

5. Los monumentos megalíticos siempre *(despertar)* ______ la curiosidad de los científicos que no *(dejar)* ______ de investigar sobre su significado real. Entre las numerosas hipótesis, las leyendas tradicionales *(lograr)* ______ entrever algunos de los misterios que envuelven a estos testigos del paso de los siglos.

6. > ¿Cómo es que *(llegar)* ______ tan pronto?
   < Pero, bueno, ¿no me *(decir)* ______ que *(poder)* ______ venir cuando quisiera? ¿Por qué te enfadas ahora?
   > No, si no me enfado, es que *(pensar)* ______ que no vendrías antes de las 11.

7. > ¿Qué *(pasar)* ______ al final con lo de los libros?
   < Pues lo que todos *(esperar)* ______ que *(tener, ellos)* ______ que aceptar las sugerencias que les *(hacer)* ______ todo el mundo y que, al principio, no *(querer, ellos)* ______ escuchar.

8. > ¿No *(quedarse, vosotros)* ______ hasta el final de la fiesta?

< No, *(haber)* ______ demasiada gente, la música *(estar)* ______ muy alta y no *(poderse)* ______ hablar, así que *(irse)* ______ a tomar algo a un sitio tranquilo.

9. Todo *(empezar)* ______ el día en que se *(conocer)* ______: Primero se *(mirar)* ______, después se *(saludar)* ______ educadamente. Aunque sus palabras no *(mostrar)* ______ ninguna emoción, sus ojos *(hablar)* ______ por ellos.

10. Primero *(llegar, yo)* ______ a la estación; después *(coger)* ______ un taxi que me *(llevar)* ______ hasta el hotel. Allí *(encontrar)* ______ una nota. *(Subir)* ______ a mi habitación, me *(quitar)* ______ el abrigo y las botas y *(esperar)* ______ su llamada.

3. Dos historias de misterio. Transforma los infinitivos en el tiempo adecuado del pasado.

A. *(Llegar, yo)* ______ (1) muy pronto al aeropuerto de Barajas, *(recoger)* ______ (2) mi tarjeta de embarque y *(facturar)* ______ (3) mis maletas; no *(haber)* ______ (4) mucha gente. *(Entrar, yo)* ______ (5) en el *Dute Free* a comprar una botella de vino para llevársela a mis amigos de Hungría. La tienda sí *(estar)* ______ (6) llena de gente, que *(mirar)* ______ (7) y *(comprar)* ______ (8).
Cuando *(estar, yo)* ______ (9) pagando, alguien *(acercarse)* ______ (10) a mí por detrás y me *(poner)* ______ (11) una pistola en el cuello, al tiempo que *(decir)* ______ (12): *No se mueva y no le pasará nada.* Por supuesto, yo no *(hacer)* ______ (13) el menor gesto, excepto que no *(parar)* ______ (14) de moverme porque *(estar)* ______ (15) temblando.
La verdad es que yo no *(ver)* ______ (16) nada; no *(ver)* ______ (17) si *(ser)* ______ (18) un hombre o una mujer quien me *(apuntar)* ______ (19), aunque me *(parecer)* ______ (20) la voz de un hombre; no *(ver)* ______ (21) tampoco si la cosa que *(sentir)* ______ (22) en mi cuello *(ser)* ______ (23) una pistola de verdad; pero *(dar)* ______ (24) por supuesto que aquello *(ser)* ______ (25) un atraco y que yo *(tener)* ______ (26) la mala suerte de estar en el sitio inadecuado en el momento menos oportuno.
Me *(acordar)* ______ (27) de tantas películas en las que *(pasar)* ______ (28) algo similar y me *(preguntar)* ______ (29) si yo *(ser)* ______ (30) de los personajes importantes, de los que se salvan, o no. Todo esto lo *(pensar)* ______ (31) en unos segundos.
Al cabo de un tiempo que a mí me *(parecer)* ______ (32) interminable, la persona que me *(apuntar)* ______ (33) *(dejar)* ______ (34) de hacerlo, *(disculparse)* ______ (35) se *(identificar)* ______ (36) y me *(dar)* ______ (37) un beso y un abrazo que todavía recuerdo como de los más apasionados de mi vida.
(Ser) ______ (38) Dominique, que no *(querer)* ______ (39) que me fuera e *(intentar)* ______ (40) raptarme. Al final, no *(tener)* ______ (41) valor. Yo *(pensar)* ______ (42) que no *(poder)* ______ (43) irme así, y *(cancelar)* ______ (44) el vuelo; ya tendría tiempo de ir a Hungría. Ahora *(querer)* ______ (45) saber por qué Dominique *(hacer)* ______ (46) algo así.

¡Qué extraño, el comportamiento de Dominique! ¿Verdad?
¿Podrías buscar una explicación? ¿Qué crees que pasó después?

Antes de empezar el ejercicio, comprueba si conoces o recuerdas estas palabras y expresiones:

dejar buen sabor de boca	*llameante*	*acariciar*
mirar de reojo	*cesar*	*a su vez*
cambiar de postura	*vagar*	*tener que ver.*

B. Yo *(estar)* ______ (1) asistiendo a unas jornadas internacionales sobre didáctica del español como lengua extranjera, organizadas en el Castillo de Magalia, en la provincia de Ávila. Durante cuatro días *(reunirnos)* ______ (2), *(discutir)* ______ (3) , *(participar)* ______ (4) en seminarios, debates etcétera, para llegar a hacer nuestro trabajo lo mejor posible.
El sábado *(ser)* ______ (5) el penúltimo día. *(Tener)* ______ (6) una jornada intensa. Para dejarnos buen sabor de boca, los organizadores *(sorprendernos)* ______ (7) con una cena especial y una *queimada*, bebida hecha a base de café, aguardiente y azúcar, y que se sirve llameante. Esta bebida procede de Galicia, la tierra de las *meigas* o las brujas, como decimos los castellanos.
La *queimada (servirse)* ______ (8) en el salón circular del castillo, en la parte baja de la torre. Antes de servirla, alguien *(pronunciar)* ______ (9) el correspondiente *conxuro* para poner de nuestro lado a los espíritus y recibir así su ayuda. Todo *(ser)* ______ (10) mágico.
(Beber) ______ (11), *(cantar)* ______ (12) y *(bailar)* ______ (13) durante un buen rato, pero yo no *(quedarme)* ______ (14) hasta el final y *(irme)* ______ (15) a dormir porque al día siguiente *(haber)* ______ (16) más ponencias y *(querer)* ______ (17) asistir.
Cuando *(llegar)* ______ (18) a la habitación, mi compañera ya *(estar)* ______ (19) durmiendo. *(Acostarme)* ______ (20) sin hacer mucho ruido para no despertarla y yo también *(dormirme)* ______ (21).
Al cabo de algún tiempo, *(sentir)* ______ (22) que alguien *(acariciarme)* ______ (23) el pelo y la espalda. *(Mirar)* ______ (24) de reojo a Mercè, mi compañera y *(ver)* ______ (25) que ella *(estar)* ______ (26) allí, en su cama, sin haberse movido. *(Intentar)* ______ (27) cambiar de postura, pero no *(poder)* ______ (28). Aquella caricia *(durar)* ______ (29) algunos ¿segundos?. Luego *(cesar)* ______ (30) y yo *(volver)* ______ (31) a dormirme.
A la mañana siguiente, durante el desayuno *(contar)* ______ (32) mi experiencia y una de las organizadoras *(contarme)* ______ (33) a su vez lo siguiente:
"La leyenda dice que Magalia *(ser)* ______ (34) la hija del señor del castillo. *(Ser)* ______ (35) tan hermosa, que su padre no *(querer)* ______ (36) separarse de ella. Un día la *(encerrar)* ______ (37) en la torre para que ningún hombre la viera y Magalia, desesperada, *(suicidarse)* ______ (38). Cuenta la leyenda que el padre *(volverse)* ______ (39) loco de pena porque *(vagar)* ______ (40) por el castillo buscando a su hija".
—Y eso ¿qué tiene que ver conmigo? — *(preguntar)* ______ (41) yo.
—Es que la leyenda sigue y dice que, todavía hoy, el señor de Magalia sale a buscar a su hija por el castillo y, a veces, cree encontrarla entre las mujeres que se alojan aquí. Quizás tú te pareces a ella y por eso ayer *(acariciarte)* ______ (42).
Esa noche, yo también *(vagar)* ______ (43) por los pasillos del castillo, en busca del misterio.

4. **Ahora tienes que completar los diálogos y añadir el verbo que falta en una forma correcta del pasado.**

1. > ¡Hola, Manolo! ¿Cómo estás?
   < Fatal. Ayer ______ un día muy ajetreado.
   > ¿Por qué? ¿Qué ______ que hacer?
   < Mi padre ______ por la escalera y lo ______ al hospital.
   > ¡Cuánto lo siento! ¿Está grave?
   < No, al principio ______ que ______ una pierna, pero sólo ______ dislocada.

2. > ¿Qué tal el viaje?
   < Muy mal. ______ (nosotros) muy mala suerte, el coche ______ varias veces.
   > Pero, ¿qué ______?
   < El primer día ______ un tiempo malísimo; ______ que conducir muy despacio porque la carretera ______ muy peligrosa. Al día siguiente ______ (nosotros) muy temprano para recuperar el tiempo perdido, pero no ______ llegar muy lejos.
   > ¿Por qué?
   < Porque el coche ______, lo ______ a un taller de reparaciones y el mecánico ______ casi una hora en llegar; mientras ______ esperando, ______ a llover, como el día anterior.
   > O sea, que un desastre.
   < Pues sí, la verdad. Espero que haya más suerte la próxima vez.

3. > ¿Hace mucho que vivís juntos?
   < Sí, hace, por lo menos seis años.
   > Y, ¿dónde os ______?
   < ______ en Montreal, en un Congreso. A mí me ______ a dar una conferencia y él ______ al Congreso, ¿verdad?
   — Sí, es verdad, ______ un flechazo. Yo la ______, me ______ e ______ por todos los medios que me la presentaran para salir con ella
   > Y, por lo que veo, todo ______ como tú ______ ¿no?
   — Por mi parte, creo que sí; ¿tú qué dices?
   < Que eres un conquistador irresistible.

5. **Hay gente que estudia y trabaja. Buscad entre vuestros amigos/as y compañeros/as gente así y hacedles una entrevista para que cuenten cómo empezaron, cómo se las arreglan, etcétera.**

Ejemplos: Sandra Mancho. "Estaba estudiando algo que no me gustaba y decidí preparar oposiciones; no saqué plaza, aunque aprobé, y... ahora he empezado a estudiar Derecho."
Carlos González reparte pizzas a domicilio, pero quiere escalar puestos en la empresa; por eso empezó a estudiar marketing.

TEMA

3

Ya y todavía. *Dos palabras muy útiles*

1. *Todavía* y *ya* en relación con los pasados

todavía no + pretérito perfecto = ***antes no, ahora tampoco***

— A las nueve menos cuarto la clase *todavía no ha empezado.*
— Hemos hecho muchos ejercicios, pero *todavía no he entendido.*

todavía no + pluscuamperfecto de indicativo = ***antes no, en ese momento tampoco***
— Les dimos una semana más para terminar el trabajo, pero cuando se cumplió la fecha, *todavía no habían terminado.*

todavía + presente de indicativo = ***antes sí, ahora también***
> ¿Has entendido?
< No, *todavía tengo* problemas.
— Después de 40 años de casados, *todavía quiero* a mi mujer.

todavía (no) + imperfecto de indicativo = ***antes sí/no; en ese momento también/tampoco***
— Ese chico es un tragón, se comió tres bocadillos enormes y *todavía tenía* hambre.
— Aunque habíamos pedido el permiso con tres meses de antelación, una semana antes del viaje *todavía no sabíamos* si podríamos ir al Congreso.

ya + pretérito perfecto = ***acción acabada***
— En noviembre, el curso de la Universidad *ya ha empezado.*

— Un sueco o un finlandés, a las tres de la tarde, normalmente, *ya ha comido.*
— Habitualmente, a las nueve y cuarto la profesora *ya ha llegado.*

ya no + presente de indicativo = ***antes sí, ahora no***
— Holger y Cristina *ya no están* en esta clase, han cambiado de nivel.
— He dormido mucho, *ya no tengo* sueño.
— Ahora soy vegetariano, *ya no como* carne.

ya + imperfecto / pluscuamperfecto = ***antes sí, ahora también***
> El lunes no tenemos clase, hacemos puente.
< *Ya lo sabía*; nos lo dijo la profesora el otro día.

> He traído vino para hacer una buena sangría esta noche.
< *Ya lo habíamos comprado nosotros,* pero no importa; así tenemos más.

2. Otros usos de *ya*

- Se usa como muestra de comprensión, de aceptación, cuando alguien nos está contando algo. Podíamos decir que equivale a ***sí.***
  > ¡Qué injusto que te hayan echado del trabajo!
  < ***Ya,*** pero, ¿qué le vamos a hacer?

  < ¡Fíjate! Hicimos por él tantísimas cosas y cuando lo necesitamos, nos deja tirados.
  > ***Ya, ya.***
  (Este tipo de respuesta se intercala entre las afirmaciones de nuestro interlocutor para mostrar que le seguimos en su exposición).

  > Yo creo que el contable nos está robando.
  < No, sí ***ya***... Pero ¿qué podemos hacer?
  Esta respuesta, que parece absurda, significaría :
  Ya lo sé, no hace falta que me lo digas.

- Unida a *que,* da como resultado una expresión que muestra fastidio ante la insistencia de nuestro interlocutor. ***¡Que ya, que ya!***
  > El examen es el 27.
  < ¡***Que ya, que ya***! (me he enterado).

- Expresa ironía, incredulidad. Este significado deriva, sin duda, del primero .
  > Podemos ayudarte durante las vacaciones.
  < ***Ya, ya,*** durante las vacaciones me vais a ayudar.

ya + presente

- Expresa el resultado de un proceso. Podríamos decir que equivale a ***antes no, ahora sí.*** (Ver más arriba).
  — Podemos irnos, ***ya tengo*** el dinero.
  — No creo que lleguemos a tiempo, ***ya es muy tarde***.
  — ¡***Ya está***! Lo he encontrado.

- A veces expresa que se ha llegado a un límite, es como si *ya* marcase una frontera.
  — Mira, yo puedo aconsejarte, ayudarte en muchas cosas, pero ir a la entrevista contigo..., eso ***ya*** ... es cosa tuya.
  — Yo creo que estás preparado para ese trabajo. Pero si te van a coger o no, eso... ***ya***... nadie lo sabe.

- Expresa la inmediatez de la acción. Podríamos decir que equivale a ***ahora mismo.***
  > ¡Francisco!
  < ¡***Ya voy***, mamá!

  — Daos prisa que ***ya sirvo*** la comida.
  — Si no ***deja*** de llover ***ya***, se perderán las cosechas.
  — Preparados, listos,... ¡***ya***!

- Derivadas de este sentido, encontramos en la lengua hablada la expresiones ***ya mismo*** y ***desde ya*** o ***a partir de ya.***
  > ¿Podrías sacarme del ordenador el artículo sobre traducción?
  < Espera un momento, que estoy imprimiendo otra cosa; te lo saco ***ya mismo***.

  > ¿Desde cuándo es válida la bajada de los tipos de interés?
  < ***Desde ya***.

  — Hay que aplicar estas normas y quiero que se haga ***a partir de ya***.

- A veces se usa para ofrecerse a hacer algo y que otra persona no lo tenga que hacer. Alterna con el futuro. (Ver ***posponer***)
  > Voy a quitar la mesa.
  < ¡Déjalo! ***Ya lo hago yo*** más tarde.

  > ¡Qué haces! Tú quédate, que ***ya recogemos nosotros***.
  < Es que quería ayudaros a ordenar un poco el salón.

  — ***Ya pongo yo*** la mesa, no te preocupes.

- Como fórmula de cortesía y tras haber hablado con alguien, introduce un ofrecimiento, sea de la casa, sea de nuestros servicios.
  — Bueno, doña Concha, pues ***ya sabe dónde nos tiene***.
  — ¡Hasta la próxima vez! Y ***ya sabe dónde está su casa***.

***ya* +** presente de *poder*
- Sirve como orden o incitación a hacer algo. Encierra una crítica porque, lo que sea, no se ha hecho antes. Fijaos en la estructura:
  — ***Ya podéis daros*** prisa, si queréis llegar a tiempo.
  — ***Ya puedes ponerte*** a estudiar, si quieres aprobar.

ya+ imperfecto de *poder.*
- Expresa una crítica o una queja:
  — ***Ya podías*** haberme avisado, para que yo fuera también al concierto.
  — ***Ya podía estar*** yo aquí hasta mañana, si la cita era en otra parte.

ya decía yo / ya me parecía a mí = yo tenía razón.
- Se usa después de comprobar que la primera afirmación de alguien era la correcta:
  > Esa pieza es de Mozart, ¿verdad?
  < ¡Que va! Es de Bach, pero vamos a comprobarlo...
  > (...) Pues sí, es de Mozart.
  > ¿Ves? ***Ya decía yo***.

- En preguntas, expresa extrañeza:
  — ¿Tú ***ya lo sabías***?
  — ¿***Ya te han dado*** el permiso?
  — ¡Qué pronto has salido. ¿***Ya has terminado*** ?

***ya* +** futuro
- Sirve también para asegurar que algo va a pasar, sobre todo con intención de dar ánimos o de tranquilizar a alguien.
  — No te preocupes, ***ya encontrarás*** trabajo; tú eres muy bueno en lo tuyo.
  — ***Ya mejorarán*** las cosas.

- Sirve para posponer, para retrasar algo que no nos gusta. Podemos decir que equivale a ***más tarde.***
  > Tienes que terminar ese trabajo.
  < ***Ya lo haré***, ahora no me apetece.

  > ¿No tenías que ir a la peluquería?
  < Ahora no puedo, ***ya iré***.

- Sirve para amenazar, para anunciar algo malo.
  — Tú crees que te has salido con la tuya, pero ***ya verás*** lo que es bueno.
  — Ahora te ríes de todo el mundo, pero ***ya te tocará*** el turno a ti, ***ya***.

ya lo veremos
- Expresa incredulidad ante una promesa. Podemos decir que equivale a ***eso hay que demostrarlo***.
  > Este año voy a aprobar todo el curso en junio.
  < ***Ya lo veremos***.

ya no + futuro.

- Significa que algo no va a ocurrir nunca más.
  — Aprovecha la ocasión, porque ***ya no se te presentará*** otra parecida.
  — Tienes que aprender a resolver los problemas tú solo; en el futuro ***ya no estaré yo*** para ayudarte.

- En algunos casos alterna con ***ya no*** + presente:
  — Hoy es el último día para matricularse; si no lo hacemos hoy, ***ya no nos matriculamos***.
  — Está muy grave; ***ya no lo salva*** ni un milagro.

- A veces, en la lengua hablada, la frase se corta después de ***ya***, dándole la entonación adecuada:
  — He hecho todo lo que he podido; si no estás satisfecho..., yo ***ya***... (no puedo hacer más).

¡anda ya! / ¡venga ya!

- Se usan para mostrar que no creemos una palabra de lo que nos están contando, que nos parece exagerado o falso:
  > Me siento fatal, creo que tengo fiebre.
  < ¿Fiebre tú? ***¡Anda ya!*** cuento es lo que tienes.

  > Me ha dicho que me invita a comer mariscos.
  < ***¡Venga ya!*** Ese no invita ni a agua.

- Se usa para rechazar una proposición o una afirmación que no nos gusta.
  Suele emplearse cuando hay mucha confianza entre los interlocutores:
  > ¿Vamos a comer fuera?
  < ¡Uf! Mal día, no tengo un duro.
  > No importa, invito yo.
  < Bueno, vale, pero te debo una comida.
  < ***¡Anda ya!***

ya ves / ya ve usted

- Se usa como confirmación de lo que dice nuestro interlocutor.
  > ¡Qué! ¿Trabajando?
  < ***Ya ves*** (que sí).

  > ¿Cómo es que estás trabajando tú sola? ¿No iba a ayudarte Luis?
  < Pues ***ya ve usted*** (que no).

- Se emplea también para introducir una evidencia:
  — ***Ya ves*** que tengo mucho trabajo ahora, ya hablaremos más tarde.
  — ***Ya ves*** que las cosas no están muy bien, tenemos que hacer algo.

ya quisiera

- Se usa para negar la capacidad que otra persona otorga a un tercero, o bien la posibilidad de hacer algo.
  < ¡Mira! Esa chica baila igual de bien que Luisa, ¿verdad?
  > ¡Qué dices! ¡***Ya quisiera***!

- Se usa para expresar un deseo imposible de realizar.
  > ***Ya quisiera yo*** vivir como viven ellos.
  < Y yo, pero siempre se están quejando.

Vamos a practicar

1. Practica con todas las posibilidades.

1. > Me he comprado muchas cosas y ______ tengo más dinero.
< Si necesitas, yo puedo prestarte; ______ tengo 10.000 pesetas.
> Muchas gracias.

2. > Voy a llamar a la editorial para ver si ______ les ha llegado el paquete que les envié el otro día.
< ¡Ay! ¡Perdona! Se me olvidó decirte que llamaron ayer para decir que ______ lo han recibido.

3. > ¿Has visto el periódico?
< Sí, está en la mesita de la entrada, pero ______ lo he leído, así que, cuando termines, déjamelo.

4. > Me han dicho que se van a comprar un coche de lujo.
< ¡ ______ quisieran!

5. > Media hora esperando, y... ¡nada!
< ¡Tranquilo, hombre! ______ viene.

6. > Tienes en tu casillero una nota de Sara Lemonche.
< ¿De quién?
> Sí, mujer,... de una chica brasileña muy simpática, que...
< ¡Ah! ______ recuerdo quién es: estuvo en mi clase hace ______ dos años.

7. > ¡Por fin! ______ tengo las entradas para el concierto. ¡Menos mal que las había encargado!
< ¿Por qué?
> Porque ______ queda ni una.

8. > ¡Fíjate qué catarro me he cogido! ¡Y eso que estamos en mayo!
< ______ lo ______ mi abuela: *Hasta el cuarenta de mayo, no te quites el sayo.*

9. > Oye ¿Me puedes ayudar con el ordenador? Es que no sé qué le ha pasado.
< ¡Vaya! ¿ ______ sabes manejarlo? ¿Cuándo vas a aprender un poco de informática?

10. > ¡Qué complicación! Ahora que ______ teníamos todo arreglado para irnos de vacaciones, me llaman para una entrevista de trabajo.
< Pues tú verás lo que haces, ______ tienes tiempo de rechazar el trabajo o retrasar las vacaciones. En esta vida hay que elegir.

11. > ¿Qué te pasa? ¿Por qué estás de mal humor?
< Porque ______ había hecho el trabajo de fin de curso y resulta que han cambiado los temas a última hora.

12. > Estoy muy triste porque mi novia _______ me quiere.
    < Tranquilo, hombre, hay otras mujeres en el mundo.

13. > ¿Has hecho los deberes?
    < No, _______ he tenido tiempo.
    > Pues yo _______ los he hecho y ahora me voy al cine.
    < ¡Qué envidia!

14. > No estudias ahora, pero _______ lo lamentarás.
    < Tú siempre tan exagerado, papá.

15. > ¿Has visitado _______ algunas ciudades de Andalucía?
    < Sí, _______ he visitado Sevilla y Córdoba, ¿Y tú?
    > Yo _______ he podido.

16. > Creo que tendríamos que ir al cine en vez de al teatro.
    < _______ empiezas otra vez con lo mismo.
    > Vale, _______ me callo.

17. > Juan es un maleducado. Ayer estuvimos comiendo en un restaurante y cuando _______ habíamos terminado el filete, pidió el postre sin esperar.
    < A lo mejor tenía prisa.

18. > ¿A qué hora fue la tormenta de anoche?
    < No sé, pero _______ era de noche cuando nos despertó un trueno horrible.

19. > ¿Cuándo vamos a arreglar lo que está pendiente?
    < _______ veremos, ahora no tengo tiempo.

20. < Ayer me llamó mi hermano y me dijo que _______ había recibido la invitación para tu boda.
    > ¡Qué raro! Mi hermana me dijo que _______ la tenía y se la mandamos el mismo día.

21. > Si no han venido a estas horas, _______ vendrán.
    < Vamos a esperar un poco más, por si acaso.

2. **Completa usando las expresiones del recuadro.**

Ya quisiera; ya verás; ya me parecía a mí; ya puedes; ¡anda ya! (dos veces)***; ¡venga ya; ya lo veremos; ya, ya*** (dos veces)***; ya podías; ya mismo; ya ves; ya podía yo*** (dos veces)***; ya no*** (tres veces)***; ya; ¡ya decía yo!***

1. > Carlos, es la tercera vez que te digo que pongas la mesa.
   < Que sí, _____ _____ la pongo.

2. > Te podemos ayudar durante las vacaciones.
   < _____, pero de momento tengo que arreglármelas sola.

3. > ¡Qué mala persona! ¡Con todo lo que has hecho por él y ahora va por ahí hablando mal de ti!
   < Pues, _____ _____, así son las cosas.

4. > He oído que van a bajar los impuestos a la mitad.
   > ¡_____! Eso no se lo cree nadie.

5. > Bueno, otra vez a viajar en avión, a ver si esta vez no vuelvo.
   < ¡_____! ¡Qué tonterías dices!

6. > Me he cambiado de casa. Ahora vivo en un pueblo.
   < _____ _____ _____ escribirte a la otra dirección.

7. > Este año voy a aprobar todo el curso en junio.
   < _____. Eso lo he oído antes.

8. > Dicen que se van a comprar un coche deportivo.
   < ¿Esos? _____ _____.

9. > ¿Te acuerdas de que Goyo dijo que iba a venir a pasar una semana con nosotros? Pues ha llamado para decir que no puede.
   < _____ _____ _____. Goyo nunca saca tiempo para visitar a su familia. Para él, el trabajo es lo más importante.

10. > _____ _____ aprender a ser más diplomático si no quieres más problemas.
    < Una cosa es ser diplomático y otra callarte ante cualquier cosa.

11. > ¿Otra vez con la música a tope a estas horas?
    < Perdóname, _____ _____ lo haré más, te lo prometo.

12. > Con lo mal que les ha ido, esos _____ _____ se meten en negocio parecido en su vida.
    < No estaría yo tan seguro, son muy lanzados.

13. > Mira, aquí tienes las llaves que se te habían perdido.
    < ¡Ah, _____! Gracias.

14. > El Real Madrid va a ganar al Barça.
    < Eso _____ _____ _____.

15. > No te pongas así. ______ ______ cómo todo se arregla.
< Sí, eso es muy fácil de decir, pero, ¿cómo se va a arreglar?

16. > ¿Vamos a comer fuera?
> ¡Vaya! Me falta dinero para pagar mi parte.
< No te preocupes. Yo lo pongo.
> Muchas gracias. En cuanto lleguemos al hotel, te lo devuelvo.
< ______ ______.

17. > Si no me han llamado a estas horas, ______ ______ me llamarán.
< No te desesperes, seguro que te llaman.

18. > Me ha dicho Mar que te ha mandado un e-mail con toda la información que le habías pedido.
< Pues yo no he recibido nada.
> ¿Has mirado hoy el correo?
< No, voy a mirar ahora... ¡Sí, aquí está!
> ¿Ves? ______ ______ ______. Esa chica es muy cumplidora.

19. > ______ ______ ponerte a estudiar, si quieres aprobar.
< Todavía hay tiempo, no me agobies.

20. > Oye, se me había olvidado decirte que el otro día me llevé el disco de Serrat.
< ¡Claro! ¡______ ______ ______ buscarlo como loca!

3. **Explica el valor que tienen las expresiones en negrita:**

1. > Estos son nuestros asientos.
< Creo que no, que son aquellos.
— Perdonen, sus asientos son aquellos del final.
< ¿Ves? **Ya me parecía a mí**...

2. > ¡Qué angustia! No sé si me habrán llamado para la entrevista...
< No te preocupes. **Ya te llamarán**.

3. > ¿Sabías que Loren es doctor en Química?
< ¡**Anda ya**!... ¿Ese?

4. > Rogelio dice que se va a comprar un chalé.
< ¡**Ya quisiera**!

5. > ¡No aguanto más! Esta vez me voy y lo dejo todo plantado.
< **Ya, ya**...
> ¿Qué quieres decir con eso de *ya, ya*?

TEMA

4

Las preposiciones

La lista que damos a continuación es la clásica. Hoy se considera que *según* no es una auténtica preposición. Nosotros vamos a explicarla de forma tradicional para facilitar su práctica.

a	**ante**	**bajo**	**con**	**contra**	**de**
desde	**en**	**entre**	**hacia**	**hasta**	
para	**por**	**según**	**sin**	**sobre**	**tras**

También se consideran preposiciones:

so **pro** **durante** **excepto/salvo** **incluso** **mediante**

So sólo aparece en frases hechas: *so pena; so pretexto.*
Pro es un cultismo que encontramos en algunas fórmulas.
— No actúes como lo estás haciendo, *so pena* de quedarte sin trabajo.
— *So pretexto* de ayudarte, mucha gente te hace la vida imposible.
— Se ha convocado una manifestación *pro* derechos humanos.
— Como no he trabajado *durante* la semana, lo haré el sábado.
— Todo el mundo se enteró, *excepto/salvo* vosotros.
— Trabaja todos los días, *incluso* los domingos.
— Ha conseguido el trabajo *mediante* la ayuda de sus amigos.

1. Consideraciones generales

Las preposiciones siempre preceden a elementos nominales, como:

sustantivos
— He puesto el florero *en / sobre la mesa.*

infinitivos
— No te preocupes, no te castigarán *por decir* lo que piensas.

adjetivos sustantivados
— No pienses *en lo caro* que te ha costado, sino *en lo bonito* que es.

Las preposiciones **de** y **por** también pueden preceder a adjetivos y participios, pero no es muy frecuente. En muchos casos, son locuciones fijas.
— Lo dejaron *por imposible.*
— Aquel examen me resultó la mar *de difícil.*

Los **gerundios** no pueden ir precedidos de preposición, excepto **en**.
Es una construcción en desuso.
— Te llamaré *en llegando* (en cuanto llegue) al aeropuerto.

Las preposiciones pueden ir detrás de:

sustantivos
— No uses tantas *bolsas de* plástico.

adjetivos
— Es una tela muy *suave al* tacto.
— Es muy *amable con* todo el mundo.
— Haz un pequeño esfuerzo, no es *difícil de* entender.

adverbios
— Ponte *delante de* la puerta para que te vea.
— ¡*Abajo con* las dictaduras!

interjecciones
— ¡*Ay de* aquellos que no hayan cumplido las órdenes!

verbos
— Nos *obligaron a* salir de la discoteca para hacer un registro.
— No voy a *insistir en* ello, pero ya saben que pueden venir cuando quieran.
En estos casos la preposición es fija y obligatoria.

— Voy a *hablar con* ellos *sobre* un aumento de sueldo.
— *Miró a* todos los presentes *con* simpatía.
Aquí, en cambio, depende de las ideas introducidas: compañía, objeto directo, etcétera.

Recordemos que algunos pronombres sufren transformaciones cuando van detrás de las preposiciones.
yo → mí **tú → ti** **él / ella / ellos /ellas → sí** (sólo para la forma reflexiva).
— Sé que están hablando mal *de mí.*
— Guarda ese dinero *para ti,* no lo malgastes.
— Es un egoísta, sólo piensa *en sí* mismo.

Un caso especial es la preposición **con**:
con + yo → conmigo **con + tú → contigo**
con + él/ella/ellos/ ellas → consigo (sólo para la forma reflexiva)
— Fui *con ella* de vacaciones.
— Ella siempre lleva *consigo* su bolso y no lo suelta nunca.

Con algunos usos de las preposiciones, los pronombres anteriores no cambian.
Entre, hasta y **según**, cuando acompañan al sujeto.
— *Entre tú y yo* terminaremos esto enseguida.
— Lo explicó de forma tan clara que *hasta yo* lo entendí.
— Así que *según tú,* aquí no hay ningún problema, ¿no?

2. Familias de preposiciones

Vamos a dividir las preposiciones, para su estudio, en los siguientes grupos:

a. Las que tienen un equivalente (*delante; debajo; detrás*) más usual:

ante **bajo** **tras**

Cada una de ellas se resume en el dibujo que las acompaña. No obstante, hay usos que exceden este intento de resumir y "visualizar" la preposición.

ANTE

Equivale a *delante de,* en sentido espacial
en presencia de, en sentido figurado.

Transmite una idea de autoridad:
— Todos nos quedamos parados *ante* la puerta.
— Todos sentimos miedo *ante* lo desconocido.

Equivale a: *considerando, teniendo en cuenta*:
— *Ante* una situación como ésta, tenemos que actuar.

Frase hecha: *Ante todo.*
— Piensa, *ante todo,* en lo que más te convenga.

BAJO

Equivale a *debajo de*, en sentido espacial:
— La perra se mete *bajo* la cama cuando se asusta.

Expresa ideas de garantía, o de dependencia y causa: poder, gobierno, etcétera:
— No se puede hacer nada *bajo* una autoridad tan estricta.
— Está *bajo* los efectos de las drogas.
— El detenido salió *bajo* fianza.

Frases hechas: *bajo cero, bajo cuerda* (sin que se sepa):
— Intentó conseguir votos bajo cuerda, prometiendo cosas en caso de que ganara.

TRAS

Equivale a *detrás de* o a *después de*:
— Se escondió *tras* las grandes cortinas del salón.
— Las cosas mejorarán *tras* las reformas económicas.

Equivale a *además de; encima de*:
— *Tras* decir que era inocente, pretendía que lo creyéramos.

b. Las que tienen un significado claro.

contra entre según sin sobre

En este caso, no todas las preposiciones admiten un dibujo simbólico, dada la variedad de significados de *según* y *sobre*.

 **CONTRA**	Expresa choque, oposición; contacto. → Señala el obstáculo: Indica movimiento violento. → — Ten cuidado, o vas a chocar *contra* el bordillo. — Se lanzaron *contra* la gente que los rodeaba. — Estaba apoyado *contra* la pared. Expresa también transgresión o falta: — Nunca debemos actuar *contra* las normas.

 **ENTRE**	Puede expresar cooperación de varios sujetos. Cuando acompaña al sujeto, el pronombre no cambia: — Podemos arreglar ese problema *entre* nosotros. — *Entre tú y yo* podemos resolverlo. Equivale a *en medio de,* en sentido espacial *a medio camino de,* en sentido temporal: — Lo encontré perdido *entre* toda aquella gente. — No sé la fecha, creo que será *entre* el 15 y el 20. Indica movimiento: — de penetración — para sobresalir o destacar: — Se metió *entre* los delincuentes sin que lo descubrieran. — Es el mejor *entre* todos mis colaboradores. Expresa causa: — *Entre* la comida y el alquiler me gasto casi todo el sueldo. *Diferencia + entre +* sustantivo/pronombre/ frase sustantivada: — Me parece que hay *diferencia entre tus palabras y tus actos.* Frases hechas: *Entre Pinto y Valdemoro* (las cosas están poco claras). *Entre pitos y flautas* (entre unas cosas y otras). *Entre tú y yo* (confidencialmente).

 **SEGÚN**	Equivale a *de acuerdo con; desde el punto de vista; en conformidad con.* Cuando acompaña al sujeto, el pronombre no cambia: — *Según* nuestra información, la fiesta será mañana. — *Según yo*, no habría que renunciar a nada. Equivale a *a medida que,* en sentido temporal y espacial: — Irás mejorando *según* vayas practicando. — Los servicios están a la derecha *según* se sale. Equivale a *depende*: — ¡Hombre! Lo ha hecho bien o mal, *según* se mire. Equivale a *como* con valor modal: — No me eches la bronca, lo hice *según* me lo explicaron.

SIN

Indica privación o carencia:
— No sabe vivir *sin* estar rodeado de gente.
— Un agua *sin* gas, por favor.

No sin
— Debo decir que lo he conseguido *no sin* un gran esfuerzo.

Sin que + subjuntivo
— ¿Serás capaz de decírselo *sin que se enfade*?

SOBRE

Equivale a *encima de*, en sentido espacial:
— superioridad
— apoyo, presión en un punto.

— He puesto la ropa planchada *sobre* la cama.
— Lleva una clara ventaja *sobre* su inmediato seguidor.
— El peso de toda la casa descansa *sobre* estas columnas.

Indica movimiento:
— de arriba abajo
— giratorio
— de ataque:

— La lluvia, cayendo *sobre* las hojas, me producía una sensación de tranquilidad.
— Las ruedas giran *sobre* un eje.
— Se lanzaron *sobre* el enemigo por sorpresa.

Expresa aproximación:
— cantidades
— tiempo:

— Calculo que habría *sobre* doscientas personas.
— Estaremos ahí *sobre* las cinco.

Tema, contenido:
— Quisiera encontrar un buen libro *sobre* la novela actual.

Garantía:
— He pedido una hipoteca *sobre* la casa.

c. Las que pueden resultar difíciles por su proximidad con otras:

desde **hacia** **hasta**

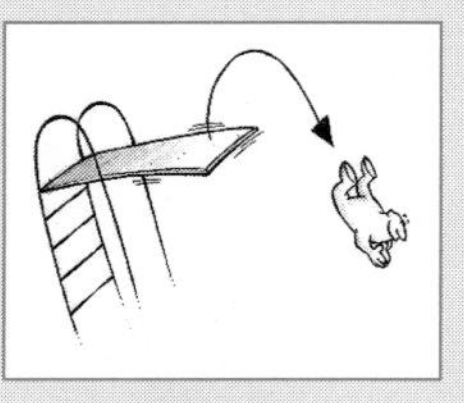

DESDE

Punto de partida; origen.
— espacial
— temporal:

— Te llamo *desde* una cabina que está al lado de tu casa.
— Hay que empezar otra vez *desde* el principio.

Desde que + verbo:
— *Desde que vivo* aquí, mi vida ha cambiado radicalmente.

Frases hechas:
— *desde luego* = por supuesto;
— *desde siempre* = hace mucho tiempo;
— *desde ya* = ahora mismo (coloquial).

HACIA

Localización aproximada:
- — temporal
- — espacial, con idea de movimiento, sin interesarse por el destino:

- — Empezamos a cenar *hacia* las once.
- — Istán queda *hacia* Marbella, ¿no?

Orientación; tendencia:
- — No sabe muy bien qué va a hacer, pero parece que se inclina *hacia* la música.

Sentimientos:
- — Muestra un gran respeto *hacia* sus mayores.

HASTA

Equivale a *incluso*:
- — acompañando al sujeto (el pronombre no cambia)
- — acompañando al verbo:

- — Es un espectáculo para todos; pueden participar *hasta los niños.*
- — Es tan fácil, que *hasta él* pudo hacerlo.
- — En su casa pude hacer lo que quise, *hasta llamar* por teléfono.

Límite:
- — espacial
- — temporal:

- — Con las inundaciones, el agua llegó *hasta* las ventanas del primer piso.
- — Nos quedamos en la fiesta *hasta* el final.

Desde ... hasta
- — He dormido *desde* las diez *hasta* las ocho.
- — El autobús que iba *desde* Mijas *hasta* Málaga ya no funciona.

Hasta que + verbo
- — Nos quedamos allí *hasta que terminó* la fiesta.

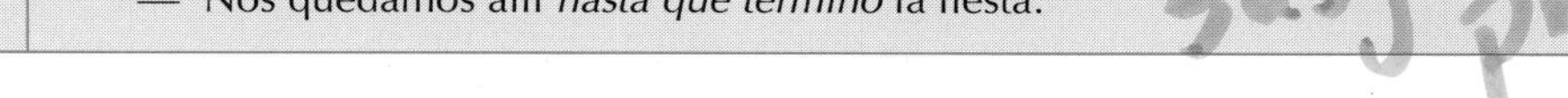

d. Las que resultan vacías de significado porque, en realidad, tienen demasiados:

a con de en

Tienen más posibilidades, pero les vamos a adjudicar un valor predominante sobre las otras.

A

Movimiento: dirección en sentido real
en sentido figurado:

- — Hemos llegado *a* casa cansadísimos del viaje.
- — Hemos llegado *a* la conclusión de que no vale la pena hacer un esfuerzo tan grande.

Localización: — espacial = *cerca de*
— distancia:

- — Cuando salí, me estaba esperando *a* la puerta.
- — Vivo *a* 20 km. de Málaga.

Tiempo: — fecha
— hora
— edad o momento en que ocurre algo:

- — Estamos *a* 18 de septiembre.
- — Hoy me he levantado *a* las seis y media y ahora tengo mucho sueño.
- — Mi tía se casó mayor: *a* los 52 años.
- — La policía se fue, pero volvió *al* poco rato.

Agrupación ***de... a***, en sentido temporal y espacial:
— Trabajo *de* nueve *a* una.
— *De* mi casa *a* la playa sólo hay 200 metros.

Distribución / frecuencia:
Hay una docena de pasteles, así que tocamos *a* dos por persona.
Voy a la peluquería dos veces *al* mes.

Precio — cambiante
— por unidades:

— El dólar está otra vez *a* 190 pesetas.
> ¿*A* cuánto está hoy la merluza?
< *A* 1.500 pesetas el kilo.

Modo; costumbre:
— Lo ha hecho *a* lo loco, sin pensar en nada.
— No me gusta ir *a pie* por sitios tan peligros.
— ¿Sabes montar *a caballo*?
— Vamos a despedirnos *a* la belga: con tres besos.

Precede al complemento directo de personas o de cosas personificadas:
— Esta mañana he llamado *a* Emmy.
— Hay que bajar *a* la perra para que haga sus cosas.

Precede siempre al complemento indirecto:
— Esta tarde he enviado una carta *a Emmy*.
— Voy a dar un paseo *a la perra*.
— He puesto suavizante *a la ropa*.

CON

Compañía — en sentido real
— en sentido figurado: contenido, ingredientes:

— Me encanta estar *con* ellos, porque son realmente sinceros.
— ¿Has probado ya el pollo *con* compota? Está riquísimo.
— La pasta del pastel está hecha *con* harina, huevo, leche y azúcar.

Trato, relación, encuentro, choque:
— No te enfades *con* él, es así de desagradable *con* todo el mundo cuando está preocupado.
— Yo no quiero pelearme *con* nadie, pero que me dejen en paz, entonces.

Características:
— La casa está equipada *con* todas las comodidades.

Simultaneidad temporal:
— Las aglomeraciones llegan *con* el mes de agosto.

Causa:
— Se marea sólo *con* ver la sangre.

Instrumento; medio; modo:
— Ten cuidado, puedes hacerte daño *con* ese cuchillo.

Concesión: *aunque*:
— ¿Como te has dejado engañar, *con* la experiencia que tienes?

Condición: *si*
— No pide mucho; *con* dos millones nos dejará en paz.

 **DE**	Definición, especificación, determinación: — En el hotel hay pistas *de* tenis y *de* baloncesto. — Todavía conservo a algunos amigos *de* mi infancia. — No es un problema difícil *de* resolver. — Es una persona digna *de* admiración. — Dieron una rueda *de* prensa tras el estreno de la película. Características: — tema — tiempo — material: — El documental habla *de* los animales en peligro. — Tienes ideas *de* otra época. — La temperatura baja *de madrugada.* — Esta zona está muy animada *de día*; *de noche* se vuelve peligrosa. — Hemos puesto suelo *de* madera en toda la casa. Agrupación ***de …a*** (ver **a**) ***de …en*** = expresa plazos de tiempo: — Ojalá volvamos a reunirnos *de* hoy *en* un año. Procedencia; separación; distanciamiento; parte de un todo: — ¿*De* dónde vienes a estas horas y con ese aspecto? — Toda mi familia es *del* norte. — Sacó *de* la cartera un montón de papeles. — Retiró el dinero *del* banco. — Nos alejamos *de* la casa a toda velocidad. — Alguno *de* vosotros tendrá que quedarse aquí. — Repartieron una parte *del* premio. Pertenencia; autoría: — La casa del pueblo es *de* toda la familia. — Es el estilo *de* Miró, no cabe duda. — Esto es obra *de* locos; una persona sana nunca habría hecho algo así. Función, contenido: — Todavía conservo la máquina *de* coser de mi abuela. — He comprado una caja *de* botellas *de* vino. Forma, aspecto, actividad: — No me gustan los sombreros *de* copa. — Va vestido *de* cura para que no lo reconozcan. — Está *de* botones en un hotel de lujo. Causa: — Me da pena *de* vosotros, sois unos ignorantes. — Siempre se está quejando *de* la vida que lleva. Comparativos: — Nos han pagado *más / menos de* lo pactado. — Este chico es *igual de* simpático *que* sus hermanos. Modo: — Lo estamos pasando *de maravilla.* — He dormido toda noche *de un tirón.*

	Localización espacial — sobre — dentro de: — Siempre tengo varios libros *en* la mesilla. — Los cubiertos están *en* el primer cajón de la izquierda. — Ha vivido muchos años *en* el extranjero. — No me gusta quedarme *en* la cama cuando ya me he despertado. — Te esperamos *en* el portal, no tardes. Movimiento: penetración: — La policía entró *en* el local y detuvo a varios clientes. — Siempre te estás metiendo *en* líos. Localización temporal — durante — dentro de — fechas, temporada: — Te llamaré a casa *en* el descanso. — Vuelva *en* una hora y los papeles estarán preparados. — Nos conocimos *en* 1981. — Nunca salgo de vacaciones *en* agosto. Medios de transporte: — Viajar *en* avión es rápido, pero incómodo. — Nunca voy *en* coche por el centro de las ciudades. Resultado de una transformación: — una operación — la formación: — Se ha convertido *en* alguien muy importante. — La distancia en el mar se mide *en* millas y la velocidad, *en* nudos. — Es una experta *en* química. Precio (resultado final): — Al principio quería un millón y medio por el cuadro; al final, me lo dejó *en* un millón. Modo, forma: — Han llevado todas las negociaciones *en* secreto. — Se movían *en* círculo. — Cortó el jamón *en* lonchas. Equivale a: *en lo referente a; en cuanto a:* — Es muy firme *en* sus convicciones. — La naranja es rica *en* vitamina C.
EN	

e. Las preposiciones **para** y **por**.

Para es la preposición que se mueve **hacia delante**, que tiene un objetivo representado por la zanahoria tras la que corre el caballo. ***Para*** podría significar lo que no tengo, lo que quiero alcanzar, el sentido práctico (no olvidemos que con ***para*** expresamos la utilidad, lo que sirve). Entre ***para*** y su objetivo hay una distancia.

Por, en cambio, quedaría representado por un círculo que **empuja** todo lo que tiene delante, como el motor que nos lleva a actuar. Se refiere a lo que ya tengo. Entre ***por*** y su término no hay distancia, se dan al mismo tiempo, como alguien que va en una bicicleta.

 **PARA**	Finalidad; meta; destinatario; aptitud: — Dice un dicho: *Hay que comer* para *vivir y no vivir* para *comer.* — Muchos jóvenes trabajan hoy día *para* ONGs. — Necesito una buena crema *para* las manos. — He traído regalos *para* todos. — Está muy dotado *para* la música Tiempo: — límite de un plazo (antes de él): — Estaré en el pueblo *para* las fiestas. — ¿Podré tener el coche arreglado *para* pasado mañana? ***Va para*** *+ cantidad de tiempo = hace casi* + cantidad de tiempo: — No sé exactamente cuánto tiempo llevo aquí, pero *va para seis años.* Movimiento: — *en dirección a*: en sentido real y en sentido figurado: — He llamado a la policía y vienen *para* acá enseguida. — Escribe *para* un público determinado, no *para* todos. Punto de vista, opinión: — *Para* mí, este problema tiene una solución muy fácil. Comparación; contraposición: — *Para* lo poco que has estudiado, hablas muy bien español. — Vas muy elegante *para* una fiesta informal. Equivale a *si*: — *Para* playas enormes, las de Brasil. — *Para* vivir relajado, la costa; no lo dudes. ***Para que*** + subjuntivo: — Quédate más tiempo *para que podamos* visitar los pueblos del interior.

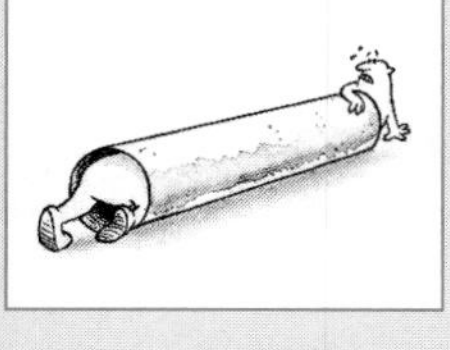 **POR**	Causa; motivo; razón: — Le han dado un premio *por* su última novela. — Ha pedido la baja en el trabajo *por* enfermedad. Sentimientos: — Siento *por* ellos un respeto enorme. Equivale a *en beneficio de; en favor de; en defensa de:* — A mí no me interesaba comprar un piso tan grande, lo he hecho *por* vosotros. — Siempre he luchado *por* (defender) mis principios, hoy no sé si valía la pena. Tiempo — durante — aproximación: **nunca** con horas. — periodicidad: — *Por* unos minutos, todos quedaron en silencio. — Nadie se vestía así *por* aquella época. — Voy al gimnasio tres veces *por* semana. — Siempre estaremos a su disposición, sea *por la mañana, por la tarde o por la noche.*

Localización: — *a través de*
— *a lo largo de*
— *sobre / en*
— indeterminación:

— Los ladrones han entrado *por* la puerta; no *por* la ventana.
— Aunque haga frío, me gusta pasear *por* la playa.
— Cuando entré en casa, todo estaba tirado *por* el suelo.

Movimiento repetido. **Por** va en medio de dos sustantivos iguales:
— Quisiera tener tiempo para visitar la zona *pueblo por pueblo*.

Equivale a *en nombre de; en representación de; en lugar de*:
— Siempre hablo *por* todos, ahora quiero hablar *por* mí misma.
— Que ningún profesor dé la clase *por* mí, ya la recuperaré.

Precio (la persona cree que lo pagado es poco o mucho):
— He encontrado esos mismos zapatos *por* la mitad de precio.
— *Por* 20.000 pesetas no vas a encontrar un apartamento.

Equivale a *a cambio de*:
— Intentaron darme gato *por* liebre.
— Te cambio mi cartera *por* tu bocadillo.

Complemento agente:
— La casa estaba vigilada *por* varios agentes de policía.
— El secreto ha sido revelado *por* alguno de nosotros.

Signo de multiplicación:
— Si multiplicamos la altura de un triángulo *por* su base...
— Siete *por* nueve (son) sesenta y tres.

Equivale a *sin*:
— Tenemos todavía un grupo de alumnos *por* clasificar.

Equivale a *en lo que a mí se refiere, en lo que de mí depende*:
— No os molestéis *por* mí, yo ya me voy.

Medio:
— No vayas *por* el camino de siempre y así verás cosas distintas.
— Te he mandado la lista de precios *por* fax.

Vamos a practicar

1. Completa con *ante, bajo* o *tras*.

1. < ¡Cómo han cambiado las cosas!
> Sí. Al principio, a los trabajadores sólo les hacían contratos temporales, pero tras muchas horas de reuniones, citas y conversaciones, consiguieron que se les tuvieran en cuenta los años de antigüedad en la empresa.

2. > No quiero entrar ahí, mamá, hay alguien.
< No, hijo, mira, no hay nadie ni tras las cortinas ni bajo los muebles.

3. > ¿Cómo conseguisteis hablar con él?
< No fue fácil. En realidad no quería recibirnos, pero nos quedamos ante su puerta hasta que se dio cuenta que no pensábamos marcharnos.

4. > Señor, ya le he dicho que el delegado no está.
< Y yo le digo a usted que ando tras ese señor hace varias semanas y que si hoy también está ausente, pediré el libro de reclamaciones y formaré un escándalo que saldrá en los periódicos.

5. > Cuando era niña, me gustaba esconderme bajo la mesa camilla en casa de mi abuela y tener a todos buscándome, hasta que descubrieron el escondite, claro.
< En mi casa no había mesa camilla, pero me escondía bajo la cama, que era enorme.

6. > ¿Arreglamos esto por las buenas, o lo llevamos ante un juez para que él decida?
< Tranquilo, ¡hombre! Vamos a hablarlo.

7. > Hay que tener cuidado con ellos; son gente que no se detiene tras nada, así que, ojo con lo que hacéis o decís. → ante
< ¿Y qué sugieres que hagamos?

8. > Como empezamos a estar asustados por el futuro, parece que también empezamos a reaccionar de otro modo bajo los problemas medio ambientales.
< ¿Ah, sí? Pues yo no me lo creo.

9. > Estoy furioso, no puedo tener una sola iniciativa sin que me la controlen.
< Hombre, es normal, a los jefes les gusta tenerlo todo bajo su supervisión.

10. > ¡Qué gran verdad es eso de que bajo (→ tras) una pelota siempre aparece un niño. Por eso yo siempre voy con mucho cuidado en las zonas escolares.
< Tú, es que eres muy cumplidor, tío.

11. > Tras el premio que le dieron a su novela, dejó de ser una desconocida y todos, incluso los que la habían criticado, decían ser sus amigos.
< ¡Normal! Pero ella, nada, con los de siempre.

12. > ¿Por qué no habrá grandes artistas durante las dictaduras?
< Porque ___ un régimen así, la creatividad no existe y los artistas inteligentes tratan de exiliarse.

13. > ___ todo, hay que delimitar las funciones de cada uno para que esto funcione.
< ¡Uy, uy, uy! Esto me suena a que vamos a trabajar los de siempre.

14. > Donde yo vivo podemos llegar a estar a 30 grados ___ cero.
< Yo no podría vivir así, me moriría.

15. > Al final se supo que habían dado dinero ___ cuerda a los jugadores para que perdieran el partido.
< Es que hay mucha corrupción por todas partes.

2. Completa con *contra, entre, según, sin* o *sobre.*

1. > No comprendo por qué os gusta tanto hablar ___ la gente y ___ sus vidas.
< Porque es divertido, nada más. Es un tema ___ complicaciones.

2. > Quita las cosas que hay ___ la mesa, para poder limpiarla.
< ¿Y dónde las pongo?, ¿en el suelo?

3. > ¿Por qué no colocamos la lámpara ___ la pared y el sofá?.
< Bueno, si cabe, quedaría muy bien.

4. > ¿Serías capaz de vivir ___ trabajar a todas horas?.
< ___ mucha gente inteligente, la actividad es vida; así que la respuesta es que ___ trabajo no hay vida.

5. > Señor, no puede seguir aquí.
< Es que me dijeron que me llamarían ___ las once y las catorce; por eso estoy esperando.

6. > Aquel extraño personaje siempre llevaba una capa ___ sus trajes, tanto en invierno como en verano.
< Sería una manía, ___ más.

7. > ___ todos los datos macroeconómicos, la economía va muy bien.
< Eso suena muy bien. Pero ¿qué dicen los que llegan a fin de mes ___ un duro?

8. > ¿ ___ qué equipo juega hoy España?
< Ni idea, no me gusta el fútbol.

9. > Lo has vuelto a hacer ____ atención porque has cometido los mismos fallos.
< Si lo hiciéramos ____ todos, sería más fácil no equivocarse.

10. > Me parece que vuestra propuesta podría molestar a la dirección.
< Entonces, ____ tú, deberíamos quedarnos de brazos cruzados, ____ hacer nada y esperar, ¿no?

11. > Intenta hacer esas cuentas ____ la calculadora; si no, perderás agilidad mental.
< Eso son tonterías. No sé qué tienes ____ las calculadoras.

12. > Parece que ha caído ____ nosotros una maldición, nada nos sale bien.
< Pero ¡qué exagerado eres! Lo que pasa es que no deberíamos hacer las cosas ____ pensar en sus ventajas.

13. > Yo te aconsejo que no actúes ____ la mayoría, o lo pasarás mal.
< ¿Y ni siquiera puedo dar mi opinión ____ lo que está pasando?

14. > Como la casa es tan pequeña, ten cuidado de no chocar ____ los muebles.
< Es verdad: pasar ____ darse un golpe no es fácil, ¿eh?

15. > Si no podemos ponernos de acuerdo ____ nosotros, ¿cómo vamos a conseguir lo que queremos?
< Pero ¿es que acaso estamos de acuerdo ____ lo que queremos?

16. > ¡Chico, qué carácter! No se te puede llevar la contraria ____ que te lo tomes como un ataque personal.
< También se puede enfocar al revés: nunca puedo proponer nada ____ que tú le encuentres alguna pega.

17. > Me encanta ese programa que se llama *Todos ____ la droga*. Me parece que ayuda a mucha gente joven.
< Pues ____ algunos, es un engaño manifiesto.

18. > ¿Sabéis lo que os digo? Pues que voy a hacer lo que yo quiera, porque me estáis volviendo loco ____ unas cosas y otras.
< ¡Ya estamos! Ya estás aprovechando la oportunidad para imponerte ____ tener en cuenta a los demás.

19. > Por favor, ¿la secretaría?
< Vaya por ese pasillo y la encontrará a la derecha, ____ se entra en el patio.

20. > ____ el viaje y el hotel, he gastado mucho más de lo que tenía previsto, por eso no he podido traer regalitos.
< Bueno, mujer, no te preocupes.

3. Completa con *desde, hacia* o *hasta.*

1. > Si seguimos así, vamos ______ la ruina total.
   < ¡No exageres, hombre!

2. > La policía quiere llegar ______ el final de ese asunto tan sucio.
   < Pues ya es hora de que se aclare de una vez: nos tienen a todos en vilo ______ que empezó.

3. > Mira ______ otro lado, que ahí vienen los tontos esos del otro día.
   < ¡Cómo eres! Tampoco pasa nada si los saludamos, ¿no?

4. > Las cartas ______ Brasil tardan una semana, así que sus postales llegarán ______ mediados de mes.
   < Eso dependerá de la temporada.

5. > Vente ______ la oficina y así te doy esos informes que necesitas.
   < No tengo tiempo, pero vamos caminando ______ allá y luego yo me quedo en la parada del autobús; ya me los darás mañana.

6. > No veo a mi tía ______ el año pasado y, además, no podré ir a visitarla ______ diciembre. Me va a matar por tardar tanto en aparecer.
   < Bueno, mujer, pero luego se alegrará más.

7. > Camine ______ nosotros con toda naturalidad y ya le diremos cuándo tiene que pararse.
   < Eso me va a costar mucho trabajo, la verdad.

8. La fiesta resultó una sorpresa. ______ la medianoche se apagaron las luces y empezaron a volar por el salón unas brujas en sus escobas. No sé cómo lo hicieron, pero resultó espectacular. Creo que ______ yo, que no soy nada miedosa, me asusté.

9. > ¿Vas a presentarte a ese examen?
   < ______ luego, creo que lo tengo muy bien preparado.

10. > ¿Cómo podéis estar siempre de acuerdo?
    < Es que nos conocemos ______ hace mucho, por eso damos esa impresión de estar tan compenetrados. Pero no te creas, nunca nos ponemos de acuerdo en nada previamente.

11. > Todo había ido bien, ______ que empezaste a actuar por tu cuenta.
    < Te equivocas en algo, yo he actuado por mi cuenta ______ el principio.

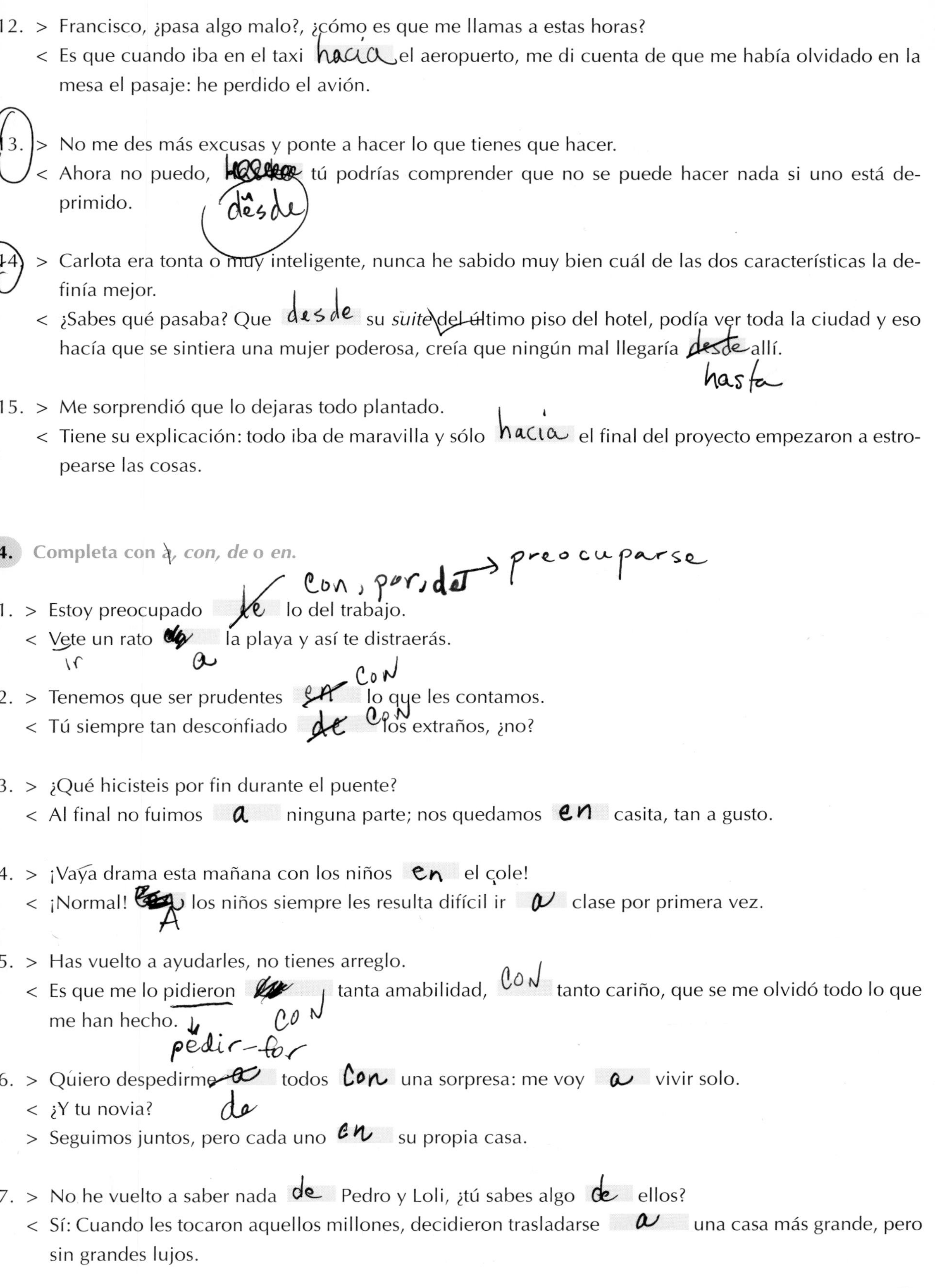

12. > Francisco, ¿pasa algo malo?, ¿cómo es que me llamas a estas horas?
    < Es que cuando iba en el taxi ___ el aeropuerto, me di cuenta de que me había olvidado en la mesa el pasaje: he perdido el avión.

13. > No me des más excusas y ponte a hacer lo que tienes que hacer.
    < Ahora no puedo, ___ tú podrías comprender que no se puede hacer nada si uno está deprimido.

14. > Carlota era tonta o muy inteligente, nunca he sabido muy bien cuál de las dos características la definía mejor.
    < ¿Sabes qué pasaba? Que ___ su *suite* del último piso del hotel, podía ver toda la ciudad y eso hacía que se sintiera una mujer poderosa, creía que ningún mal llegaría ___ allí.

15. > Me sorprendió que lo dejaras todo plantado.
    < Tiene su explicación: todo iba de maravilla y sólo ___ el final del proyecto empezaron a estropearse las cosas.

4. **Completa con *a, con, de* o *en*.**

1. > Estoy preocupado ___ lo del trabajo.
   < Vete un rato ___ la playa y así te distraerás.

2. > Tenemos que ser prudentes ___ lo que les contamos.
   < Tú siempre tan desconfiado ___ los extraños, ¿no?

3. > ¿Qué hicisteis por fin durante el puente?
   < Al final no fuimos ___ ninguna parte; nos quedamos ___ casita, tan a gusto.

4. > ¡Vaya drama esta mañana con los niños ___ el cole!
   < ¡Normal! ___ los niños siempre les resulta difícil ir ___ clase por primera vez.

5. > Has vuelto a ayudarles, no tienes arreglo.
   < Es que me lo pidieron ___ tanta amabilidad, ___ tanto cariño, que se me olvidó todo lo que me han hecho.

6. > Quiero despedirme ___ todos ___ una sorpresa: me voy ___ vivir solo.
   < ¿Y tu novia?
   > Seguimos juntos, pero cada uno ___ su propia casa.

7. > No he vuelto a saber nada ___ Pedro y Loli, ¿tú sabes algo ___ ellos?
   < Sí: Cuando les tocaron aquellos millones, decidieron trasladarse ___ una casa más grande, pero sin grandes lujos.

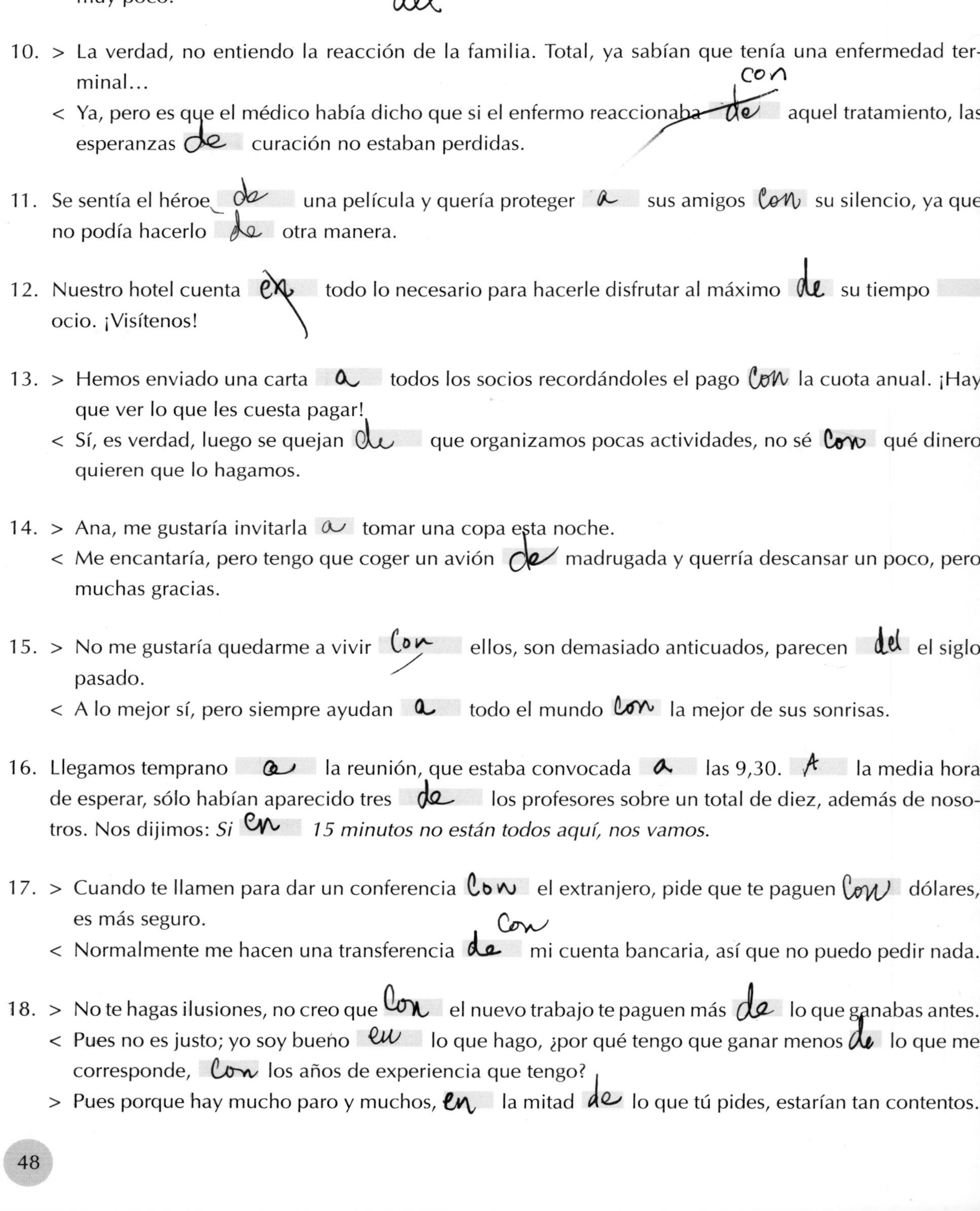

8. Para pasar inadvertida, se disfrazó ____ una peluca y ____ ropa muy ancha: nadie la hubiera reconocido, ni siquiera ____ su propio ambiente.

9. > Quiero pedirte un favor: necesito que le hables ____ tu jefe ____ mí, para que, cuando yo vaya ____ verle, le suene mi nombre.
   < No te preocupes, que te conoce ____ el último libro. Le ha encantado, aunque en realidad él lee muy poco.

10. > La verdad, no entiendo la reacción de la familia. Total, ya sabían que tenía una enfermedad terminal...
    < Ya, pero es que el médico había dicho que si el enfermo reaccionaba ____ aquel tratamiento, las esperanzas ____ curación no estaban perdidas.

11. Se sentía el héroe ____ una película y quería proteger ____ sus amigos ____ su silencio, ya que no podía hacerlo ____ otra manera.

12. Nuestro hotel cuenta ____ todo lo necesario para hacerle disfrutar al máximo ____ su tiempo ____ ocio. ¡Visítenos!

13. > Hemos enviado una carta ____ todos los socios recordándoles el pago ____ la cuota anual. ¡Hay que ver lo que les cuesta pagar!
    < Sí, es verdad, luego se quejan ____ que organizamos pocas actividades, no sé ____ qué dinero quieren que lo hagamos.

14. > Ana, me gustaría invitarla ____ tomar una copa esta noche.
    < Me encantaría, pero tengo que coger un avión ____ madrugada y querría descansar un poco, pero muchas gracias.

15. > No me gustaría quedarme a vivir ____ ellos, son demasiado anticuados, parecen ____ el siglo pasado.
    < A lo mejor sí, pero siempre ayudan ____ todo el mundo ____ la mejor de sus sonrisas.

16. Llegamos temprano ____ la reunión, que estaba convocada ____ las 9,30. ____ la media hora de esperar, sólo habían aparecido tres ____ los profesores sobre un total de diez, además de nosotros. Nos dijimos: *Si ____ 15 minutos no están todos aquí, nos vamos.*

17. > Cuando te llamen para dar un conferencia ____ el extranjero, pide que te paguen ____ dólares, es más seguro.
    < Normalmente me hacen una transferencia ____ mi cuenta bancaria, así que no puedo pedir nada.

18. > No te hagas ilusiones, no creo que ____ el nuevo trabajo te paguen más ____ lo que ganabas antes.
    < Pues no es justo; yo soy bueno ____ lo que hago, ¿por qué tengo que ganar menos ____ lo que me corresponde, ____ los años de experiencia que tengo?
    > Pues porque hay mucho paro y muchos, ____ la mitad ____ lo que tú pides, estarían tan contentos.

19. > ¡Felicidades, abuelo! Que volvamos a reunirnos ____ hoy ____ un año para celebrar otra vez tu cumpleaños.
< Gracias, hija.

20. Cross, el honrado policía, estaba furioso ____ el mundo entero: él defendía ____ la gente ____ los delincuentes y, sin embargo, ____ él le parecía que no se lo agradecían debidamente ____ un sueldo que le permitiera llegar ____ fin ____ mes sin pasar apuros.

21. ____ media tarde había una reunión ____ todo el personal para celebrar el éxito ____ las ventas ____ los nuevos productos. Todos pensaban ir, menos el director, porque estaba muy ocupado ____ la campaña ____ lanzamiento para la siguiente temporada. Todos pensaron que había otras razones.

22. > ¡Cómo cambian los tiempos! ____ mi juventud yo no podía enfrentarme ____ los deseos ____ mis padres como vosotros lo hacéis ahora.
< Normal, abuela: estamos ____ el siglo XXI; ____ algo tenía que notarse, ¿no?

23. > No puedo pagar lo que me pide por el piso, aunque me interesa mucho.
< Se lo puedo dejar ____ siete millones y medio, pero no puedo rebajarlo ____ la cantidad que usted quiere, porque saldría perdiendo.

24. > ¿Ya no trabajas ____ la agencia ____ viajes ? ¿Y ____ qué te dedicas, entonces?
< ¡Qué pregunta! ____ trabajar, como siempre y ____ vivir también, pero ahora estoy ____ directora de ventas ____ una cadena ____ hoteles.

25. > Se nota que, ____ el otoño, los días se van haciendo más cortos.
< Pues lo que yo noto es que ____ la vuelta de los niños al cole, hay una tranquilidad ____ todo el edificio, que me parece mentira.

5. Completa con *para* o *por*.

1. > Tenemos que eliminar todo aquello que no sea útil ____ nuestros objetivos.
< Muy bien; y, ____ empezar, lo primero es eliminar a todos los que entraron a trabajar aquí ____ recomendación.

2. > Su abogado le ha dicho que nunca saldría libre de un juicio ____ asesinato.
< Eso era antes; ahora las leyes son mucho más permisivas.

3. > ¿Has visto? Está aquí toda la prensa.
< Es que la noticia ha debido de extenderse ____ la ciudad en pocas horas.

4. > En la presentación de los participantes, no debes hablar demasiado; sólo elegir las palabras adecuadas ____ cada uno.
< ____ eso estoy tardando tanto, ____ que nadie se ofenda ____ lo que digo o no digo.

5. > ¿Usted cree que podrá encontrarme un apartamento ______ el próximo fin de semana?
< Es difícil, pero haremos todo lo posible ______ ayudarle.

6. > Esta vez no iremos ______ la autopista, sino ______ carreteras secundarias; así descubriremos lugares poco visitados ______ los turistas.
< Estupendo, me encanta la idea.

7. > Mira cómo interpreta, se ve que ha nacido ______ actriz.
< ______ ser una aficionada, lo hace de maravilla. Esta chica llegará muy lejos.

8. > Me ponen de los nervios los que tiran colillas encendidas ______ las ventanillas de los coches.
< ¿Y qué me dices de la gente que tira la basura ______ todas partes?

9. > Este trabajo tiene que estar hecho ______ fin de mes; no podemos esperar más.
< Pues yo me voy de vacaciones pasado mañana. ¿Quién va a terminar lo que queda ______ hacer?

10. > ¿Cuál es su secreto de belleza?
< ______ tener buena cara, hay que dormir lo suficiente; aunque, claro, una buena crema antifatiga ______ las mañanas, también ayuda.

11. > Mira, no creas ni la mitad de lo que cuenta; lo hace ______ llamar la atención.
< ¿Sabes lo que te digo? Que hasta ahora lo he recibido en mi casa ______ consideración a ti, pero se acabó, que se vaya a dar la lata a otro lado.

12. > Faltan pocos días ______ los exámenes y tú todavía no te has puesto a estudiar.
< No te preocupes tanto, que este año llevo todas las asignaturas al día.

13. > Nosotros nunca vamos de vacaciones en agosto. ______ esas fechas hay demasiada gente en todas partes.
< Nosotros, tampoco. Además, te piden una barbaridad ______ cualquier cosa; mejor ir fuera de temporada.

14. > A mi edad he descubierto mi pasión ______ el baile.
< ¡Hombre! Cualquier edad es buena ______ hacer lo que a uno le gusta.

15. > Ya podemos comunicarnos ___ e-mail: acaban de instalarme una nueva línea de teléfono.
< ¡Fenomenal! Así todo será más rápido.

16. > Preséntate a la entrevista ___ mí. Es que yo estoy muerto de miedo.
< ___ mí, no habría ningún inconveniente; pero no creo que los de la consultora estuvieran de acuerdo.

17. > Si vas a visitarlos en invierno, no te olvides de unas buenas botas ___ la nieve, o tendrás que quedarte en casa todo el tiempo.
< Gracias, pero ya las tenía preparadas.

18. > No sé qué regalarle a Francisco ___ su cumpleaños.
< Cómprale un equipo ___ bucear; dice que le encantaría aprender este año.
> Pues gracias ___ la idea.

19. > No quiero que nadie se asuste ___ las dificultades que vamos a encontrar. Sé que no va a resultar fácil, pero ___ este equipo, nada es imposible.
< Dice usted eso ___ animarnos, pero nos espera una buena, ¿a que sí?

20. > Los abuelos tenían otro concepto de las relaciones laborales. Nunca despedían a la gente que había trabajado ___ ellos honradamente.
< ¡Qué bonito! Y ___ ser tan generosos, tuvieron que cerrar la fábrica, ¿no?
< No sé si fue ___ eso, o ___ la incompetencia de sus hijos.

21. Estimados amigos:
Unas breves palabras ___ daros las gracias ___ vuestra amabilidad durante mi estancia en vuestra casa y ___ todas las cosas que me habéis ayudado a descubrir de vuestro país. He vuelto realmente impresionada ___ los maravillosos paisajes y ___ la cordialidad de la gente; tanto es así, que ya estoy pensando en volver. Entre tanto, espero tener pronto noticias vuestras.

Un fuerte abrazo.

6. Trabajemos ahora con todas las preposiciones:

6.1. Elige la correcta.

1. > Felipe me toma *por / para* imbécil, o qué?
< ¿Por qué lo dices?
> Porque, cuando salimos, siempre intenta *a / Ø* que invite yo.

2. > Pareces tener mucho sueño.
   < Sí, es verdad: me he levantado *por / sobre* las seis de la mañana y no estoy acostumbrado *a / de* madrugar tanto.

3. > Esta vez estoy decidido *a / de* no callarme y decirle lo que pienso.
   < Bueno, bueno, creo que ya he oído eso antes.

4. > Creo que Lourdes está triste *por / para* no haber aprobado el examen.
   < Vamos a invitarla *a / de* ir a bailar y se le pasará.

5. > ¿Dónde estás?
   < Todavía estoy *a / en* el instituto; hoy tenemos exámenes *hasta / hacia* muy tarde.

6. > No sé por qué Pepe no confía *de / en* nadie.
   < Yo creo que es porque ha tenido algunos desengaños.

7. > Muchas gracias *para / por* todo lo que has hecho *para / por* nosotros.
   < De nada, ha sido un placer.

8. < He intentado *de / Ø* ayudarlos, pero, nada, no he podido.
   > No te enfades *con / de* ellos; es que son muy orgullosos.

9. > Este año no hemos podido ir *de / en* vacaciones, no teníamos un duro.
   < *A / para* nosotros nos pasó lo mismo el año pasado.

10. > *De / desde* el balcón de mi casa se ve muy bien la procesión.
    < Entonces iremos *en / a* tu casa a verla.

6.2. Completa con : a, ante, bajo, con, de, en.

1. Sé que es algo poco usual, pero lo haremos ________ mi responsabilidad.

2. ________ una pregunta como esa, no sé qué decir.

3. Todo parecía más brillante ________ aquella luz cegadora.

4. Cenamos ________ la luz de las velas, ¡fue tan romántico...!

5. Cuando estoy ________ mis alumnos, no pienso más que ________ la clase.

6. Estuve sentada ________ un tío pesadísimo, que sólo hablaba de fútbol.

7. Vivo ________ media hora de aquí ________ tren.

8. Mira ______ los libros, ______ ver si está ahí lo que buscas.

9. Es muy aficionado ______ la música clásica.

10. No llevaba nada ______ la chaqueta.

11. ______ el policía perdió toda su seguridad.

12. Le creo, es una persona ______ palabra.

13. Acércate ______ la estufa y caliéntate, ¡hombre!

14. Se cogieron ______ la mano y se fueron muy juntitos.

6.3. Completa con la preposición adecuada.

El *hombre nuevo* está perdido. Veinticinco años de feminismo han dejado sus huellas ______ (1) él: Se ha hecho blando y solícito. Colabora ______ (2) las tareas ______ (3) la casa, baña ______ (4) los niños y, ______ (5) todo, ha aprendido ______ (6) guardar silencio y ______ (7) escuchar ______ (8) su mujer. ______ (9) muchos hombres, estos cambios tenían su atractivo. Pero todo empezó ______ (10) cambiar cuando vieron cómo sus compañeras seguían extasiándose ______ (11) los héroes del cine típicamente masculinos.

6.4. Completa con la preposición adecuada. Si hay dos posibilidades, explica la diferencia.

Hemos leído una noticia sobre el llamado "crimen del rol". Aquí tenéis algunas frases relacionadas con él.

1. En este caso los psiquiatras desplazan ______ los abogados, porque hay que determinar si las personas acusadas ______ matar ______ alguien ______ puñaladas, están ______ su sano juicio.

2. El fiscal solicita una pena ______ 30 años ______ los acusados. ______ el diario ______ uno de ellos, si no era posible matar ______ la primera víctima elegida, tendrían que buscar otra, pero no podían volver ______ casa ______ haber cumplido su objetivo.

3. Este crimen está basado ______ los conocidos juegos de "rol", ______ los cuales era muy aficionado el "cerebro" ______ la operación.

4. Los psiquiatras y abogados están impresionados ______ la personalidad ______ el "inventor" del juego.

5. Todo ocurrió ______ Madrid y se detuvo ______ los acusados ______ la confesión ______ uno de ellos, que no pudo soportar su sentimiento ______ culpa. ______ casa ______ el "inventor" se encontró un diario ______ el que explicaba ______ todo detalle sus propósitos.

6.5. Completa con la preposición adecuada. Si hay dos posibilidades, explica la diferencia.

Ahora, veamos lo que siente un padre cuando llega el momento de compartir el veraneo familiar.

El ajetreo tradicional ______ (1) todo el año, es decir la pelea ______ (2) el cuarto ______ (3) baño ______ (4) las 8, el desayuno ______ (5) las 8,45 y la carrera ______ (6) la parada del autobús ______ (7) las 8,59, fue sustituido ______ (8) el horario ______ (9) verano, que era peor. Ahora estaba sometido ______ (10) otros martirios distintos, pero ______ (11) los mismos pequeños monstruos. La cosa empezaba sistemáticamente ______ (12) las 8,30, ______ (13) los alegres gritos propios de las vacaciones y terminaba ______ (14) medianoche, ______ (15) el programa de la tele. ______ (16) medio de este horario los niños se convertían ______ (17) los protagonistas ______ (18) la casa.

Mi mujer, que es una persona ______ (19) carácter, no tiene problemas ______ (20) controlar la situación, o ______ (21) adaptarse ______ (22) ella. Pero yo me siento incapaz ______ (23) pasar las horas muertas jugando ______ (24) el pequeño o estudiando matemáticas ______ (25) el mayor ______ (26) los exámenes ______ (27) septiembre. ______ (28) mí, las vacaciones están pensadas ______ (29) descansar, no ______ (30) volver ______ (31) el trabajo más cansado que antes.

Un día empecé ______ (32) dar vueltas ______ (33) una idea maquiavélica. Traté ______ (34) no pensar ______ (35) ella, pero, al final esa dichosa idea acabó ______ (36) llenar todos mis pensamientos. Y fui ______ (37) hablar ______ (38) mi amable jefe, el cual insistió ______ (39) que la empresa no podía exigirme eso. Hablamos un buen rato ______ (40) las obligaciones reales ______ (41) un trabajador responsable. Pero él comprendió que había mucho trabajo ______ (42) hacer, que sólo yo estaba cualificado ______ (43) hacerlo y que era absolutamente necesario el "sacrificio" ______ (44) mi tiempo de vacaciones ___ (45) la familia . Sí, sí, sé que soy un egoísta, pero prefiero trabajar ___ (46) agosto ___ (47) disfrutar ___ (48) unas "maravillosas" vacaciones. Creo que mi jefe también se "sacrifica" ___ (49) el bien de la empresa. ___ (50) aquella conversación somos grandes amigos.

6.6. **Explica el sentido que tienen *para* y *por* en esta canción mexicana:**

Por tu amor que tanto quiero y tanto extraño,
que me sirvan una copa y muchas más;
que me sirvan de una vez *pa (para)* todo el año,
que me pienso seriamente emborrachar.

Si te cuentan que me vieron muy borracho,
orgullosamente diles que es *por* ti,
porque yo tendré el valor de no negarlo,
gritaré que *por* tu amor me estoy matando
y sabrán que *por* tus besos me perdí.

Para de hoy en adelante, ya el amor no me interesa.
Cantaré *por* todo el mundo mi dolor y mi tristeza.
Porque sé que de este golpe ya no voy a levantarme
y aunque yo no lo quisiera, voy a morirme de amor.

TEMA 5

Verbos con preposición

1. Se construyen con *a* los verbos que significan:

movimiento, dirección
acercar(se); aproximar(se); arrojar(se); ascender; bajar; lanzar(se); llevar; descender; dirigir(se); ir; subir; venir; viajar...

movimiento hacia adelante en sentido figurado
animar(se); aspirar; atender; atreverse; ayudar; comprometer(se); conducir; contribuir; decidir(se); dedicar(se); desafiar; enseñar; incitar; inducir; invitar; obligar...

el principio de la acción (van seguidos de infinitivo)
comenzar; disponer(se); echar(se); empezar; liarse; meterse; pasar; ponerse; romper...

También se construyen con *a* los siguientes verbos:
abrirse; acostumbrar(se); adaptar(se); aludir; amoldar(se); apostar(se); atenerse; atribuir; cerrarse; equivaler; habituar(se); limitar(se); negarse; oler; oponer(se); parecerse; recurrir; reducir(se); referirse; renunciar; saber; someter(se); volver.

2. Se construyen con *con*:

los verbos que significan compañía, encuentro, relación entre varios elementos
asociarse; casarse; coincidir; compaginar; comparar; compartir; competir; comunicarse; congeniar; convivir; enemistarse; enfadarse; entenderse; entrevistarse; relacionarse; trabajar...

los que expresan la idea de medio o instrumento
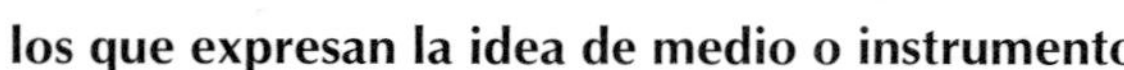
adornar; amenazar; atar; ayudar; colaborar; contribuir; convencer; cortar(se); cubrir; escribir; tapar...

los que expresan la idea de causa (a veces alterna con *de* y *por*)
aburrirse; brillar; disfrutar; entretenerse; entusiasmarse; molestar; obcecarse; preocuparse; reírse; resplandecer...

También se construye con *con* el verbo *soñar*.

3. **Se construyen con *de* los verbos que significan:**

causa
acusar, alegrarse; arrepentirse; avergonzarse; beneficiarse; cansarse; culpar, depender; inculpar; hartarse, llorar, gritar, morirse, suspirar; quejarse, lamentarse; disculparse; enorgullecerse; fatigarse; jactarse; pecar; preocuparse; presumir; protestar; reírse...

distanciamiento, procedencia
alejarse; apartar(se); arrancar; arrojar(se); bajar(se), apearse, caer(se); tirarse; carecer; deducir; despedir(se); desprenderse; divorciarse; emanar; escapar(se); excluir; extraer; fugarse; huir; llegar; llevarse; librarse; marcharse; prescindir, privarse; proceder; retirar(se); retractarse; salir(se); salvar(se); zafarse; separar(se), venir(se)...

final de la acción; perífrasis terminativas. Van seguidos de infinitivo.
acabar; cesar; dejar; parar; terminar...

propiedad, responsabilidad
adueñarse; apropiarse; encargarse; estar al frente; ocuparse...

medio e instrumento:
adornar; armar(se); atiborrar(se); cargar(se); colmar; emborrachar(se); poblar(se); rodearse; servir(se); valerse...

También se construyen con *de*:
abusar; acordarse; alimentarse; aprovecharse; cambiar(se); cubrir(se); curarse; darse cuenta; defenderse; desconfiar; disfrazarse; enamorarse; enterarse; vestirse; vivir...

4. **Se construyen con *en* los verbos que expresan:**

interiorización, penetración, participación
colarse; entrar; encerrar(se); hundir(se); incidir; integrarse; infiltrar(se); inmiscuirse; insertar; internar(se); penetrar; recluir...

la idea de *dentro de,* en sentido figurado
creer; fijarse; coincidir; confiar; concentrarse; destacar; enfrascarse; meterse; pensar; sobresalir...

la idea de *sobre*
apoyar(se); acodarse; afianzarse; afirmarse; colocar(se); recostarse...

resultado final
acabar; convertir(se); cristalizar; descomponerse; deshacerse; partir(se); quedar; tardar; transformarse...

la idea de *en lo relativo a*
consistir; complacerse; crecer; dudar; empeñarse; esmerarse; insistir; obcecarse; ratificarse; rivalizar; secundar; superar(se)...

Observemos que hay verbos que pueden llevar una u otra preposición, dependiendo de la idea con la que se complementen:

Atreverse	***a hacer algo*** *difícil*
	con un plato *muy grande de comida.*
Coincidir	***con alguien*** (en los objetivos)
	en los objetivos (con alguien)
	a la salida *del trabajo* ***/ en el cine*** (con alguien)
Aburrirse	***con alguien***
	de algo, de hacer algo.
Colaborar	***con alguien*** (en un proyecto)
	con dinero (en un proyecto)
	en un proyecto (con dinero)
Colocarse	***en un lugar***
	de aprendiz, de vendedor...

Vamos a practicar

1. Completa con *a, de, en* o *con.*

1. > Pero, ¿por qué siempre te *opones* ______ lo que propongo?
   < Que no es eso; simplemente creo que debemos *pensar* ______ las consecuencias antes de *empezar* ______ actuar.
   > Pues a mí me parece que no hay que pensar tanto; el asunto *se reduce* ______ saber si tenemos el dinero para invertirlo o no.

2. > No *se despidió* ______ vosotros porque *salió* ______ la ciudad inesperadamente. Recibió una llamada de sus jefes y tuvo que irse.
   < Eso *equivale* ______ decir que no tiene móvil o que no existen las cabinas ______ teléfono para llamar

3. > ¿ *Vais* ______ *ir* ______ el baile?
   < ¡Claro! Y, además, *disfrazados* ______ extraterrestres.

4. > Hay que *añadir* ______ todos los gastos mencionados, los seguros, que no están incluidos.
   < No sé si vamos a *cubrir* esos gastos ______ el dinero de las entradas.

5. > *Me he librado* ______ el servicio militar por miope; alguna ventaja tenía que tener el ser cegato.
   < Eso está bien; así no has tenido que *negarte* ______ hacerlo.

6. > ¿Qué nos puede decir sobre los movimientos del acusado?
< Nada de particular, señor juez. El día de autos, al *salir* ___ su trabajo, *se dirigió* ___ su casa, como de costumbre.

7. < En cierta ocasión, yo había salido por la noche y *me había olvidado* ___ las llaves, pero como mi hijo estaba en casa, no *me preocupé* ___ regresar temprano. Al *volver* ___ la fiesta, llamé y llamé y llamé, pero él estaba dormido como un angelito y nada. Total, que tuve que *trepar* ___ el techo de un coche y ___ ahí, ___ el balcón.
> ¡Menos mal que vives en un primero!

8. > Ya *me he cansado* ___ disculpar a los compañeros que *faltan* ___ el trabajo. La próxima vez no me inventaré excusas. Si quieren *escabullirse* ___ la bronca del jefe, que se las inventen ellos.
< Pero, ¿qué ha pasado para que te pongas así?

9. > No me extraña que esté tan delgado: sólo *se alimenta* ___ agua y ___ verduras.
< Dice que así purifica su espíritu.

10. > Los medios de comunicación afirman que usted ha perdido la ambición.
< La cosa es muy simple: *he llegado* ___ la conclusión de que no vale la pena seguir peleando. Sólo *aspiro* ___ ser feliz y vivir en paz.

11. > Tú *confías* ___ que no te hará daño porque eres una ingenua, pero tienes que estar preparada para *defenderte* ___ lo que te *va* ___ caer encima.
< Es posible que sea confiada, pero tú *pecas* ___ lo contrario: *desconfías* ___ todo el mundo.

12. Tenía un plan perfecto para que todos se reconciliaran: Primero *invitó* ___ su hermana ___ una fiesta. Ella, aunque *sospechaba* ___ Carlos, *accedió* ___ ir para que no la *tacharan* ___ insociable. Luego, cuando todos ya estaban animados, Carlos llamó a su padre para que *fuera* ___ su casa, porque no se sentía bien. El pobre muchacho pensaba que cuando su hermana y su padre se vieran, olvidarían sus diferencias y todo se arreglaría.

2. Completa con *en* o *con*.

1. > Tanto hablar y hablar, y al final, no sé ___ qué *hemos quedado*.
< ___ que cada uno irá en su coche.

2. > Si algún día tuviera poder, *se convertiría* ___ un tirano.
< ¡Qué exageración!
> ¡Cómo se nota que no *convives* ___ él y no lo conoces!

3. Cuando mi abuelo se jubiló, *se hundió* ______ una especie de apatía. Sólo cuando *salía* ______ (yo) al parque o al cine los domingos por la mañana, revivía. No sé si llegó a saber cuánto me gustaba *compartir* ______ él aquellos momentos.

4. > Me fui de casa por que no *me entendía* ______ mi padre y ahora que no está, solo *pienso* ______ todo lo que no fui capaz de decirle.
   < No me hagas caso si no quieres, pero no debes *obsesionarte* ______ esos pensamientos, o te amargarás la vida.

5. > No me gusta *competir* ______ la gente que me rodea; por eso me callo si alguien no tiene la misma idea que yo.
   < Pero así nunca *destacarás* ______ tu trabajo.

6. > Me han contado que la reunión salió fatal.
   < Pues sí. Todo empezó como un intercambio de opiniones diferentes, pero luego *acabó* ______ pelea y todos *se enfadaron* ______ todos.

7. > ¡Qué cosas pasan! Llevaba no sé cuántos años sin ver a Alfredo y *coincidí* ______ él ______ un congreso en Brasil.
   < Se alegraría de volver a verte, ¿no?

8. > Tienes que tener en cuenta que las costumbres de los países son diferentes. Por ejemplo, aquí *insistimos* ______ que la gente coma algo que le ofrecemos; en otros sitios, si dices que no la primera vez, te quedas sin comer.
   < Eso es bueno saberlo.

9. *Adornamos* el salón ______ globos de colores y farolillos, para celebrar la fiesta de una manera diferente. Mi madre *se había empeñado* ______ que aquello era original y no queríamos *pelearnos* ______ ella, porque queríamos que disfrutara aquella fiesta. Por eso *nos esmeramos* ______ cumplir cada uno de sus deseos. Al final, todo salió bien.

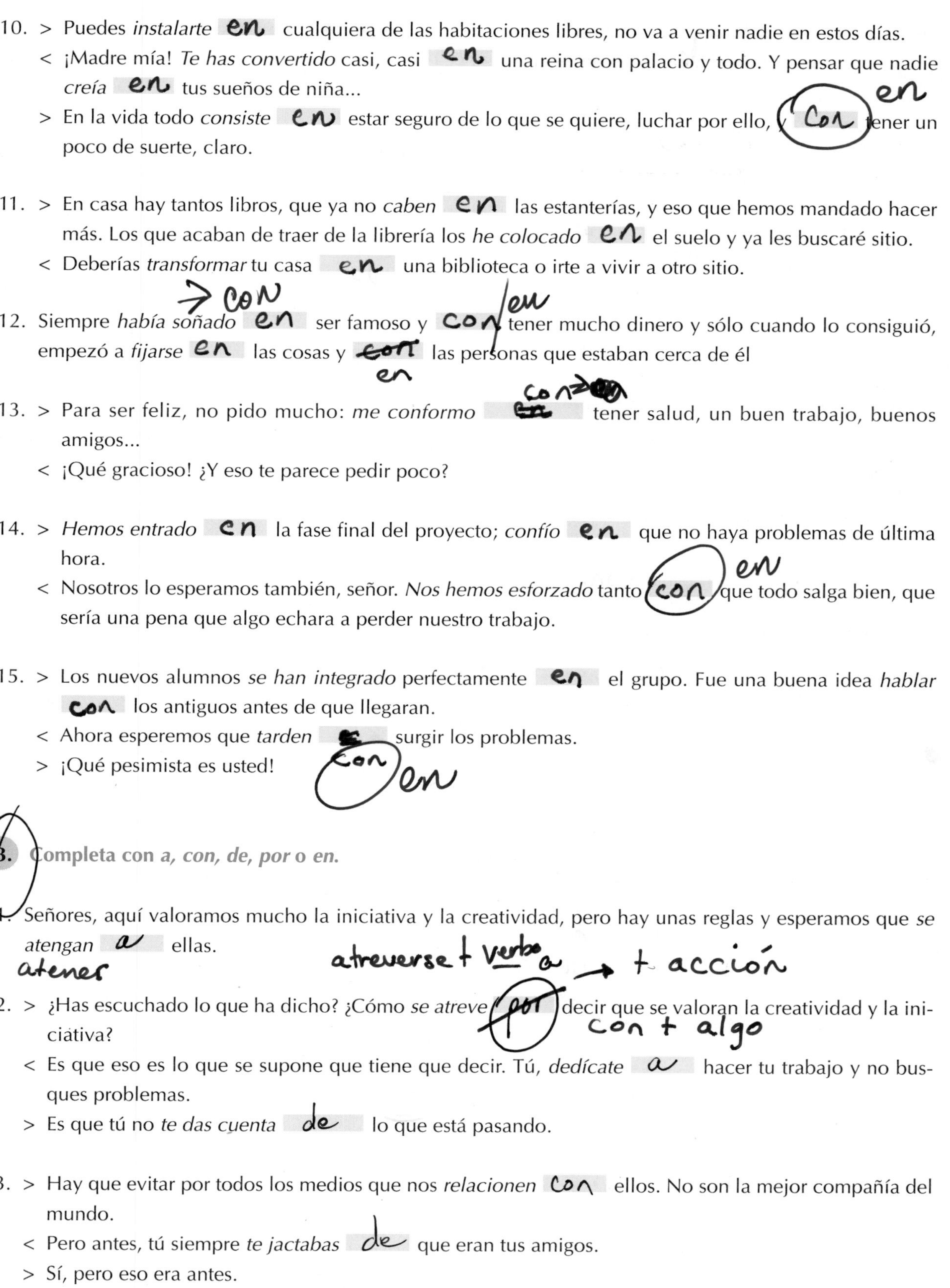

10. > Puedes *instalarte* ______ cualquiera de las habitaciones libres, no va a venir nadie en estos días.
   < ¡Madre mía! *Te has convertido* casi, casi ______ una reina con palacio y todo. Y pensar que nadie *creía* ______ tus sueños de niña...
   > En la vida todo *consiste* ______ estar seguro de lo que se quiere, luchar por ello, y ______ tener un poco de suerte, claro.

11. > En casa hay tantos libros, que ya no *caben* ______ las estanterías, y eso que hemos mandado hacer más. Los que acaban de traer de la librería los *he colocado* ______ el suelo y ya les buscaré sitio.
   < Deberías *transformar* tu casa ______ una biblioteca o irte a vivir a otro sitio.

12. Siempre *había soñado* ______ ser famoso y ______ tener mucho dinero y sólo cuando lo consiguió, empezó a *fijarse* ______ las cosas y ______ las personas que estaban cerca de él

13. > Para ser feliz, no pido mucho: *me conformo* ______ tener salud, un buen trabajo, buenos amigos...
   < ¡Qué gracioso! ¿Y eso te parece pedir poco?

14. > *Hemos entrado* ______ la fase final del proyecto; *confío* ______ que no haya problemas de última hora.
   < Nosotros lo esperamos también, señor. *Nos hemos esforzado* tanto ______ que todo salga bien, que sería una pena que algo echara a perder nuestro trabajo.

15. > Los nuevos alumnos *se han integrado* perfectamente ______ el grupo. Fue una buena idea *hablar* ______ los antiguos antes de que llegaran.
   < Ahora esperemos que *tarden* ______ surgir los problemas.
   > ¡Qué pesimista es usted!

3. Completa con *a, con, de, por* o *en*.

1. Señores, aquí valoramos mucho la iniciativa y la creatividad, pero hay unas reglas y esperamos que *se atengan* ______ ellas.

2. > ¿Has escuchado lo que ha dicho? ¿Cómo *se atreve* ______ decir que se valoran la creatividad y la iniciativa?
   < Es que eso es lo que se supone que tiene que decir. Tú, *dedícate* ______ hacer tu trabajo y no busques problemas.
   > Es que tú no *te das cuenta* ______ lo que está pasando.

3. > Hay que evitar por todos los medios que nos *relacionen* ______ ellos. No son la mejor compañía del mundo.
   < Pero antes, tú siempre *te jactabas* ______ que eran tus amigos.
   > Sí, pero eso era antes.

4. > No permitieron que los medios de comunicación *asistieran* ____ el juicio.
< Luego *presumen* ____ que allí hay libertad de expresión.

5. Estimados colegas: *Me he entrevistado* ____ los responsables de esta casa no sé cuántas veces y siempre *terminamos* ____ lo mismo: no *nos entendemos* ____ lo referente al dinero, así que yo creo que es mejor *dejar* ____ *pensar* ____ *asociarnos* ____ ellos.

6. > ¿*Te has adaptado* ____ la forma de vida de aquel país?
< Para casi todo. Pero a pesar de los años que llevo allí, ____ lo que no *me acostumbro* es ____ la falta de luz.

7. ____ mi casa siempre comemos ____ las dos y media.

8. > Me da miedo *enfrentarme* ____ ella. *Trataré* ____ decirle lo que pienso, pero no *estoy seguro* ____ conseguirlo.
< *Recurre* ____ tu encanto y así no podrá *acusarte* ____ grosera.

9. > ¡Venga, hombre! *Atrévete* ____ un trocito más de tortilla, que está muy buena.
< Sí, sí que está buena, pero es que no puedo más, de verdad.

10. > Cuando *se disponía* ____ *meterse* ____ su coche, unos encapuchados le dispararon, pero ningún vecino *se enteró* ____ nada. No sé si dicen la verdad, o es que *están muertos* ____ miedo.
< Si fuera así, no se les puede *culpar* ____ ello.

11. > *Se está aprovechando* ____ la amistad que tiene con la dirección para hacer su santa voluntad.
< Y lo peor es que va por ahí presumiendo ____ ello.

12. > La gente inteligente *se rodea* ____ otros que saben más, para *aprender* ____ ellos. Sólo los mediocres buscan a los que saben menos; así nadie les hace sombra.
< Habló la sabihonda.

13. > Da gusto *volver* de vez en cuando ____ casa de los padres para no tener que *preocuparse* ____ nada, porque ellos *se ocupan* ____ todo.
< Sí, hijo, pero no *te habitúes* ____ la buena vida, que todo se acaba.

14. > Una persona ambiciosa no *se contenta* ____ lo que tiene, sino que intenta *superarse* ____ lo que hace.
< Entonces, para ti, tiene un sentido positivo. En cambio, para mí, a veces la ambición te *lleva* ____ *enfrentarte* ____ la gente sin necesidad.

15. > Me gustaría *retirarme* ____ vivir al campo, pero no puedo *prescindir* ____ mi sueldo.
< Lo que tienes que hacer es *aprender* ____ vivir de otra manera y ____ ganarte la vida con lo que da el campo.

16. > No nos *han incluido* ____ el grupo que *se desplazará* ____ *negociar* ____ los nuevos socios de la empresa.
< Claro, porque *no nos hemos sometido* ____ las condiciones previas.
> ¡Hombre! Es que esas condiciones *carecían* ____ toda ética.
< ¿Ves? Por eso nos *han excluido* ____ el dichoso grupo. ¿A quién le interesa la ética en los negocios?

17. > Nuestra emisora quiere *sumarse* ____ la lista de felicitaciones que ya han recibido y permítame una pregunta: ¿____ qué *atribuyen* su nuevo éxito electoral?
< Quizá ____ haber sido honrados en nuestro primer mandato. Por eso la gente *confía* ____ nosotros.
> ¿No cree que habría que *aludir* también ____ los errores de la oposición?
< Prefiero *pensar* ____ nuestros aciertos, más que ____ los errores ajenos.

18. > En la entrevista de televisión ustedes *se refirieron* ____ su buena suerte, ¿por qué?
< Porque podíamos haber sido sus víctimas también. Al principio no *asociamos* a los chicos que conocimos en la discoteca ____ los que salían en los periódicos; luego *nos alegramos* ____ no *haber ligado* ____ ellos: resultaron ser muy peligrosos.

19. > Hay que *adaptarse* ____ los nuevos tiempos, o te *echan* ____ el trabajo.
< ¡Mujer! Las cosas no son tan radicales.
> ¿Que no? Tú siempre *te ríes* ____ mis "exageraciones", pero el tiempo dirá si tengo razón o no.

20. > ____ la nueva empresa *hemos contribuido* ____ nuestro trabajo, ya que no hemos podido aportar dinero.
< Entonces no sois socios capitalistas, claro.

21. > Le dije literalmente: *Presumes* ____ que no necesitas trabajar para vivir, pero luego *te quejas* ____ que la vida que llevas es aburrida y monótona, ¿por qué no *te animas* ____ hacer algo útil? Es que ya *estamos hartos* ____ oírte.
< ¿Y qué te contestó?
> *Se echó* ____ reír en mis narices.

22. > Escúchame bien, porque te puede ser útil lo que *voy* ____ decirte: no *te limites* ____ hacer sólo lo que hacen los demás; demuestra que tienes iniciativa, pero no *presumas* ____ nada. Pon algo de imaginación, también; *apártate* ____ las personas conflictivas y sé amable con todo el mundo. Así evitarás problemas en el trabajo.

< ¿Y por qué no has hecho tú lo mismo?

> Porque tenía ideales y era poco práctica; pero la vida *enseña* ____ *distinguir* unas cosas ____ otras y ____ *separar* a los amigos ____ los que no lo son. De todas maneras, tú haz lo que creas que debes hacer, yo sólo he querido advertirte.

< Muchas gracias.

23. > ¿Quién ha podido *inducir* a Juan, que es tan honrado, ____ hacer lo que ha hecho?

< Alguien que sabía los apuros por los que estaba pasando y que, además, podría *beneficiarse* ____ todo este asunto.

> ¿Y *estás decidido* ____ declarar en el juicio?

< Por supuesto. Conozco a Juan y sé que de alguna manera lo *habrán obligado* ____ cometer ese fraude.

> Oye, eso es muy fuerte, parece que todas las pruebas lo acusan.

< Bueno, ya veremos lo que pasa al final. Yo *me ratifico* ____ todo lo que he declarado y los jueces dirán.

24. > Esa actitud tan radical *va* ____ *conducirnos* ____ un fracaso total. *Me niego* ____ *participar* ____ algo así.

< ¿Me *estás amenazando* ____ marcharte?

> No te amenazo; sólo *trato* ____ que abras los ojos.

25. La compañía discográfica CD MUSIC *se complace* ____ presentarles a sus nuevas estrellas. Algunas de ellas ya *están empezando* ____ *destacar* ____ el panorama musical de nuestro país.

TEMA 6

Verbos con preposición. Cambios de significado

Vamos a ver algunos verbos que cambian de significado dependiendo de la preposición que los acompañe:

Acabar con

matar, suprimir, eliminar, terminar totalmente, romper las relaciones con alguien:

— Los terroristas *han acabado con* muchos políticos de varios partidos.
— Estoy dispuesto a *acabar con* tus escrúpulos.
— Alicia y Miguel *han acabado con* su relación, después de tres años.

Acabar de + infinitivo

A. Acción recientemente terminada. Sólo en presente y en pretérito imperfecto:
— *Acabamos de conocer* la noticia. Estarás muy contento, ¿no?
— Me dijeron que *acababas de llegar* de Valladolid.

B. En su sentido real, se puede usar en cualquier tiempo:
— *Acabaríais de comer* cuando sonó el teléfono.

Acabar de + sustantivo

Expresa el resultado de un proceso. Se usa mucho con profesiones:
— Después de tanto estudiar, *acabó de* aparcacoches en un solar.

Acabar en

Expresa el resultado final o el modo de una acción:
— El partido *ha acabado en* un empate.
— Son dos versos que *acaban en consonante*.

Acabar por + infinitivo = **acabar** + gerundio

Expresa que la acción ha llegado a su final después de muchos esfuerzos y trabajo. Podría considerarse sinónimo de *por fin*:
— Insistimos tanto, que *acabaron por concedernos* la entrevista.
— Con tanta gimnasia, vas a *acabar adelgazando* los cinco kilos que querías.

Andar(se) con

A. Frecuentar la compañía de alguien:
— Me han dicho que últimamente *andas* siempre *con* Fernando.

B. Actuar de determinada manera:
— Deberíais *andaros con* cuidado en ese tema. No está nada claro.

Andar de

A. Dedicarse a algo temporalmente:
— Susana *anda* ahora *de* vendedora de pisos en una urbanización.

B. Sinónimo de *tener*; sobre todo, en frases interrogativas:
— Yo no tengo ni un duro, ¿cómo *andas* tú *de* dinero?

Andar en
Estar relacionado con algo o metido en algo:
— ¿Sabes que Pablo *anda* ahora *en* negociaciones con otra empresa?

Andar tras (detrás de)
Buscar, perseguir:
— Desde hace diez días, *ando tras* unas entradas para ese concierto.
— Te aviso que el director *anda detrás de* ti desde el lunes.

Contar con

A. Tiene el significado de *tener* o *poseer*:
— No sé si *cuentan con* dinero suficiente para el viaje.

B. Confiar en que algo ocurrirá:
— Antonio *contaba con* tener el coche arreglado para el fin de semana.

Convertirse a
Cambiar de religión:
— En el siglo XVI, muchos españoles *se convirtieron a*l luteranismo.

Convertir(se) en
Transformar(se):
— Tú eres capaz de *convertir* cualquier cosa *en* un drama.
— Veo que tu hijo *se ha convertido en* un hombre de negocios.

Correr con
Asumir una responsabilidad; hacerse cargo de un gasto:
— Para esta operación, tendréis que *correr con* el riesgo de un imprevisto.
— No te preocupes: yo *correré con* todos los gastos del viaje.

Dar a / dar sobre

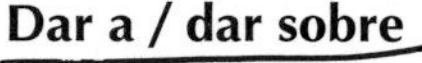

Abrirse a / hacia; estar situado a / hacia:
— Todas las ventanas de mi casa *dan a* poniente.

Dar con
Encontrar algo o a alguien. Hallar la solución de un problema:
— Todavía no he conseguido *dar con* las llaves del coche. ¿Las has visto tú?

Dar en + infinitivo
Empezar a; ponerse a:
— En sus últimos días, el abuelo *dio en* creer que era millonario.

Darle a alguien **por** + infinitivo
Empezar a hacer algo inesperadamente y sin continuidad:
— A sus años, *le ha dado* ahora *por* hacer puenting, ¡figúrate!

Dar por + participio / **dar por** + adjetivo
Considerar:
— A los veinte días del accidente, los *dieron por desaparecidos.*
— Hablaba con tal convicción, que *dimos por válido* todo lo que decía.

Darse a
Entregarse, habituarse:
— Desde que le tocó la lotería, *se ha dado a* la buena vida.

Darse con / darse contra
Chocar golpearse:
— Como no tengas cuidado, *te* vas a *dar con* el martillo en los dedos.
— Ayer *me di contra* el grifo de la bañera y hoy tengo el pie morado.

Darse por + participio
Considerarse como:
— Como no digan más claro lo que hay que hacer, yo no *me doy por enterado.*
— Con lo que nos pagan no *podemos darnos* por satisfechos.

Deber de + infinitivo
Expresa probabilidad:
— Por la manera de andar, aquél *debe de ser* tu hermano Luis.

Deberse a
Tener algo como causa u origen:
— He leído que la falta de lluvia *se debe a* los incendios forestales.

Disponer de
Tener, poseer:
— Si *dispones de* media hora, me gustaría tratar contigo ese asunto.

Estar a

A. Indica precio, cotización, fecha, temperatura o distancia:
- — En Londres, unos buenos zapatos *estarán a* unas veinte mil pesetas.
- — Las acciones de ese banco *están* hoy *a* dos enteros más que el martes.
- — *Estamos* ya *a* mediados de marzo y no me has entregado el trabajo.
- — Cuando lleguemos, Moscú *estará a* diez grados bajo cero.
- — Calculo que tu casa puede *estar a* dos kilómetros de la suya.

B. Expresa disponibilidad, atención:

— En ese trabajo, tendrás que *estar* siempre *a* lo que te manden.

— No progresas porque no *estás a* lo que el profesor explica.

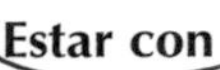

Estar con

A. Padecer, sufrir:

— María no ha venido hoy porque *está con* gastroenteritis.

B. Apoyar, estar de acuerdo:

— Debo decir que *estoy con* ella en todo lo que les ha dicho.

C. Tener relaciones sexuales:

— Presume de *haber estado con* todas las chicas de su clase.

Estar de

A. Indica la duración de un embarazo:

— Marta dará a luz en enero, porque ya *está de* cinco meses.

B. Expresa actividad pasajera y también, estado de ánimo:

— Esta noche vamos a *estar de* guardia, así que prepárate.

— No me vengas con bobadas, que *estoy de* muy mal humor.

Estar en

Concentrarse; tener algo en la cabeza, estar dedicado a ello o no haberlo olvidado:

— No preguntéis nada a María Luisa, que *está* ahora *en* otras cosas.

> ¿Te has acordado de lo que te pedí?

< Tranquilo, *estoy en* ello.

Estar para + infinitivo

A. Encontrarse listo, preparado, a punto de:

— Cuando me llamaste al móvil, *estaba para salir* hacia el aeropuerto.

B. Tener el ánimo predispuesto a algo:

— ¡Cuidado con lo que dices, que *estoy para* pocas bromas!

Estar por + infinitivo

A. Estar a punto de (más inmediato que *estar para*):
— Allí los veo. *Están por* subir al avión para Roma.

B. Dudar, no saber qué hacer; pensar en cambiar de opinión:
— Si no viene en diez minutos, *estoy por entrar* en su despacho y decírselo.

C. Encontrarse algo sin hacer o sin terminar:
— Chico, no te entiendo: todos estos ejercicios *están por corregir*, y tú, ahí, viendo la televisión.

Estar por + sustantivo
Ser partidario de, estar a favor de:
— Lo he pensado bien y *estoy por la despenalización* del consumo de drogas.

Haber de + infinitivo
Tener que:
— Si vienes por ese camino, *has de tener* en cuenta la manifestación de las ocho contra la subida de carburantes.

Hacer de
Trabajar como, representar un papel:
— Gene Hackman suele *hacer de* "malo". Pero en esta película *hace de* sheriff.

Hacerse a
Acostumbrarse, habituarse:
— Les va a costar bastante *hacerse a* esta nueva situación.

Hacerse con
Conseguir, lograr, apropiarse de algo:
— En natación, Finlandia *se ha hecho con* tres medallas.
— Mientras tenía encañonados a los empleados, el atracador *se hizo con* todas las joyas de la tienda.

Meterse a + infinitivo
Empezar a hacer algo sin estar muy seguro del éxito; sin estar muy preparado:
— *Se metió a escribir* una novela y no sabía hacer la **o** con un canuto.

Meterse a + sustantivo
Comenzar a realizar una actividad, profesional o no:
— Está desesperada; su hijo *se ha metido* ahora *a matador* de toros.

Meterse con

A. Atacar a alguien, hacer bromas a costa suya:
— No *te metas con* esa chica, que es amiga mía, ¿eh?

B. Encargarse de una tarea:
— Si tú *te metes con* la limpieza del jardín, yo me encargo de la comida.

Meter(se) de
Colocar(se) en un puesto laboral o en un trabajo:
— ¿Te has enterado? *Han metido de* encargado al sobrino del director.
— He visto a Gabriel. *Se ha metido de* portero de una discoteca.

Pasar a + infinitivo
Empezar a:
— Si les parece, *pasaremos* ahora *al* segundo punto del orden del día.
— A continuación, *paso a* exponerle el objeto de mi visita.

Pasar de (coloquial)
No tener el menor interés por algo:
— ¿Sabes lo que te digo, tío?, que *paso de* todos esos rollos de la política.

Pasar por

A. Ser considerado como; tener aspecto de:
— Esta escritora *pasa por* ser uno de los nuevos valores de la narrativa española.
— Con esa ropa, podrías *pasar por* un turista americano.

B. Aceptar, tolerar, estar de acuerdo con algo:
— Mira, hijo: *Paso por* que vuelvas tarde; *paso por* que te lleves el coche... Pero, pagar yo la gasolina, ¡*por* ahí sí que no *paso*!

Preguntar por
Interesarse:
— ¿Te acuerdas de Eduardo? Me encontré con él y me *preguntó por* ti.

Quedar con alguien
Fijar una cita:
— No voy a poder ir con vosotras, porque *he quedado con* Ana e Irene.

Quedar en / quedar para + infinitivo
Ponerse de acuerdo para algo:
— Entonces, *quedamos en ir* con ellos hasta allí, ¿no?
— Si os parece, podemos *quedar para desayunar* juntos.

Reparar en

A. Notar, darse cuenta:
— ¡Qué bonito vestido llevas! Antes no *había reparado en* él.

B. Suele aparecer en construcciones negativas, con la idea de no dejar de hacer algo por falta de medios, dinero, etcétera:
— Habrá que gastar lo que haga falta. No *repares en* gastos.
— No *ha reparado* en medios para que sus hijos puedan estudiar en el extranjero.

Tachar de
Acusar a alguien de algo; considerarlo negativamente:
— Para que no me *tachéis de* tacaño, ahí tenéis diez mil pesetas para el regalo.

Tener(se) por
Considerar(se) como:
— ¡Cómo te has asustado! Yo te *tenía por* más valiente.
— No *me tengo por* un experto, pero creo que eso está equivocado.

Tirar a

A. Tener una tendencia, una inclinación:
— Por lo que he leído, ese diputado *tira a* conservador, ¿no te parece?
— Me he comprado una corbata de color verde *tirando a* azul.

B. Tomar una dirección:
— Sigue por esta calle y, al llegar al cruce, *tira a* la izquierda.

Tirar de
Arrastrar, arrancar, sacar a alguien adelante:
— El pobre hombre se ha pasado la vida *tirando de* toda la familia.
— Para que suene la campanilla, hay que *tirar de* esa cuerda.

Utilizar, usar (coloquial):
— Si viajas sin dinero, *tira de* tarjeta.

Tirar por
Tomar una dirección:
— Este autobús va por esa calle y luego *tira por* la carretera de Jaén.

Tomar por

A. Considerar:
— ¡Cómo le voy a consentir que insulte a cualquiera! Tú, *¿por* quién me has *tomado*?

B. Confundir con:
— Al verle tan sucio, lo *tomaron por* un mendigo.

Vamos a practicar

1. Completa con la preposición adecuada al sentido de cada frase.

1. > Aunque me *tachen* _____ mandona, no voy a consentir que cada uno haga lo que quiera. Aquí hay unas normas y hay que *pasar* _____ ellas, o marcharse.
   < ¡Hay que ver! Te *tenía* _____ más transigente.
   > ¿Ves? Es lo que yo te decía: en cuanto pides que se cumpla lo establecido, en seguida *te conviertes* _____ un intransigente.

2. > Hay unos forasteros en el bar que *preguntan* _____ ti.
   < No puede ser, nadie sabe que estoy aquí. Aunque parezca imposible, he *acabado* _____ mi pasado; me he hecho una nueva vida, lejos de la gente que conocía; es como si hubiera vuelto a nacer.
   < ¿Y no echas de menos tu vida anterior?
   > ¡Qué va! *Me he hecho* _____ todo esto con una facilidad que me asombra a mí misma.

3. > Hoy en día, es más difícil subir en una empresa. Antes podías *meterte* ______ camarero y *acabar* ______ propietario del restaurante.
   < Para eso, ahora tienes que *tirar* ______ los amigos de los amigos.

4. > Martina y su madre *están* ______ llegar y quiero tener la comida preparada y la mesa puesta para darles una sorpresa.
   < Bueno, tranquila, sólo falta aliñar la ensalada.

5. > Si *te metes* ______ arreglar los asuntos de los demás, verás cómo al final *acabarás* ______ tener unos problemas que no tenías. Y, en el peor de los casos, perderás las amistades.
   < Y a ti te encanta *hacer* ______ consejero, ¿a que sí?

6. > Esta mañana me han dado los resultados en el ginecólogo y *estoy* ______ dos meses y medio.
   < Pues no se te nota nada.

7. > Con esta cara que tengo, nunca podría *pasar* ______ nórdica; como mucho, ______ italiana.
   < También hay nórdicos morenos, ¿eh?
   > Sí, claro, pero cuando viajo al extranjero, la gente me pregunta si soy española, nunca me *toman* ______ sueca.

8. > Si les parece bien, *pasemos* ______ estudiar el presupuesto para el año que viene.
   < Espero que *se haya contado* ______ la propuesta para reducir gastos que presentamos hace un mes.

9. > Antes de usar lentillas, estaba muy acomplejada, porque de niña, los chicos *se metían* ______ (yo) por mis gafas; siempre me llamaban "cuatro ojos". Ahora, claro, *paso* ______ esas cosas y salgo a la calle con mis "gafotas".
   < Pues a mí todavía me da corte ponerme las gafas en público.

10. > ¿Qué se podría hacer para *acabar* de una vez ______ el problema de la droga?
    < ¡Ojalá yo tuviera una solución! Pero *me daría* ______ satisfecho si los gobiernos hicieran campañas de información desde la escuela.
    > Yo creo que ya *están* ______ ello. ¿No te has fijado en los anuncios que hay antes de las películas de vídeo?
    < Sí, pero lo que yo digo es que hay que empezar antes.

11. > Concha, ¿has recibido ya el paquete con los libros?
    < Sí, *acaban* ______ traérmelo.

12. > Al final, ¿cómo vais a hacer el viaje?
    < *Hemos quedado* __en__ ir en coche, para tener más libertad de movimientos. ¿Por qué no te vienes con nosotros?
    > Me encantaría, pero ya *he quedado* __con__ mis compañeros de trabajo para ir al Chorro.

13. > Esta puerta no se abre.
< Prueba a *tirar* _____ ella, en lugar de empujarla.

14. > Pero, Paco, ¿cómo es que *te ha dado* _____ ir al gimnasio? Si siempre decías que no tenías tiempo.
< Si el caso es que sigo sin tener tiempo, pero quiero empezar a cuidarme.
> Eso está bien, ¡hombre!, todo *se reduce* _____ tener un poquito de disciplina.

15. > Como mi hijo no quería estudiar, *está* _____ ayudante de cocina.
< Pues te diré que a mí no me parece muy bien; los chavales jóvenes, en cuanto *dan* _____ ganar dinero, ya no quieren seguir estudiando.

16. > En casa *andamos* _____ obras y todo está patas arriba, por eso no encuentro nada de lo que busco.
< Tú *andas* _____ obras y yo *ando* _____ unos líos por lo del traslado, que ni te cuento.

17. > He leído que Bob Dylan *se ha convertido* _____ el catolicismo. ¿Será verdad?
< No sé, yo también lo he leído.

18. > ¿Qué tal *andas* _____ tiempo?
< _____ tiempo, bien; _____ lo que *ando* mal es _____ dinero ¿Por qué lo dices?
> Porque podríamos irnos unos días por ahí; ahora es temporada baja y con los descuentos que me hacen por trabajar en una agencia, los precios *se quedan* _____ la mitad.

19. > Dicen que *han dado* _____ un nuevo medicamento para luchar contra el SIDA.
< Pues yo he oído que sólo está en fase experimental.

20. > Antes de lanzarnos a cualquier cosa, *hemos* _____ pensarlo bien. Esa gente con la que quieres asociarte siempre *anda* _____ asuntos poco claros.
< No *había reparado* _____ ese "pequeño" detalle.

2. Sustituye el verbo + preposición que están en cursiva, por su significado equivalente.

conseguir   ***golpearse con***   ***empezar a***   ***abrirse a***   ***hacerse responsable de*** ***no saber (si)***   ***probablemente estén / estarán***   ***notar***   ***tener una tendencia***   ***considerar*** ***elegir (una dirección)***   ***perseguir***   ***tener***   ***ser la causa de***   ***darse cuenta de***   ***no detenerse por algo***

1. > ¿Qué te parece este periódico?
< Me parece que *tira* un poco *a* la derecha.

n la cantidad de inútiles que tenemos como jefes, me echaría a llorar.
ses.

nes!
ne *di contra* la mesilla.

con el puesto que quería, pero he tenido que luchar mucho para conseguirlo.
na suerte, ¿no?

5. > *Deben de* estar de vacaciones, porque toda la casa está cerrada y eso no es normal. Siempre dejan alguna ventana abierta.
   < ¡Qué observadora! Yo no *había reparado en* eso.

6. > La policía *anda tras* los atracadores, pero hasta ahora no se sabe nada oficialmente. A lo mejor es que no quieren dar publicidad a las investigaciones.
   < Y parece ser que no *reparan en* medios.

7. > Yo tampoco sé por dónde se va, pero *tira por* ahí y ya veremos.
   < ¿Sabes lo que te digo? Que *estoy por* volverme a casa. Este viajecito ya me tiene harto.

8. > Me gustaría vivir en una casa como las de las películas, que *dan* directamente *a* la playa.
   < A mí me parece que eso es un poco peligroso.

9. > Tras las pruebas presentadas por los abogados, *se dio por cerrado* el caso, pero la opinión pública no cree en la inocencia de esos tipos.
   < Ya, pero no hay pruebas inculpatorias, así que...

10. > Aquí nadie *responde de* lo que hacen los niños, parece que fueran reyes.
    < En mi país se les controla mucho más.

11. > *¿A qué se debe,* en su opinión, la cantidad de turistas que nos ha visitado a lo largo de este año?
    < Sin duda alguna, a nuestro clima; pero también, a que *disponemos de* una infraestructura hotelera de gran calidad.

12. *Reparen* ustedes *en* la maravilla de esta fachada plateresca. Se llama así porque el trabajo en la piedra imita al de los plateros.

TEMA 7

Ser y estar

Para empezar, recomendamos que no se den reglas como: "*ser* se usa para lo permanente y *estar* para lo que cambia". Vamos a hacer el estudio de *ser* y *estar* siguiendo este esquema:

CLASIFICADOR

ESTADOS

1. **ser** y **estar** como verbos con significado completo (usos predicativos)

estar + gerundio

bien / mal y equivalentes

2. **ser** + sustantivos y palabras equivalentes (usos no conflictivos)

3. **ser** + adjetivos / participios.

   Se compara al sujeto con otros posibles para clasificarlo, definirlo o caracterizarlo.

estar + adjetivos / participios

Se compara al sujeto consigo mismo en otros momentos..

4. **ser** + participio = pasiva.
   Pasiva de acción.

estar + participio = pasiva.
Pasiva de resultado.

1. Usos predicativos

En este caso, *ser* y *estar* funcionan como cualquier verbo, con significados independientes:

SER

Señala la existencia
— *Ser* o no *ser* .
— *Érase* una vez una princesa, que...
— Esto no puede *ser.*

Ocurrir, tener lugar
— Las cosas *fueron* como te las cuento.
— Nadie se dio cuenta, todo *fue* visto y no visto.

***Es que* sirve para explicar, justificar**
— Llego tarde, ya lo sé, *es que* había mucho tráfico.

Se usa para atribuir la autoría de algo a un sujeto.
— Ya sé que vas a pensar que *he sido* yo, pero no, esta vez yo no he roto nada.

ESTAR

Indica la presencia o la ausencia
— ¿*Está* Martina? La buscan en secretaría.
— No *estoy* para nadie.
— Preferiría que ellos no *estuvieran* allí.

Permanecer, quedarse
— ¿Cómo puedes *estar* así, sin hacer nada?
— A veces *estoy* sin saber qué hacer.

***Está que* + frase sirve para expresar estados que presentamos como muy exagerados:**
— No puedo más, *estoy que me subo por las paredes*, esta misma tarde voy al dentista.
— La situación *está que arde*, no sé cómo acabará.

Preparado, terminado
— La cena ya *está*, vamos a la mesa.
— ¿*Estamos*? Entonces, podemos empezar.
— El coche *estará* el lunes que viene.

1.1. Expresar tiempo

Fechas:
— Hoy *es 7 de octubre.*

Ser de día; ser de noche; ser de madrugada; ser pronto; ser tarde...

La hora:
>¿Qué *hora es*?
< *Son las 5,30.*

Fechas:
Hoy *estamos a 7 de octubre*
Suele usarse en la persona *nosotros.*

Localización en el tiempo:
— *Estamos en* un momento histórico que debemos aprovechar.

1.2. Expresar lugar

Si el sujeto de la frase es un evento, usamos *ser*, nunca *estar*:
— *El concierto es* en el Palacio de la Música.
— *La asamblea será* en el Aula Magna.

— Los servicios *están a la derecha.*
— El hotel *está a la orilla* del mar.
— *Estamos muy lejos* de nuestra meta.

Con ordinales, se expresa el lugar que se ha alcanzado:
— De pequeña siempre *estaba la primera* de la clase.

1.3. Expresar modo

***Mejor* y *peor* pueden usarse con *ser* cuando son adjetivos:**
— Esta película *es peor* que la anterior.
— *Será mejor* que te calles.

***Así* y *como* con *ser*, expresan una definición:**
— Te parecerá una tontería que tenga miedo, pero *así es.*
— Deberías aceptar a las personas *como son,* sin querer cambiarlas.

Los adverbios de modo *bien, mal mejor, peor, estupendamente...* siempre se usan con *estar*:
— Esto *está mal*, tienes que repetirlo.
— El enfermo *está mejor*, pero no *está bien* del todo.

***Así* y *como* con *estar*, expresan el estado en que se encuentra el sujeto:**
> Ayer volví al trabajo y vi cosas muy raras.
< Pues sí, *así está* la situación. ¿Vas a hacer algo?
— Quiero advertirte de *cómo están* las cosas, para que no te lleves una sorpresa.

1.4. Expresar precio

Con *ser*, expresamos el precio total:
> ¿Cuánto *es* todo, por favor?
< *Son* 1.850 ptas.

Con *estar*, expresamos un precio cambiante:
— Hoy no compro pescado, porque *está a* 3.000 ptas. el kilo.
— Es el momento de comprar dólares: *están a* 195 ptas.

2. Usos no conflictivos

Con esta fórmula queremos decir que las reglas son fijas y que las aparentes excepciones responden a cambios de significado.

Siempre usamos *ser* + sustantivos, infinitivos, pronombres o adjetivos precedidos de *lo* (sustantivados):
— Ir a esa reunión *es una pérdida de tiempo.* (sustantivo).
— Eso que haces *es complicar* la vida a todo el mundo. (infinitivo).
— Ese libro no *es mío.*(pronombre posesivo).
— Esos de ahí *son los que* me atacaron, inspector. (pronombre relativo).

— Vamos en mi coche, *es aquel.* (pronombre demostrativo).
— Ganar dinero *es lo importante* para ella. (adjetivo sustantivado).

En las estructuras de énfasis o de corrección:
— Siempre pasa lo mismo: *es* uno *el que trabaja*, pero *es* otro *el que cobra.*
— No *es ahí adonde* quiero ir, sino más allá.
— *Es una explicación lo que* queremos, no sonrisas.

***Ser de + infinitivo.* Equivale a una opinión expresada de forma más impersonal:**
— *Es de desear* (deseamos) su pronta recuperación.
— *Era de suponer* (suponía) que pasaría algo así.

***Estar* + sustantivos en frases hechas:**
Estar pez = no saber de algo.
Estar trompa = estar borracho/a.
Estar cañón = tener un físico atractivo.
Estar cachas = tener un cuerpo muy atlético.
Estar mosca = estar enfadado/a por creer que a uno le engañan.

Sustantivos precedidos de como:
— A Paco no hay que hacerle mucho caso, *está como una cabra.*
— Ayer sí salimos a navegar; el mar *estaba como una balsa de aceite.*

***Estar* + sustantivos precedidos de preposición:**
— No, lo siento, Martina no puede atenderle, *está de vacaciones.*
— *Estoy hasta las narices* de este asunto.

***Estar* + gerundio:**
— *Estoy buscando* otro trabajo.

3. Con adjetivos y participios

Es aquí donde se nos presentan los problemas más difíciles, pero trataremos de reducirlos a unas explicaciones que no induzcan a error.

SER	ESTAR
Se compara al sujeto con otros posibles. **Sirve para *definir, generalizar, caracterizar*:** Por eso se usa con adjetivos de *nacionalidad* y con *características de personas, cosas, lugares o actividades*: — Estar sentado mucho tiempo *es malo* para la espalda. — Dicen que los latinos *son extrovertidos.* — Pedro *es muy callado.* — Mi habitación *es grande y soleada.* — El ordenador *es muy útil* para todo.	Se compara al sujeto consigo mismo. **Sirve para *expresar estados físicos o emocionales*:** — *Estoy cansada* de estar sentada. — Mira, ese taxi *está libre.* — ¿Por qué *estás tan contento?* — Todos los asientos *están ocupados.* — *Estamos hartos* de que llueva todos los días. Cansados

Expresa una valoración general, sobre todo con adjetivos que hacen referencia a los sentidos:

— El café no *es bueno* para la gente nerviosa.
— El bacalao *es salado.*

Sirve para valorar hechos, acciones, actitudes...:
— *Es necesario* estudiar más para aprobar.
— *Es importante* que hablemos con los sindicatos.

Expresa una valoración que resulta de haber experimentado algo:

— Este café no *está bueno*, a mí me gusta más fuerte.
— El bacalao *está salado*, ¿no lo has tenido en agua bastante tiempo?

Sirve para *expresar una característica actual, comparada con otro momento o con lo que se considera normal*:
— Pedro *está más simpático* últimamente.
— ¡Qué *alto está* el niño!
— *Está más viejo* que la última vez que nos encontramos.

RECUERDA: *Cuando no queremos repetir el atributo de* ser *o* estar*, usamos el pronombre neutro* lo:
> Este tipo *es un inmoral.*
< Pues yo creo que no *lo es*, lo que pasa es que a ti te cae mal.

> Eric *está enfermo,* me lo ha dicho un compañero de piso.
< Muy bien, pero para demostrar que *lo está* de verdad, tiene que traer un certificado.

***Estar durmiendo* y *estar dormido* pueden ser sinónimos en sentido literal:**
— No hagas ruido: la niña *está dormida/está durmiendo.*

Si el verbo *dormir* aparece en forma transitiva, sólo podemos usar el gerundio:
— No hagas ruido: la niña *está durmiendo* la siesta.

***Estar dormido* puede significar no *estar despierto del todo*:**
> Date prisa, hombre, que llegamos tarde.
< No me grites, que *estoy dormido* y no me entero de nada.

Cuando un mismo adjetivo puede construirse con *ser* o con *estar* y no cambia de significado, podemos decir:

***ser* generaliza, presenta la cualidad de forma objetiva:**
— ¡Qué *pesado es*! No sabe hablar más que de fútbol.
— En general, los mariscos *son caros.*
— Esa película *es estupenda*, tienes que verla.

***estar* presenta la cualidad como un comportamiento o como un estado transitorio:**
— ¡Qué *pesado estás hoy*! ¿Qué te pasa?
— Los mariscos, en Navidad, *están carísimos.*
— La fiesta *ha estado estupenda.*

Es decir, podemos aplicar la regla general:

— *Pedro* es pesado, pero *sus amigos*, no.
— *Normalmente*, Pedro es encantador; pero *hoy* está pesado.
— *Los mariscos* son caros, pero *las sardinas*, no.
— *En algunas épocas del año,* los mariscos están más caros de lo habitual.

Algunos adjetivos que suelen construirse con

SER

abstracto	*incapaz*
aficionado	*incompatible*
anormal	*inconsecuente*
asombroso	*increíble*
auténtico	*independiente*
bastante	*inexacto*
capaz	*injusto*
célebre	*innecesario*
cierto	*inocente*
compatible	*insuficiente*
concreto	*interesante*
consecuente	*irreal*
conveniente	*justo*
culpable	*lógico*
decisivo	*moderno*
definitivo	*necesario*
desesperante	*normal*
difícil	*obligatorio*
escaso	*obvio*
estimulante	*original*
exacto	*posible*
extraordinario	*probable*
fácil	*propio*
fantástico	*real*
genial	*relativo*
humilde	*rentable*
idéntico	*sorprendente*
ilógico	*suficiente*
impensable	*trivial*
importante	*único*
imprescindible	*útil*
improbable	*válido*
impropio	*voluntario*

ESTAR

absorto	*hastiado*
acostumbrado	*ilusionado*
agobiado	*incapacitado*
agotado	*indignado*
alerta	*insatisfecho*
angustiado	*intacto*
ansioso	*junto*
asombrado	*lleno*
ausente	*loco*
borracho	*machacado*
capacitado	*mojado*
completo	*necesitado*
concentrado	*obligado*
contento	*ocupado*
deprimido	*olvidado*
descalzo	*pendiente*
desconcertado	*pensativo*
descontento	*preocupado*
desnudo	*preparado*
desprevenido	*presente*
disponible	*preso*
embarazada	*rendido*
emparentado	*repleto*
enfadado	*roto*
enfermo	*satisfecho*
enloquecido	*sediento*
entero	*sentado*
equivocado	*solo*
estupefacto	*sorprendido*
fatigado	*terminado*
furioso	*unido*
habituado	*vacío*
harto	*vestido*

Vamos a practicar

1. **Completa con la forma correcta de *ser* o *estar*. Trata de explicar las expresiones que van en negrita.**

1. > Si las cosas no salen bien, sólo ___ por tu culpa, no por la mía.
   < Siempre ___ *(tú)* con lo mismo; con tal de no admitir tus errores, ___ capaz de cualquier cosa.

2. > ¿Qué te parece el pollo?
   < Riquísimo; preparado así, ___ como más me gusta.

3. > ¿Por qué no **lo mandas a freír espárragos** de una vez, en lugar de hablar tanto?
   < Porque hablando ___ como se entiende la gente.

4. > ¿Por qué no pones un poco más de atención? No ___ en lo que te digo.
   < ___ verdad, perdona.

5. > Deja de pensar en él, o acabarás obsesionándote.
   < No puedo, ___ dentro de mí.

6. > ¡Qué raro! Aquí no hay nadie y sólo faltan quince minutos para la conferencia.
   < ___ que creo que no ___ aquí, ___ en la sala María Zambrano.

7. > No sé qué hacer ni a quién acudir en busca de ayuda.
   < A nadie: ___ dentro de ti mismo donde ___ la solución a tus problemas.

8. > ¿Dónde ___ todo el día?
   < En casa de un amigo, estudiando.

9. > En esta casa siempre hemos tenido un piano en el salón.
   < Eso ___ antes de que yo naciera, porque nunca he visto uno.

10. > ¿Podría hablar con don Francisco?
    < No ___ en este momento.

11. > ¿Sabes que en español los cuentos suelen empezar así: ___ *una vez*?
    < Sí, ya lo sabía.

12. > *(yo)* ___ **hecho un lío**, sé que ___ por aquí, pero no me acuerdo exactamente del camino.
    < No te preocupes, vamos a preguntar a un guardia.

13. > Si consigue salir de esa situación, ______ con mucha suerte.
    < Pero un poco de ayuda de sus amigos ______ muy bien, ¿no crees?

14. > Ya ______ todo listo para el gran día.
    < Y ¿cuándo ______ eso?
    > Dentro de poco.

15. > No entiendo muy bien ese frase que dice: *Ni* ______ *todos los que* ______, *ni* ______ *todos los que* ______.
    < Se refiere a los locos y a los que ______ dentro y fuera del manicomio, creo.

2. Completa con la forma correcta de *ser* o *estar*. Trata de explicar las expresiones que van en negrita.

1. > Desde que el mundo ______ mundo, siempre ha habido luchas por el poder.
   < Vale, pero eso ______ lo malo: que todos lo encontráis normal y nadie hace nada para evitar tantas peleas.

2. > Tengo un problema muy grave y mi cabeza ______ en otra parte.
   < Te entiendo, no te preocupes.
   > ______ muy amable, pero no creo que puedas entenderme; por desgracia, tú no ______ yo.

3. > ¡Qué injusta puede ______ la vida! Ese ______ el último en llegar y el primero en obtener ventajas de la situación.
   < **Me pones negra**, lo tuyo ______ quejarte todo el tiempo; haz lo que tengas que hacer y ya ______.

4. > ¿Has visto qué bien se llevan, aunque no ______ de la misma edad?
   < Sí, ______ **uña y carne**.

5. > No sé si creer al niño; me ha dicho que ______ el primero de la clase.
   < ¿Y por qué no ibas a creerle? Si lo ha dicho, así ______.

6. > Míralo, ya ______ **trompa** otra vez.
   < ______ que no aguanta nada y en cuanto bebe dos copas, se pone así.

7. > No me gusta ese profesor, ______ malo.
   < No, mujer, no ______ mal profesor, sólo le falta experiencia.

8. > A éste no hay que hacerle caso, ______ **como una cabra**.
   < Una cosa ______ decirlo y otra hacerlo, porque nos ______ volviendo locos a todos.

9. > ¿Qué le pasa a Cristina?
   < Que ______ **mosca** porque no la han invitado a la fiesta.

10. > ¿Por qué se empeña en ir dando consejos a todo el mundo si él aquí no
< Porque así se sentirá mejor, digo yo.

11. > Su función aquí ______ ayudar a la gente que se lo pida.
< Y la suya ______ no poner inconvenientes a todo lo que hacemos.

12. > ¿Te has enterado de lo que te he dicho?
< No muy bien, la verdad, es que todavía ______ (dormir).

13. > Esa idea ______ suya, no te la apropies.
< ______ bien. ¡Cómo ______ *(tú)*! **No dejas pasar ni una**.

14. > ¡Qué buena ______ la comida! ¿Verdad?
< Sí, y ______ mucho mejor si ______ un poco más caliente.

15. > ______ la persona más adorable que conozco.
< Eso ______ porque tú no lo has conocido cuando ______ enfadado.

16. > Me di cuenta de que alguien había entrado, porque las cosas no ______ como yo las había dejado.
< ¡Qué observadora ______ !

17. > Bueno, ¿qué? ¿trabajamos o no?, que no ______ aquí para perder el tiempo.
< Pero ¡qué pesada ______ con lo de trabajar!, relájate, mujer, que ______ muy estresada.

18. > Creo que ______ (tú) muy dura con ellos, los chicos no rompieron el cristal a propósito.
< Puede, pero si no ______ (yo) dura ahora, la próxima vez **se cargan** un escaparate y quien paga ______ yo, no ellos.

construcciones que siempre van con *ser* o con *estar*.

______ conveniente meter en la maleta algo de información útil para no ...blemas por comportamiento inadecuado. Por ejemplo, en Turquía ...ón ______ con los brazos cruzados o con las manos en los bolsillos

...t, Bill Gates, prefiere contratar a personas que han sufrido algún fracaso en su ...ue para él eso significa que ______ capaces de asumir riesgos.

3. Cuand... ...dquirir un coche, debe tener en cuenta para qué va a ______ utilizado. Ahí ... to... a diferencia entre unos y otros. La oferta de coches, grandes o pequeños, ______ amplísima. El precio y el tamaño ______ las dos razones que suelen mover al comprador. Los coches grandes ______ de moda en los años 50 y todavía hoy ______ objeto de deseo para los coleccionistas. Pero ______ una locura meterse en el tráfico de una gran ciudad con un coche de cinco metros.

4. Cuando me pregunto si hoy día (nosotros) ______ mejor que antes, la respuesta que suelo darme ______ que no.

5. No se puede comparar la juventud de nuestros abuelos con la nuestra, aquéllos ______ otros tiempos.

6. A veces, el amor y el dinero ______ reñidos lamentablemente. En nuestra sociedad se mide a una persona por el dinero y el éxito que tiene. Sin embargo, hablar de lo que se gana ______ tabú, ______ mal visto.

7. Aunque muchos crean lo contrario, no ______ a nuestro alcance cambiar el funcionamiento de las cosas; unas veces porque no ______ a la altura de las circunstancias; ______ decir, porque no ______ preparados; y, otras, porque nuestros mismos representantes no ______ interesados en ello: correrían el riesgo de perder poder.

8. Hay gente que opina que todos los que ______ en paro lo ______ porque quieren, porque no buscan o no aceptan un trabajo si no ______ exactamente el que ellos quieren. Si la cosa ______ así, ______ para hacer algo, como penalizar a los que rechacen sistemáticamente una oferta laboral.

9. En aquella reunión de vecinos, la mayoría ______ en contra de las propuestas del presidente y como éste se dio cuenta, propuso que la reunión ______ otro día. La idea ______ buena para él, pero, como la gente ya ______ hasta las narices de sus manipulaciones, se rechazó la moción.

10. La calle ______ desierta, no había un alma por allí, por eso pensamos que no ______ prudente que saliéramos solos, aunque ______ deseosos de participar en los actos que ______ organizados para aquel día.

4. **Completa con una forma correcta de *ser* o *estar*. Recuerda al mismo tiempo por qué, a veces, es necesario el subjuntivo.**

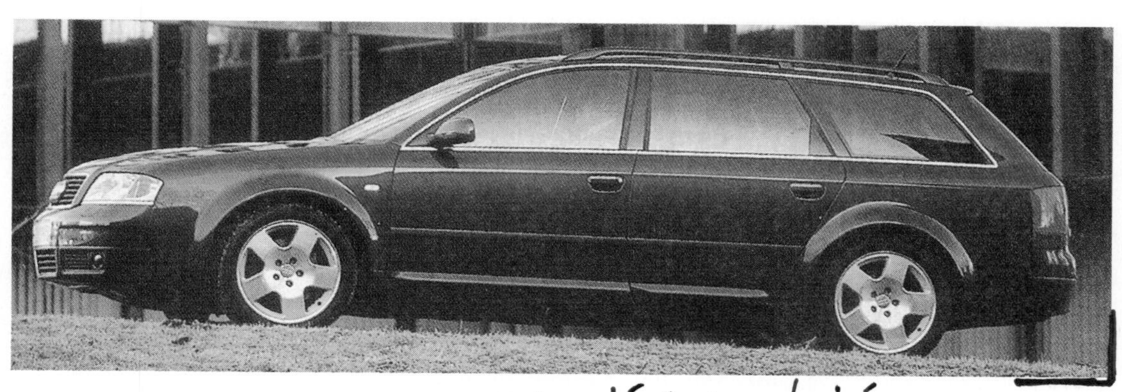

Entendemos que los ingenieros ______ obligados a hacer curvas cuando ellos preferirían que las carreteras ______ todas rectas. Entendemos que si hay montañas, existan fuertes pendientes, porque no todo puede ______ autopista. Entendemos que el clima dañe el asfalto y que el firme no ______ en buen estado. Entendemos que haya heladas.

Porque entendemos todo eso, hemos construido el Audi 6: para ofrecer el máximo control y estabilidad, ______ cual ______ la dificultad de la carretera. Y ______ que cuando los ingenieros de caminos terminaron su trabajo, empezó el nuestro.

5. **Completa con *ser* o *estar* y fíjate en los adjetivos.**

1. No ______ ***independientes*** económicamente, ha sido uno de los motivos por los que las mujeres han soportado malos tratos durante muchos años sin denunciar a los hombres que las golpeaban. Aunque la sociedad empieza a reaccionar, el apoyo que reciben todavía ______ ***insuficiente***.

2. > ¿Qué te parece el modelito que lleva? ______ ***original***, ¿no?
   < Sí, la verdad es que ______ ***difícil*** que pase desapercibido.

3. Si queremos afrontar los retos que se nos avecinan con el nuevo siglo, tenemos que ______ ***preparados***.

4. > ¿ ______ *(tú)* ***furioso*** o ***agobiado***?
   < Las dos cosas. Casi todos los hoteles ______ ***repletos***, el personal disponible ______ ***escaso*** para la demanda de última hora, porque a mí me siguen llegando grupos que quieren pasar unos días en la costa. ¿Dónde los meto?, dime.

5. Dicen las revistas del corazón que la novia del príncipe tiene que ______ ***emparentada*** con alguna casa real europea.

6. > Te has vuelto a resfriar por esa manía tuya de ______ **descalzo**, tanto si hace frío como si hace calor.
   < Te juro que esta vez ______ **inocente** de tan terrible acusación. Me he resfriado porque en estos días estoy pasando un frío mortal en el trabajo. La calefacción ______ **estropeada**.

7. Cuando ______ *(nosotros)* **solos** ante las dificultades de la vida, descubrimos lo que verdaderamente ______ **capaces** de hacer .

8. > ¿Es que nadie en esta oficina ______ **capacitado** para firmar un papel si el jefe no está?
   < Y tú ______ **loca** si lo hicieras.

9. Aunque los datos no ______ **exactos**, lo cierto es que las cifras del descenso del paro femenino en España, gracias a los planes de la Unión Europea, ______ **estimulantes** y nos hacen ver que hay voluntad de resolver el problema de la desigualdad.

10. > ______ francamente **asombrado**: hay algunos profesores que critican a la Dirección ante sus alumnos.
    < No me vengas con esas; si sabes algo, tienes que ______ más **concreto** y dar nombres; y si no, no lanzar acusaciones en general.

6. **Como en el ejercicio anterior.**

1. > ¿Tú sabes que mi abuela me decía que una mujer, antes de casarse, tenía que tener sus propios medios de vida?
   < ¡Chica! ¡Qué **moderna** ______ tu abuela!
   > Sí, pero no ______ muy **consecuente** consigo misma, porque no aplicó sus teorías a su hija, sino a su nieta.

2. > No ______ que tenga miedo de morirme; ______ sólo que no quiero ______ allí cuando ocurra.
   < ¡Qué gracioso!

3. > El jarrón de porcelana china ______ **roto**, ¿quién ha sido?
   < A mí no me mires, cuando yo salí de casa ______ **entero** y en su sitio.

4. ______ **sorprendente** con qué facilidad se adaptó Mario Conde a la cárcel. Claro que eso de ______ preso ______ **relativo**, porque un personaje como él tendría de todo a su disposición.

5. > Elena acaba de tener un niño que ______ **idéntico** a ella.
   < ¡Qué exagerado eres! Ya será menos. De todas maneras, a mí esas cosas no me interesan, ni siquiera sabía que ______ **embarazada**...

6. > ¿Qué te parece esto como tema de debate para el programa de la semana que viene: *Las relaciones de la Sociedad con la Justicia*?
   < Eso ______ muy **abstracto**; si quieres que la gente participe y llame, tienes que buscar algo que ______ más **trivial**, más de todos los días.

7. El mundo de la política y de las grandes finanzas ______ ***sorprendente***: hace un año, más o menos, el acuerdo entre esos dos grandes bancos no ______ ***posible*** por no se sabe qué motivos. Y ahora acaban de firmar un acuerdo, como si todas las maniobras anteriores no hubieran existido.

8. > ¿No crees que ______ ***conveniente*** que hablaras de la situación con tu jefe?
   < ¿Y qué le voy a decir, que ______ ***indignado*** por su falta de consideración hacia mi trabajo, o que ______ ***asombrosa*** la facilidad con que prosperan los pelotas en este sitio?
   > Chico, tú verás; pero algo deberías hacer.

9. Todo el mundo parecía ______ muy ***sorprendido*** por lo ***famosa*** que ______ más allá de los límites de su país. Cuando se fue, harta de que nadie la escuchara ni valorase su trabajo, ninguno de aquellos sabios de pacotilla podía imaginar lo ***célebres*** que llegarían a ______ sus investigaciones. Ahora ______ ***obligados*** a recibirla como uno más entre ellos.

10. > ______ ***desesperante*** tener que estar aquí sin hacer nada. ¿Tú crees que podríamos pedir a esa gente que nos cediera su plaza, si les explicamos nuestros motivos?
   < Inténtalo si quieres, pero no creo que ______ ***factible***. Ellos ______ ya tan ***desesperados*** como nosotros.

TEMA

8

La pasiva. Recursos para evitarla

Cuando un hablante de español usa una construcción pasiva, ocurren dos fenómenos: uno formal, que afecta a la estructura de la frase; y otro, que se refiere al motivo por el que se ha preferido esta estructura frente a otras posibles.

En general, para construir frases pasivas, necesitamos verbos transitivos.
Los participios concuerdan en género y número con el sujeto pasivo.

1. SER + participio

La estructura

Tomemos la frase: *El conserje abre y cierra las puertas todos los días a la misma hora.*
Tenemos un sujeto: *el conserje.*
Tenemos un objeto: *las puertas.*
Tenemos verbos que expresan una acción habitual: *abre* y *cierra.*

Transformemos la frase en pasiva: *Las puertas son abiertas y cerradas todos los días por el conserje.*

Se han producido los siguientes cambios:

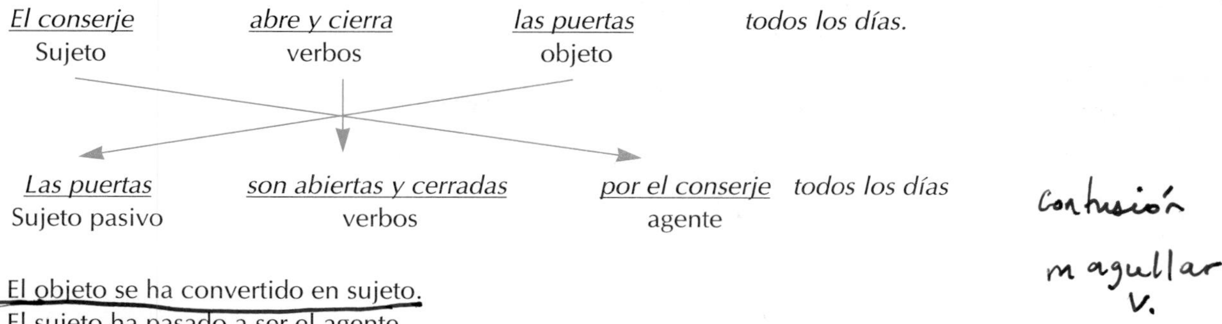

El objeto se ha convertido en sujeto.
El sujeto ha pasado a ser el agente.

> **¡OJO!** No confundamos el complemento con otros introducidos por la preposición *por*:
>
> — En algunas oficinas las facturas se clasifican *por fechas.* (modo V. Tema 9).

Los verbos se han construido con *ser*, en el mismo tiempo de la frase original.
Los participios concuerdan en género y número con el sujeto pasivo.

> Las construcciones de *ser* + participio expresan una acción o proceso, lo mismo que las frases activas. Lo que realmente es pasivo es el sujeto, que no realiza la acción.

¿Por qué se usa?

- Porque estamos más interesados en el objeto o en el verbo mismo, que en el agente.
- Porque desconocemos el sujeto o agente, o porque no queremos mencionarlo:
  — La jueza de Marbella *ha sido suspendida* de su cargo por presuntas relaciones con la mafia.

- Porque el complemento que hemos convertido en sujeto ya ha sido mencionado anteriormente y de esta forma se evita romper con lo que se está diciendo:
  — En el diario OESTE ha aparecido *el artículo que no fue publicado* en otros periódicos por sus críticas al alcalde.

Limitaciones de uso

Ser + participio se usa en todos los tiempos de los verbos imperfectivos: *creer, respetar; saber; admirar;* etcétera.

Con verbos perfectivos: *abrir, cerrar; escribir; fabricar...* , se prefieren el pretérito perfecto, el indefinido, el pluscuamperfecto o el condicional.

Los presentes e imperfectos se usan para expresar:

- costumbre:
  — Las puertas *son abiertas y cerradas todos los días* por el conserje.
  — *Antes*, estos vestidos *eran fabricados* artesanalmente.

- descripción momentánea de la acción:
  — *En este momento, la Reina es recibida* en la sala con un cariñoso aplauso.

La estructura

Es la misma que en el caso de *ser* + participio:
— Las puertas *están abiertas / cerradas* desde las siete.

Una de las diferencias es que el agente no suele expresarse con *estar,* excepto si sigue provocando el resultado de la acción:
— En un estado democrático, incluso los terroristas *están amparados por la ley*.

¿Por qué se usa?

- Porque queremos expresar el resultado de una acción anterior, cuando realmente no hay acción y todo es pasivo. Por ello, a un tiempo simple de *estar* suele corresponderle una forma compuesta de *ser*:
  — El ordenador *está encendido* (quiere decir que *ha sido encendido* antes).
  — Los documentos *estarán preparados* a las doce (significa que *habrán sido preparados por alguien* previamente).
  — Nosotros *estábamos invitados* a esa fiesta (*habíamos sido invitados* con anterioridad).

- Porque, además de la idea de resultado, con *estar* expresamos un valor durativo.
  — Esa discoteca *está clausurada* hace tres meses. (La persona que habla sabe que la discoteca todavía está cerrada).
  — Esa discoteca *fue clausurada* hace tres meses. (La persona que habla sólo sabe cuándo se cerró, pero no dice si en este momento todavía sigue así. Sólo se hace referencia a la acción de clausurar).

  A la primera frase podríamos añadirle: *... y por eso no podemos ir allí a bailar.*
  En la segunda frase tenemos dos posibilidades: *...pero ya la han abierto otra vez.*
  ... y por eso no podemos ir allí a bailar.

- A veces, *estar* prefiere el adjetivo correspondiente, en lugar del participio.
  — Está *limpio* (no *limpiado*); está *sucio* (no *ensuciado*); está *harto* (no *hartado*); está *vacío* (no *vaciado*); está *descalzo* (no *descalzado*); está *desnudo* (no *desnudado*).

3. Recursos para evitar la pasiva

En general, en español, la pasiva se usa poco cuando se habla. Sobre todo, la construida con *ser*. La encontramos especialmente en textos periodísticos y literarios.

El hablante *de a pie* cuenta con algunos recursos para evitarla:

A. Anteponer el objeto directo y repetirlo con el pronombre correspondiente:

— *Las puertas las* abre / *las* cierra todos los días el conserje.

— *A la juez* de Marbella *la* han suspendido de su cargo por presuntas relaciones con la mafia.

B. Construir la frase con *se* + verbo en activa.

Si se elige esta fórmula, no debe mencionarse el agente. No obstante, en periódicos y medios audiovisuales es frecuente leer y oír este tipo de construcción. Además, se está generalizando una forma de agente con la preposición *desde*:

— *Las puertas se abren / se cierran* todos los días.

— *Se ha suspendido a la jueza de Marbella* por presuntas relaciones con la mafia.

— *Desde el* Gobierno *se asegura* que la situación de los huelguistas mejorará.

Vamos a practicar

1. Aquí tienes una serie de datos que pueden interesarte. Completa con una forma correcta de *ser* o *estar*.

1. Os proponemos un viaje apasionante a la península del Yucatán. Su capital, Mérida, _______ fundada en 1542 sobre la antigua ciudad maya de Ichcanzihó. _______ llamada Mérida debido a que a los conquistadores les recordaba las ruinas romanas de la ciudad extremeña. Su plaza mayor _______ presidida por la Catedral, la más antigua de México. Os recomendamos visitar también el mercado municipal, lleno de tipismo.

2. En tiempos de Alfonso X el Sabio (s. XIII), en Toledo _______ establecida una escuela de traductores. Allí _______ vertidos al castellano textos procedentes del hebreo y del árabe, y las tres culturas, cristiana, judía y musulmana, convivían en paz, sin racismos, ni xenofobias.

3. Otra de viajes: Al noroeste de Badajoz nos encontramos la reserva de Cíjara. Esta desconocida zona _______ repleta de viejos bosques de alcornoques y encinas, que conviven con las repoblaciones de pinos. La cigüeña negra, el buitre leonado, ciervos y jabalíes _______ protegidos contra la caza furtiva.

4. De nuevo vamos al otro lado del charco: Los orígenes del pueblo inca _______ envueltos por las brumas de la leyenda. Dicen que la ciudad de Cuzco, cuna del imperio, _______ fundada por Manco Cápac, un semidiós, que recibió el encargo de su padre, el Sol, de civilizar a los pueblos salvajes

que ______ asentados en el valle de Cuzco. Esta tarea ______ realizada con la ayuda de su hermana-esposa Mama Ocllo.

5. En la fachada plateresca de la famosa Universidad de Salamanca ______ escondida una rana. Sin deciros dónde exactamente, os daremos una pista para que podáis encontrarla: ______ sentada sobre una calavera. Una leyenda dice que ______ puesta allí como aviso para los que llevan una mala vida: *Como me ves, te verás,* parece decir la calavera.

2. **Hemos dicho que la pasiva se usa más en los periódicos que en la lengua hablada. Aquí tienes una serie de minidiálogos. Trata de reconstruir la noticia dada en el periódico, usando la pasiva con *ser* o *estar*, según convenga.**

1. > ¿Has oído en la tele lo del español *condenado a muerte* en Estados Unidos?
   < Sí, es terrible; *lo condenaron* por la declaración de su mujer y ahora ella dice que mintió.
   > ¿Te imaginas? *Lo pueden ejecutar* siendo inocente. ¡Es demencial!

Noticia: ______________________________

2. > En el periódico de ayer venía que *a los chinos les concederán dos hijos* por pareja para evitar que *abandonen o vendan a las niñas.* ¿Qué opinas?
   < ¡Hombre! A nosotros nos choca, pero no conocemos la situación allá. A lo mejor, eso mejora un poco las cosas.

Noticia: ______________________________

3. > Mira, mira, España está cambiando: *Le han concedido la custodia de una niña de 11 años a un travestido.*
   < Sí, yo también lo he leído. Era la hija de su compañero, que ha muerto.

Noticia:

____

4. > ¡Qué movida se traen los políticos con lo de la sentencia del *caso de los ministros, que ha filtrado a la prensa no se sabe quién.*
   < Yo creo que tienen motivos para estar cabreados. Como ha dicho alguno de ellos, lo mejor que se puede hacer es tener la boquita cerrada hasta que *los jueces confirmen o nieguen la dichosa sentencia.*

Noticia:

____

5. > Acabo de leer en el dominical que *los nuevos avances en el estudio del cerebro revelan su verdadero funcionamiento.*
   < ¿Qué quieres decir?
   > Que, por ejemplo, cuanto más *practicamos una tarea,* más aumenta la actividad cerebral.
   < Eso no parece lógico.
   > Claro. Antes se creía que cuanto más la practicábamos, menos esfuerzo cerebral hacía falta. Pues ya ves, parece que es al contrario.

Noticia:

____

3. Ahora te vamos a dar una serie de frases muy parecidas; unas veces tendrás que usar *ser* y otras, *estar*. Lo importante es que razones por qué eliges una posibilidad u otra:

1. > ¡Menudo olvido he tenido hoy! La cafetera ________ encendida casi todo el día.
   < Cuando llegue la factura de la luz, sí que te vas a acordar.

2. > ¿Recordáis cómo ________ encendida la antorcha olímpica en los Juegos de Barcelona, en el 92?
   < Sí, fue algo espectacular.

3. > Otra vez una huelga de hospitales. Y dicen lo de siempre: que habrá servicios mínimos y sólo ________ atendidas las urgencias.
   < A veces las huelgas son difíciles de comprender.

4. > No sé por qué se queja el abuelo, yo creo que ________ atendido y cuidado convenientemente. Pero, claro, no podemos estar con él a todas horas.
   < No se lo tengas en cuenta, ya es muy mayor.

5. > En el jardín de nuestro edificio ______ prohibido hacer barbacoas, para evitar los malos olores y la suciedad.
   < Me parece estupendo. En el de mi edifico sí se puede y es horrible.

6. > Los políticos deberían ponerse de acuerdo para que ______ prohibido de una vez por todas el vender alcohol en las gasolineras, sobre todo los fines de semana.
   < Baja de las nubes, ¡anda!

7. > Yo nunca voy a las manifestaciones, excepto si ______ convocadas por los sindicatos.
   < Bueno, es un criterio, aunque no sé si es el mejor.

8. > Hay un aviso de la dirección, que dice que ______ todos convocados el lunes de la semana que viene a una reunión importante.
   < Pues yo, ese día, no puedo.

9. > Esto no hay quién lo lea. ______ escrito con una letra imposible.
   < Pues dile a tu jefe que te dé borradores como Dios manda.

10. > Se ve que esta carta ______ escrita hace mucho tiempo: el papel está totalmente amarillo y, además, todavía ponían acentos sobre las aes.
    < No la tires, ¡menuda joya!

11. > La ley de parejas de hecho no ______ aprobada en el Parlamento, por culpa de los votos de algunos partidos nacionalistas.
    < Pues en mi país ______ aprobada hace muchísimo tiempo.

12. > Lo siento, señora, pero el vuelo para Bruselas ______ cancelado.
    < Pero, ¡bueno! Si no me dan una solución inmediatamente, quiero presentar una reclamación.

13. > ¡Cómo que no puedo coger el avión para Bruselas! Acaban de venderme un pasaje.
    < Me parece que debe de haber un error; ese vuelo ______ cancelado desde esta mañana.

14. > Bueno, señores, este problema ya ______ arreglado. Les voy a pasar la factura de mis honorarios.
    < Vale; pero, primero, tendremos que comprobar que de verdad todo funciona como usted dice.

15. > ¿Qué le pasa a tu hermano? ______ encerrado en su cuarto desde ayer.
    < Estará estudiando.

4. Aquí tienes unas frases en voz pasiva. ¿Puedes transformarlas tratando de evitarla?

1. Este verano ***han sido vendidos*** casi dos millones de teléfonos móviles. En el 2003 habrá diecisiete millones de usuarios de celulares. ¿A qué es debida esta obsesión?

Transformación: ______

2. Hoy día existen las llamadas ETT (empresas de trabajo temporal). ***Son muy criticadas por algunos y muy alabadas*** por otros, porque gracias a ellas, mucha gente ha encontrado trabajo. La pregunta es: ¿qué clase de trabajo?

Transformación:

3. El Ministro dijo que las bases de una nueva y verdadera democracia ***estaban establecidas*** en la Carta Magna, que había sido aprobada recientemente.

Transformación:

4. En España hay alrededor de 84.000 hijos de extranjeros que viven y estudian como cualquier chico español de su edad; aunque, a efectos legales, ***están registrados*** como hijos de inmigrantes.

Transformación:

5. Para disfrutar de un buen vino, no olvidéis que debe ***ser abierto*** unos minutos antes de ***ser degustado***.

Transformación:

TEMA 9

Construcciones con se

1. Pasiva impersonal

Recordemos, antes de empezar, que el sujeto gramatical es la palabra que concuerda con el verbo. Si esta palabra no existe en la oración, decimos que el sujeto está implícito o que no existe.

En las construcciones pasivas impersonales hay un sujeto implícito que no se expresa. Las pasivas impersonales se reconocen:

- Por tener una estructura fija: ***se*** **+** verbo en tercera persona de singular + complementos. Si el complemento es directo de persona, suele ir precedido de *a*.

- Por servir para:
  - — No expresar el sujeto, bien porque no lo conocemos, bien porque no nos interesa mencionarlo (ver *La pasiva*, Unidad 8).
  - — Presentar como general una afirmación que normalmente incluye al hablante.
- Por no poder construirse con verbos reflexivos (ya tienen un *se*). En ese caso, hay que usar otra fórmula, por ejemplo: *hay que...*, *uno...*, *la gente...*, etcétera.

> En este país *se vive* muy bien.
< Sí; y, además, *se come* de maravilla.
> Tú siempre pensando en la comida.

> Creo que por fin *se ha detenido a los ladrones* del supermercado.
< ¡Ya era hora!

> ¡Bueno, qué! ¿*Se va* a la huelga, o no?
< ¡Cómo que *se va*! Aquí estamos todos implicados, así que no te escabullas.

> Niño, antes de entrar, *se llama* a la puerta.
< Es que no sabía que estabas ahí.

> ¡Qué sorpresa me he llevado! Aquí *la gente se ducha* muchísimo.
< ¡Pero bueno! Tú te creías que éramos unos guarros, ¿o qué?

2. La pasiva refleja

La pasiva refleja coincide con la pasiva impersonal en que:
— sirve para presentar como general una afirmación que normalmente incluye al hablante;
— sirve para omitir el agente / sujeto real (no gramatical) de la acción.

Tiene una estructura parecida, pero con un elemento nuevo: un sustantivo o grupo de sustantivos que concuerdan con el verbo y que representan al sujeto gramatical.
se + verbo en singular / plural + sustantivo(s) concertados(s).
La pasiva refleja coincide con la pasiva con *ser* en que tienen un sujeto paciente.

— *Las puertas* (sujeto) de este edificio *son abiertas* a las siete de la mañana.
— *Las puertas* (sujeto) de este edificio *se abren* a las siete de la mañana.

> Mira, las facturas *se clasifican* por cliente.
< ¡Ah! Pues en mi trabajo anterior *se clasificaban* por fechas.

> ¿Que no sabes cómo hacerlo? Pues es muy fácil: *se buscan los documentos, se colocan* en su archivo correspondiente y ya está.
< Bueno, bueno, no te pongas así, que sólo te he hecho una pregunta.

> Lo sentimos; en este edificio no *se alquilan pisos.*
< ¿Ni siquiera en verano?

3. Expresión de involuntariedad

Hay una serie de construcciones parecidas a las pasivas reflejas, que sirven:

— para expresar que una acción ocurre sola, sin la intervención de un agente humano;

— para eludir la responsabilidad de algo desagradable.

Estas construcciones suelen llevar un pronombre indirecto que tiene dos funciones:

— indicar la persona que está implicada en la acción o que es su causante;

— expresar de quién es la cosa que recibe la acción del verbo.

> ¿A dónde vas?
< A la óptica, a hacerme gafas nuevas; *las otras se han roto.*

< Creo que *se ha perdido la agenda* con todas las direcciones.
> ¿Que *se ha perdido*? ¡Si sólo la usas tú!

Si a los ejemplos anteriores se les añade el pronombre *me*, sabremos quién ha intervenido en la rotura de las gafas (yo), y quién se esconde detrás de ese *se ha perdido*, (también yo).

Otros ejemplos:

> Tened cuidado, que no *se os caigan esa copas*, son de cristal de Bohemia.
< ¡Tranquila! No *se van a caer.*

Vamos a practicar

1. Transforma las oraciones pasivas que van en cursiva, en construcciones con *se*.

ALGUNOS CONSEJOS ÚTILES PARA QUE LAS MUJERES ASCIENDAN EN SU TRABAJO

Pero decidnos: ¿estos consejos son válidos también para los hombres?

Comentadlos después de haber transformado las construcciones pasivas.

En algunas empresas **sólo** ***serás ascendida*** a base de voluntad, perseverancia y esfuerzo. ¿Estás dispuesta a intentarlo? Pues sigue estos consejos:

1. Elabora una estrategia para lograr tus objetivos. Debe ser un plan ambicioso donde ***sea analizado*** lo necesario para lograr el éxito.

2. Dedica el tiempo necesario a realizar bien tu cometido. Muchos empresarios creen que las mujeres ponen a su familia por encima de su trabajo. Si la familia ***es elegida***, el trabajo ***será descuidado***.

3. Para ser una buena líder, tendrás que ser también una buena compañera. ***Serás respetada*** si demuestras que sabes mandar.

4. De la misma forma, ***serás criticada*** si no te enfrentas de forma positiva a los problemas.

5. Separa tu vida profesional de tu vida laboral. No pierdas los papeles.

6. Procura que los malentendidos con tus colegas ***sean aclarados*** cuanto antes.

7. Tus conocimientos deben ***ser renovados*** constantemente para destacar en un mundo de rutina.

8. Tampoco te pases con la genialidad. Si no quieres ***ser aplastada*** por los envidiosos y los mediocres, sé prudente a la hora de exponer esa idea genial.

9. ¿Qué opinas de ser "pelota"? Nosotras creemos que es una mala estrategia, pero… hay a quien le funciona.

10. Tener prestigio es sinónimo de tener autoridad. Si te labras un buen *currículum*, acabarás por ***ser conocida y reclamada*** en otras empresas.

2. **Completa estos textos con el verbo en forma correcta y añadiéndoles un *se*, si es necesario.**

1. La tradición del árbol de Navidad, tal como hoy *(conocer)* ______, nació en Centroeuropa a principios del siglo XVI, aunque sus orígenes *(remontar)* ______ a antiguas tradiciones precristianas. Para la etnología, el árbol *(tener)* ______ tres significados: la parte verde *(simbolizar)* ______ la vida eterna; las luces *(representar)* ______ la luz del solsticio invernal y el árbol en su totalidad *(entender)* ______ como dador de los dones y los regalos de la naturaleza. Anteriormente, en la civilización egipcia, *(llevar)* ______ a casa ramas verdes de palma el día más corto del año, como símbolo del triunfo de la vida sobre la muerte.

2. La envidia es un sentimiento con muy mala fama, del que *(hablar)* ______ muy poco y que (sentir) ______ o *(sufrir)* ______, en mayor o menor grado, a lo largo de la vida. Esta reacción natural del ser humano *(desatar)* ______ en los primeros años de la vida, cuando el niño o la niña (empezar) ______ a relacionarse con el grupo familiar, y *(padecer)* ______ con mayor intensidad entre

individuos del mismo grupo social. Si el terreno de los pequeños o aquello que más quieren *(ver)* ______ amenazado, su sensación de vacío *(crecer)* ______ y *(manifestar)* ______ con llantos y rabietas incontroladas.

3. ¿Por qué existen los zurdos? *(Creer)* ______ que la preeminencia de una mano *(deber)* ______ a la necesidad que tuvieron nuestros antepasados de reaccionar ante los peligros de manera automática. Ello requería el desarrollo de una mano específica. Por qué *(fabricar)* ______ utensilios para la mano derecha, sigue sin tener una explicación convincente. En el mundo de la ciencia *(considerar)* ______ la condición de zurdo como genética. Marion Annett, genetista estadounidense, cree que existe un gen que induce al uso de la mano derecha. Cuando este gen no *(dar)* ______, la posibilidad de ser zurdo o diestro depende del entorno o de la educación.

3. Transforma estas palabras sueltas en oraciones en las que aparezca, si es necesario, una de las construcciones con *se* que hemos estudiado.

1. La presentación / este / cupón / hacer una rebaja / precio / entrada / circo.
______
2. Día de Navidad / celebrar / casi todo el mundo / a veces / razones / comerciales.
______
3. Los últimos años / España / duplicar/ el número de operaciones / cirugía estética.
______
4. Los defectos físicos / causar / complejos / aunque no siempre / haber motivos reales.
______
5. Normalmente / deber cambiar un ordenador / cada cinco años/ porque / la memoria / quedar corta.
______
6. Si trabajar / con programas y disquetes de otros ordenadores / necesitar tener buenos antivirus.
______

4. Aquí tienes una receta riquísima. Pero antes de probarla, coloca los verbos del recuadro donde creas oportuno, según el sentido de cada frase:

se lavan	*se ponen*	*se rectifica*	*se sumergen*	*se vierte*	*se espolvorean*
se sazonan y se saltean	*se añaden*	*se les escurre*	*se ponen*		
se cortan	*se abran*	*se espolvorean*	*se mantiene*	*se sirven*	

Cazuelita de alcachofas y almejas

Ingredientes:

Ocho alcachofas de conserva al natural, de buena calidad; 400 grs. de almejas; una cucharadita rasa de pan rallado; dos cucharadas de vino blanco; un diente de ajo; una rama de perejil; cuatro cucharadas de aceite de oliva; sal.

1. ______ las almejas en un recipiente con agua fría y un chorro de vinagre. Las alcachofas ______ de su agua de conserva y ______ en agua templada durante 15 minutos. A continuación ______ las almejas con agua fría y ______ las alcachofas en cuatro trozos.

2. ______ el aceite, el ajo prensado y las almejas en una cazuela de barro. ______ y ______ a fuego suave, hasta que ______ por completo. ______ las alcachofas, ______ con pan rallado y ______ el vino blanco.

3. ______ la cocción y ______ la sal. ______ con perejil y ______ ¡Que aproveche!

Ahora, por favor, prepara tú una receta para tus compañeros.

5. No siempre somos responsables ¿verdad? Demuestra que no tienes la culpa de lo que ocurre. En algunos casos necesitarás un pronombre indirecto.

1. > Oye, no puedes salir a la calle con esa chaqueta.
   < ¡Es verdad! Hay que ver cómo *(arrugar)* se arruga.

2. > ¿Está rico el pollo? se me quema
   < Bueno, sí, pero *(quemar)* ______ un poco.

3. > ¡Vaya! Otra vez *(ir)* ______ la luz, debe de ser por la tormenta.
   < ¿Sí?, pues menuda broma, porque no tengo ni linterna, ni velas.

4. > ¡Cuidado con la puerta, que *(ir a golpear)* ______ con tanto viento!
   < ¿Y por qué no la dejes cerrada?

5. > Me parece a mí que *(estropear)* ______ los planes de irnos al Pirineo.
   < Eso creo yo también: con la temporada que *(echar)* ______ encima, nadie va a poder coger las vacaciones en agosto.

6. > Me voy a dormir, porque *(cerrar)* ______ los ojos.
   < Claro, como madrugas tanto…

7. > ¿Y los apuntes que te pedí?
   < ¡Uy! Perdona, *(olvidar)* ________ en el coche; ahora bajo a buscarlos.

8. < ¿Qué ha sido ese ruido?
   > Algo terrible, creo que *(descoser)* ________ el pantalón.

9. > ¿Puedo llamar desde su casa? Es que *(averiar)* ________ el coche y ninguno de nosotros tiene móvil.
   < Sí, mujer, pase y llame.

10. > Papá, ¿por qué a los hombres *(caer)* ________ más el pelo que a las mujeres?
    < No sé, hijo; será una cuestión hormonal.

11. > ¡Qué pronto *(secar)* ________ la ropa!
    < Sí, es que ha hecho mucho calor.

12. > ¡Qué rabia! El parqué recién puesto, y *(rayar)* ________
    < No te preocupes; yo creo que eso se arregla con un cera especial para maderas.

TEMA

10 Verbos de cambio

A pesar de nuestro intento de clasificación, la lengua, como organismo vivo que es, puede presentar casos que no encajen en nuestras definiciones. No obstante, nos arriesgamos a dar estas explicaciones con el propósito de que sirvan de ayuda.

1. Hacerse + adjetivos.
+ sustantivo + adjetivo.
+ (un) hombre / mujer.

- Con **sujeto de persona**, expresa un cambio decidido por ella. Se usa, sobre todo, en lo referente a profesiones, ideología, nacionalidad o religión.
  — Se montó por su cuenta y *se hizo empresario.*
  — *Me haré abogada,* como mi padre.
  — Con aquel negocio *se hicieron ricos.*
  — De repente, todo el mundo *se ha hecho demócrata,* ¿por qué será?
  — *Se ha hecho español* para poder jugar en la selección de fútbol.
  — No me acuerdo del nombre, pero hace poco, una aristócrata inglesa *se hizo católica.*

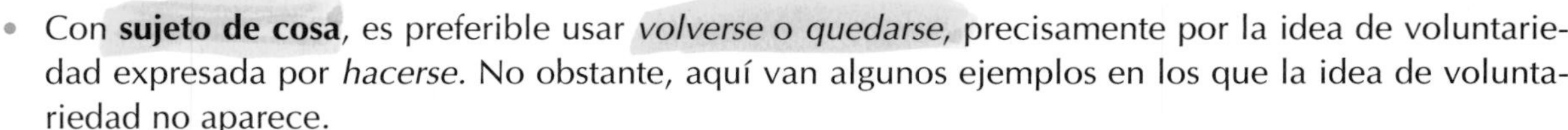

- Con **sujeto de cosa**, es preferible usar *volverse* o *quedarse,* precisamente por la idea de voluntariedad expresada por *hacerse.* No obstante, aquí van algunos ejemplos en los que la idea de voluntariedad no aparece.
  — Esta película *se ha hecho* (se ha vuelto) famosa por una sola escena.
  — Algunos ruidos, incluso determinada música, *se hacen* (se vuelven) insoportables si los oyes mucho rato.
  — En verano, el azul del cielo *se hace* (se vuelve) más azul.
  — Con las últimas nieves, el camino que va hacia el pueblo *se ha hecho* (se ha quedado) intransitable.

- Una construcción derivada es esta:
  hacerse + p. indirecto + adjetivo cuyo significado es el de *parecer.*
  — A estas horas *se me hace difícil* trabajar.
  — Con la marcha de los chicos, la casa *se nos hace muy grande.*
  — El camino *se me ha hecho interminable.*

Es interesante mencionar las construcciones del tipo:
hacerse + art. determinado + adjetivo,
en las que el verbo adquiere el significado de *fingir un comportamiento*:

— No *te hagas el tonto*, que me has entendido perfectamente.
— *Se hicieron los despistados* para no saludarme.
— *Te haces el sueco* cada vez que te toca limpiar la cocina.

2. **Ponerse** + adjetivos.
+ adjetivos de color.

- Expresa un cambio involuntario y que no va a durar demasiado tiempo. Se refiere, sobre todo, a estados de ánimo, a aspectos y a la salud.

> **OJO :** En español no suele decirse: **ponerse enfadado; *ponerse curioso.*
> Lo correcto es: *enfadarse, estar intrigado* o *sentir / tener curiosidad.*
>
> — Con esa noticia *se han puesto muy contentos / alegres / tristes / furiosos.*
> — Si no le dices pronto los resultados del examen, *se pondrá nerviosa.*
> — *Se pone rojo* cada vez que tiene que hablar con ella.
> — Si sigues trabajando así, *te pondrás enfermo.*

Cuando retomamos lo que el otro ha dicho o ante su actitud, usamos *así*:

> Estoy que muerdo. ¿Has visto cómo han ascendido a la niña esa que acaba de entrar?
< No *te pongas así*; es que es sobrina de la directora.

3. **Volverse** + adjetivos
+ *un / una* sustantivo + adjetivo

- Expresa un cambio considerado como más duradero. Suele ser involuntario y en él se observan dos tipos de adjetivos: los de valor negativo y los que hacen referencia a la influencia positiva de la vida o del paso del tiempo para *volvernos tolerantes, comprensivos,* etcétera:

— Con los años *te has vuelto muy desconfiado*, ¿eh?
— Cuando yo lo conocí no era así; *se ha vuelto una persona triste y amargada.*
— Con todo lo que está pasando, *me voy a volver loca.*
— Con los casos de corrupción que ha destapado, ese juez *se ha vuelto un personaje muy popular.*
— Su compañía *se ha vuelto imprescindible* para mí.

- Con adjetivos de nacionalidad, queremos decir que la persona ha adquirido el carácter, la manera de ser de la gente de ese país:

— ¡Qué *española te estás volviendo*!

4. **Llegar a (ser)** + sustantivo / frase sustantivada
+ adjetivo (sustantivado)

- Se refiere a cambios en los que ha habido un proceso; se presentan como logros, especialmente si el sujeto es una cosa y, normalmente, el cambio implica una mayor duración.

Se puede prescindir de *ser* y el sustantivo pierde el artículo:

— *Ha llegado a ser la directora* de la empresa, aunque nadie lo esperaba.
— *Llegarás a ser lo que te propongas,* eres muy ambicioso.
— Este libro *ha llegado a ser el más leído / imprescindible* en su género.
— *Llegó a vicerrector,* pero los líos de la política no le gustaron y dimitió.

5. Quedar(se) + adjetivo
+ complemento preposicional

Quedar(se) + participio
+ adjetivo
+ complemento preposicional

- Expresa el resultado tras una transformación; se parece a *estar,* en que no admite sustantivos directos y en que expresa estado. Pero con *estar* no nos referimos a la idea de cambio.
- Podríamos decir que en algunos casos, no siempre, con *quedarse* expresamos la pérdida del estado habitual o esperable del sujeto:
  — Se dio un golpe en la cabeza y *se quedó atontado* por unos minutos.
  — Cierra la puerta, que *me estoy quedando helada.*
  — Después de oír mis argumentos *se quedaron sin palabras / con la boca abierta.*
  — La casa *ha quedado cerrada,* las luces (han quedado*) apagadas* y todo (ha quedado) *en orden.*

Podemos destacar la frase hecha *quedarse hecho /a* + (*un /una*) sustantivo:
— Después de tantos meses de enfermedad, *se ha quedado hecho un guiñapo.*
— Con la noticia del accidente de sus amigos, *se quedaron hechos polvo.*
— Algunas actrices *se quedan hechas unas muñequitas* después de pasar por el quirófano.

6. Convertir(se) en + sustantivo
+ adjetivo sustantivado

- Expresa un cambio de cualidad. No siempre hay participación del sujeto:
  — No puedo entenderlo: era un trabajador incansable y *se ha convertido en un perezoso* monumental.
  — El paso del tiempo nos *convierte* a todos *en imágenes* deformadas de lo que soñamos ser.
  — La gente, que es muy sabia, solía decir que los taberneros *convierten* el vino *en agua.* No sé si eso vale todavía hoy.
  — Ojo con fumar de vez en cuando; empiezas por un cigarrillo y acaba *convirtiéndose en una costumbre.*

- Es interesante mencionar la construcción ***convertirse a*** + nombre de religión:
  — En el siglo XV, muchos judíos *se convirtieron al cristianismo* para no ser expulsados de España.
  — Para mí es admirable la gente que ***se*** *convierte a cualquier religión,* porque debe adaptarse y admitir muchas cosas nuevas y diferentes.

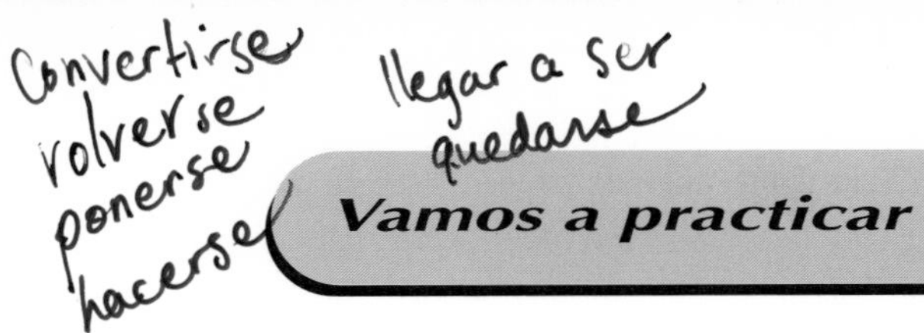

Vamos a practicar

1. Completa estos diálogos con uno de los verbos que hemos estudiado más arriba.

1. > No me digas todo el tiempo lo que tengo que hacer, que ______ nerviosísimo y me sale todo peor.
   < ¡Chico, perdona! Yo sólo quería ayudarte.

2. > Siempre que le toca pagar a él, ______ sordo con una facilidad...
   < Sí, la verdad es que es un poquito tacaño, o bien no tiene esa costumbre.

3. > ¿Qué te pasa? Pareces preocupada.
   < Es que últimamente le estoy dando muchas vueltas a mi vida y creo que estoy ______ una máquina de trabajar y casi no tengo tiempo para otras cosas.
   > ¡Mujer! Eso nos pasa a la mayoría y no ______ así.

4. > ¿Has oído que Ángel y Birgit se separan?
   < Sí, me lo contó él el otro día y ______ sin habla. ¡Parecían la pareja perfecta!

5. > Si no se controlan las cosas, la situación de esa región, con tanto enfrentamiento, puede ______ insostenible.
   < ¡Cierto! Lo malo es que nadie quiere dar el primer paso para iniciar un diálogo.

6. > No sé por qué es, pero me parece que con los años ______ mucho más desconfiados.
   < ¡Hombre! Yo creo que es por la experiencia, ¿no?

7. > ¡Cómo has cambiado! ¡Hay que ver qué independiente ______!
   < Es que he tenido que arreglármelas solita muchas veces, así que o aprendes o... aprendes.

8. > ¡Quién lo iba a decir! Empezó de cero y ______ lo más alto. Y todo, a fuerza de trabajo
   < Bueno, bueno, algún pisotón habrá dado.

9. > El hijo de Rosalía ______ abogado, como siempre había soñado su madre.
   < ¡Pobrecito! Si lo que él quería era ser veterinario.

10. > Con lo poco que me gustaba a mí el ordenador y fíjate: ahora, ______ indispensable.
    < Es verdad, ¿te acuerdas de cuando lo escribíamos todo a mano?

11. > Después de jugarse en el casino todo lo que llevaba, ______ con lo puesto.
    < Pues ¿sabes lo que te digo? Que le está bien empleado, ¡por tonto!

12. > Carlitos, hijo, ¡mira cómo ______! Pareces un cuadro abstracto.
    < Es que he estado dibujando, abuelita.

13. > ¡No te reconozco! ¿Tú, admitiendo un error?
< Bueno, rectificar es de sabios, ¿no? Y quizás ______ más abierto o más comprensivo, no sé.

14. > No puedo más, abandono, lo dejo, ______ un lío.
< Ven aquí, no tires la toalla y vamos a ver si entre los dos aclaramos las cosas.

15. > Chico, no se te ve el pelo, parece que ______ monje o algo así. ¿Dónde te metes?
< Estoy con la dichosa tesis; quiero leerla este año.

2. **Sustituye los verbos destacados en cada frase, haciendo los cambios necesarios, por una construcción equivalente con un verbo de cambio.**

1. Hoy en día parece que todos *hemos enloquecido* y sólo queremos ganar dinero.

2. *Enrojecer* es una prueba externa de que sabes que te has equivocado o de que te han pillado mintiendo.

3. Con los años *se te ha endulzado* la mirada, antes parecía que ibas a comerte a cualquiera.

4. Oye, vámonos a casa, que *me estoy congelando.*

5. *Me enferman* esos tipos que se creen que tienen más razón porque gritan más.

6. Me parece a mí que con los nietos *uno se ablanda*. A los hijos no se les consienten tantas cosas.

7. Nunca *te encumbrarás*, porque eres demasiado sincero y a la gente no le gusta oír ciertas verdades.

8. No sé si esto es bueno o malo, pero *me estoy acostumbrando a* vivir sin trabajar.

9. *Te has americanizado* por completo, no hay quien te reconozca.

10. *Dirigir* una empresa como esta siempre fue el sueño de mi vida.

3. Reacciona usando alguno de los verbos estudiados.

1. Tu profesora te pilla copiando en el examen final, ¿cómo te sientes?

2. Abres una carta certificada y lees que te han tocado 100 millones de euros, ¿qué dices?

3. Te nombran académica de tu especialidad (Medicina, Historia, Lengua, Arte, etc.), ¿qué piensas?

4. Tu religión no te convence, pero necesitas creer; buscas otra y ...

5. Antes, cuando buscabas algo, nunca lo encontrabas; el desorden de tu habitación era total, ahora todo está en su sitio, ¿qué te ha pasado?

6. Un antiguo amigo no te ha reconocido al verte en la oficina de Correos, ¿qué te ha ocurrido?

7. Has estado ordenando todos tus libros y papeles, ¿cómo te sientes al terminar?

8. Un colega te dice que ha votado; él siempre ha estado en contra de la democracia, ¿qué le preguntas?

9. Vuelves a ver a tu sobrino después de dos años; ha crecido mucho, ¿qué le dices?

10. Unos amigos extranjeros a quienes no les gustaban los horarios españoles, ahora comen entre las dos y las tres, se acuestan entre la una y las dos, salen por la noche, ¿qué les dices?

TEMA 11

Subjuntivo introducido por verbos (I)

Hablando en general, diremos que de la aparición del subjuntivo son responsables diferentes elementos que a continuación vamos a enumerar. En cualquier caso, no debemos afirmar que necesitamos este modo cuando no estamos seguros de algo, o cuando algo no es real.

Como dicen ya muchos gramáticos, sólo se puede tener una postura *subjetiva* ante algo que previamente se ha conocido o imaginado. No obstante, no debemos desdeñar la importancia que tiene la estructura en la aparición del subjuntivo, pues si cambiamos uno de los elementos, la frase se expresará de otra manera.

Vamos a dividir el estudio de este modo —porque no podemos estudiarlo todo junto, claro está— en los siguientes apartados:

1. VERBOS O CONSTRUCCIONES VERBALES.
2. FRASES DE RELATIVO.
3. CONJUNCIONES:
   A. QUE ADMITEN EL INDICATIVO O EL SUBJUNTIVO
   B. QUE SÓLO ADMITEN EL SUBJUNTIVO.
4. FALSAS CONSTRUCCIONES INDEPENDIENTES.

Vamos a dar un truco para reconocer todos los elementos de una frase en subjuntivo:

a. El significado del verbo
b. Cuántos sujetos intervienen.
c. El nexo (conjunción).
d. El tiempo.

1. Verbos de influencia

Los hay de dos tipos:

- Con el mismo sujeto, se construyen con infinitivo:
  - — *Queremos* (nosotros) *irnos* (nosotros) de vacaciones.
  - — No *necesito* (yo) *preparar* (yo) ese examen.

- Con **distinto sujeto** se construyen con *que* + subjuntivo:
  — *Queremos* (nosotros) *que la empresa* nos *pague* las vacaciones.
  — No *necesito* (yo) *que me ayudes* (tú), puedo hacerlo solo.

Pertenecen a este grupo: ***aceptar; aspirar a; causar; conseguir; contribuir a; desear; intentar; lograr; negarse a; oponerse a; pretender; procurar; provocar; rechazar; rogar; renunciar a; solicitar; suplicar; tolerar...***

- Verbos que suelen construirse con distinto sujeto. Podemos encontrarlos de dos formas:
  Verbo + infinitivo
  Verbo + *que* + subjuntivo

No nos *permiten*	*bañarnos* *que nos bañemos*	en la piscina después de las diez.

En ambas construcciones, el significado es el mismo.

Pertenecen a este grupo: ***aconsejar; animar a; ayudar a; consentir; dejar; encargar; exigir; hacer; impedir; incitar; insinuar; mandar; obligar a; ordenar; permitir; prohibir; proponer; recomendar; sugerir...***.

2. Verbos de sentimiento

- Con el mismo sujeto, se construyen con infinitivo.
- Con distinto sujeto, se construyen con *que* + subjuntivo:
  — *Lamento* (yo) *haber llegado* (yo) tan tarde, pero había un atasco.
  — *Lamento* (yo) *que hayáis llegado* (vosotros) tan tarde; ya casi no queda comida.

Pertenecen a este grupo: ***aburrir; agradecer; aguantar; alegrar(se) (de); anhelar; apenar; apreciar; aprobar; arriesgarse a; atreverse a; avergonzarse de; celebrar; conformarse con; criticar; dar pena; desconfiar de; detestar; disgustar; doler; encantar; estar cansado/a de; estar harto/a de; extrañar(se) (de); fastidiar; gustar; horrorizar; importar; irritar; lamentar; molestar; necesitar; odiar; preferir; reprochar; resistir; satisfacer; soportar; sorprender(se) (de)...***

> **¡OJO! Si en las construcciones (gustar, apetecer, etc.) el sujeto de la frase dependiente no coincide con la persona del pronombre, aparece *que + subjuntivo*. Si coinciden, aparece el *infinitivo*.**

— *Me da pena* (yo) *tener* que irme tan pronto.
— *Me da pena* (yo) *que os vayáis* (vosotros) tan pronto.

3. Construcciones con *ser, estar, parecer* y *resultar*

INDICATIVO	SUBJUNTIVO
1. ser / parecer / resultar + verdad / evidente + que estar / resultar / es + seguro y sus sinónimos + que es + que	2. ser / parecer / resultar / estar / resultar + TODO / LO / DEMÁS + que También las del primer grupo, en forma negativa.

¡OJO! ESTAR no admite sustantivos detrás, por eso no podemos decir:
**Está verdad.*
ES QUE sirve para justificar y NO ES QUE sirve para corregir lo que el otro ha dicho.

Es decir, las construcciones sinónimas de ***verdad, evidente y seguro***, que son: ***cierto; convencido; demostrado; innegable; indiscutible; obvio***, siempre van con **indicativo** en forma afirmativa.

Estas mismas construcciones van en **subjuntivo** en forma negativa.

Cualquier otro sustantivo, adjetivo, adverbio o construcción que no sea sinónimo de los anteriores se construye con **subjuntivo**.

— Sustantivos: ***una suerte; una lástima; una pena; un error; una casualidad***, etcétera.
— Adjetivos: ***bueno; extraño; importante; interesante; malo; raro; significativo***; etcétera.
— Adverbios: ***bien; mal; mejor; peor***; etcétera.

Otras construcciones: ***ser de esperar; ser de agradecer; ser hora de; más vale; hacer falta;***

¡OJO! ***Lógico, natural*** y ***normal*** también se construyen con **subjuntivo.**
Menos mal que se construye con **indicativo.**

Para las construcciones con ***excepto que / salvo que*** ver temas **12** y **20**.
— Del curso *me gusta* todo, *excepto que nos manden* tantos deberes (verbo de sentimiento).
— Ha dicho que no *quiere* hacer nada, *salvo que lo hagan* los otros también (verbo de influencia).

4. Verbos con doble significado y doble construcción

Decir:
Indicativo **:** *informar*
Subjuntivo**:** *aconsejar; pedir.*

Se comportan como *decir:* ***advertir; añadir; avisar; contestar; indicar; insinuar; recordar; repetir; responder***; etcétera.
— Me *han dicho que* hoy *no hay clase / que no vaya* a clase.
— Te *recuerdo que* hoy *es* el cumpleaños de Ana / *que felicites* a Ana.

¡OJO! Si para expresar el consejo o la petición usamos *tener que; deber o hay que*, no podemos usar además el **subjuntivo**:
— Me *han dicho que* hoy *no vaya / no tengo que ir* a clase.
— Te *recuerdo que felicites / que tienes que felicitar* a Ana.

Sentir:
Indicativo: *notar; percibir.*
Subjuntivo: *lamentar.*

— *Hemos sentido que* las cosas no *son* como antes.
— *Hemos sentido que no pudierais* venir.

Pensar:
Indicativo.: *reflexionar.*
Subjuntivo: *influir (para que)* (Este caso aparece, sobre todo, con el verbo en pasado).

— *He pensado que será* mejor quedarse en casa.
— *He pensado que vayáis* vosotros solos.

Esperar:
Indicativo: *creer; suponer*
Subjuntivo: *desear*

— *Espero que cumplirás* tu palabra.
— *Espero que lleguéis* bien a casa.

¡OJO! No confundamos este verbo con *esperar a* (=*hasta* (*que*), que se construye con infinitivo o subjuntivo.
— *Esperaremos a* (=*hasta*) *tener* toda la información para dar una opinión.
— *Esperaremos a que* (=hasta que*) llegue* la información para dar una opinión.

Se comportan igual: ***acordar; añadir; confiar; convencer; insistir en; negar; quejarse; temer,*** etcétera.

La cosa es que — Indicativo: expresa constatación.

La cuestión es que
está en que

El caso es que — Subjuntivo: expresa un deseo.

— Todo lo demás no importa, *el caso es que ya estás aquí / no tengas que* volver a salir.
— No vale la pena discutir, *la cosa es que no tenemos* el dinero / *que consigamos* el dinero como sea.

Vamos a practicar

1. **Transforma los infinitivos, si es necesario, en la forma correcta de indicativo o subjuntivo.**

Aquí tienes la descripción de un Aries, según nuestro libro especial del zodiaco.
Al final del ejercicio, describe otro signo que conozcas bien, siguiendo el modelo que te hemos dado.

1. Los Aries no pueden *permitir que* los otros *(ganar)* ganen , no aceptan la derrota.
2. *Es frecuente que* el éxito *(ser)* sea su compañero de camino.
3. *Se dice que* Aries *(destacar)* detaca en las carreras o profesiones que exigen una mente rápida.
4. *Necesitan que* sus amigos les *(seguir)* sigan hasta el fin del mundo; *es fundamental que* las personas amadas *(ser)* sean tan fuertes como ellos.
5. Aries está dotado para iniciar cualquier tarea, por el fuego que pone en todo, pero debe *esperar que* los demás la *(terminar)* terminen y *(atar)* aten los cabos sueltos.
6. Algo muy curioso que suelen decir los expertos *es que (resultar)* resulta *raro que* Aries *(padecer)* padezca enfermedades crónicas o de curación lenta.

2. **Reacciona ante estas frases con alguna de las estructuras estudiadas.**

Ej.: El Gobierno ha decidido que nadie tendrá que pagar los libros mientras esté estudiando y apruebe regularmente.

Reacción: *Es una idea estupenda* que los libros *sean* gratis para todos.

1. Me parece que el día de la fiesta tengo invitados a casa a cenar, pero te lo confirmaré.

Reacciona: Es necesario que me lo confirmes.

2. Voy a hablar claramente con él; no puede seguir haciendo lo que hace, aunque sea el jefe.

Reacciona: Te sugiero que hables con tu jefe en voz directa

3. En esa empresa, los nuevos empleados ganan igual que los antiguos.

Reacciona: No es justo que los nuevos empleados ganen igual que los antiguos.

4. En algunos países, a los jóvenes les dan becas para viajar al extranjero.

Reacciona: Me parece estupendo que algunos países les den becas para viajar al extranjero.

5. Los países ricos van a ayudar a los pobres en su desarrollo.

Reacciona: Es importante que los países ricos ayuden a los pobres en su desarrollo.

6. Este gobierno subvenciona proyectos nuevos para crear empleo.

Reacciona:

7. ¿Sabes? Vamos a comprarnos otro coche; los otros tres están pasados de moda.

Reacciona: Me sorprende que ~~[illegible]~~ os compréis otro coche.

8. Los hijos tienen que mantener a sus padres desde los 60 años.

Reacciona: Es recomendable que los hijos mantengan a sus padres desde los 60 años.

9. Los profesores no tienen que enseñar nada de gramática.

Reacciona: Es una suerte que los profesores no ~~ens~~ enseñen nada de gramática

10. La comida vegetariana pone enferma a la gente.

Reacciona: ¿Qué te ha dicho que la comida veg. pone enferma?

lengthen

11. La risa alarga la vida.

Reacciona: No creo que la risa alargue la vida
Es dudable

12. Las mujeres no pueden hacer las mismas cosas que los hombres.

Reacciona: Estoy harta de que las mujeres no sean cápaces de hacer las mismas cosas que los hombres.

3. **Transforma el infinitivo en la forma correcta del subjuntivo. Después, elabora tu propio decálogo, siguiendo el modelo que te damos.**

Algunas ideas: "En esta clase nos gusta / no nos gusta",
"En nuestro país nos gusta / no nos gusta"...

EN* ELLE *NO NOS GUSTA:

que la tentación siempre (vivir) viva ***arriba,***
que **arriba** *siempre* (estar) estén *los mismos con* ***su poder,***
que **el poder** (asociarse) se asocie *más con el dinero que con* ***la ternura,***
que **la ternura** (esconderse) se esconda *por* ***vergüenza,***
que (dar) dé ***vergüenza envejecer,***
que **envejecer** *no* (provocar) provoque ***alegría,***
que **la alegría** (tener, nosotros) tengamos *que* ***defenderla,***
que la mejor **defensa** (ser) sea *un buen* ***ataque,***
que (atacarse) se ataque *más con las manos que con* ***la mirada,***
que **las miradas** *a veces* (hacer) hagan *tanto daño.*

4. **Transforma el infinitivo en una forma correcta de indicativo o subjuntivo. Después comenta el texto con tu compañero/a.**

RETRATO DE UN LIGÓN O DE UNA LIGONA

La soledad —y todos **tememos** que esa señora *(acercársenos)* ______ demasiado— **ha hecho** que el ligar *(convertirse)* ______ en algo tan corriente que no hay límites para ello.

Lo más importante es que *(saber)* ______ sacarnos partido a nosotros mismos. Así lo recomienda Antonio Gómez Rufo en su libro *Cómo ligar con esa chica que te gusta y a la que le gusta otro.* **Asegura** que no *(deber)* ______ temer a los guapos, porque si sólo tienen eso, su belleza se desmoronará como un castillo de naipes ante un soplo de ingenio.

Hay muchas técnicas para ligar, pero lo que **recomienda** Gómez Rufo es que no *(caer, nosotros)* ______ en el mal gusto, ni nos *(desesperar)* ______ si recibimos un *no* por respuesta. Los retratos que podemos establecer son los siguientes:

Ellos:

De discoteca:

Les gusta *(imitar)* ______ a John Travolta en la pista de baile y *(observar)* ______ "el material" desde la barra con mirada de castigo.

Los llorones:

No soportan que su mujer los *(amenazar)* ______ con tirarse por la ventana cuando le piden el divorcio, por eso siguen casados y por eso también **necesitan** que alguien los *(consolar)* ______

Los listillos:

Siempre **quieren** *(llevar)* ______ razón y, sobre todo, que *(haber)* ______ chicas a las que poder deslumbrar.

Es posible que lo *(conseguir)* ______ al principio, pero enseguida **hacen** que *(huir)* ______ de ellos como de la peste.

Los simpáticos:

Les **resultará fácil** *(atraer)* ______ y *(conservar)* ______ a las chicas cerca de ellos y si, además, están dotados de inteligencia y cultura, tendrán el mundo a sus pies.

Los guapos:

Utilizan su *look* y su sonrisa para cautivarlas.

Es normal que *(llamar)* ______ la atención a primera vista; pero si sólo tienen eso, ellos mismos **notarán** que las chicas los *(querer)* ______ para pasearlos y exhibirlos.

Los *yuppies*:

Son inteligentes, cultos y tienen dinero. Viven por y para el trabajo y sólo **quieren** *(conseguir)* ______ poder. **Lo habitual es que** *(buscar)* ______ un ligue ocasional o que *(echar)* ______ mano de las señoras que tienen cerca, para no perder su valioso tiempo.

En el fondo no **les importa que** su corazón *(acelerarse)* ______ cuando la chica que les presentaron el otro día está cerca de ellos.

Ellas:

De discoteca:

Utilizan la técnica del contoneo de caderas y la mirada tierna, y con ello **incitan a** que él *(llevar)* ______ la iniciativa. La minifalda también **ayuda a** que el mirón de la barra *(lanzarse)* ______.

Las frágiles:

Se las dan de finas. No **les gusta** que *(contarse)* ______ chistes verdes, ni que *(darse)* ______ gritos. Pero ellas sí se ponen histéricas si se les rompe una uña o se les mancha el vestido.

Las maduras:

No de edad, sino de cabeza, aunque **lo normal es** que *(ir)* ______ relacionado. Cada día son más difíciles de encontrar. No **es necesario** que *(utilizar)* ______ tácticas porque son coherentes y muy inteligentes. Muchos las temen; otros, cuando las encuentran, no **dejan** que se les *(escapar)* ______.

Las desinhibidas:

No **les preocupa** que *(pensar)* ______ mal de ellas. Buscan la relación sexual rápida y así **consiguen** que unos *(asustarse)* ______ y que otros *(sentirse)* ______ en el paraíso.

Las románticas:

Aprecian, sobre todo, que *(tenerse)* ______ detalles con ellas. **Anhelan que** el príncipe azul las *(besar)* ______, pero si lo encuentran, caerán en la melancolía y le dirán adiós bañadas en lágrimas.

Es que sólo *(desear)* ______, en el fondo, *(soñar)* ______ con ese ser imaginario y **que** de ninguna manera *(convertirse)* ______ en alguien de carne y hueso.

5. Consulta la lista de verbos que te hemos dado en la teoría y coloca alguno que le dé sentido a las siguientes frases. Después de terminar el texto, comenta tus impresiones con tu compañero/a o con toda la clase. ¿Podríais hablar de los errores de los hijos?

ERRORES QUE COMETEN LOS PADRES EN LA EDUCACIÓN DE SUS HIJOS

1. Uno de los errores más habituales es ______ que los niños **vean** solos la televisión. No hay que ______ les tampoco que **pasen** demasiadas horas con esta "compañía" tan peligrosa. ¿ ______ los padres que sus hijos los **quieran** menos si limitan las horas de tele?

2. No ______ que los padres **no se pongan de acuerdo** a la hora de dar normas. Los hijos ______ que sus padres los **quieran**, sí, pero que no les **pongan** límites y que no **se contradigan.**

3. Los hijos hablan de la libertad que quieren; pero, ¡ojo!, primero ______ que **demuestren** que son responsables. Si los padres ______ de que sus hijos **hacen** buen uso de la libertad que se les da, confiarán más en ellos.

4. Aunque pueda resultar desagradable, ________ que **se corte** de raíz el problema que empieza. Los padres no pueden cerrar los ojos ante la forma de actuar de sus hijos: ________ que **digan** "eres un / una cotilla", que "nunca te has preocupado de mí".

5. Los hijos se pasan la vida ________ que se les **compre** todo lo que sale por la tele o lo que tienen sus amigos. ________ que lo **hagan**, pero los padres no deben fomentar ese espíritu consumista. Lo ________ es que los adultos **prediquen** con el ejemplo.

TEMA

12 Subjuntivo introducido por verbos (2)

1. Verbos de entendimiento, lengua y percepción. Interrogativas indirectas. Verbos "de la cabeza".

Llamamos a este grupo verbos "de la cabeza", porque incluye las actividades que realizamos con ella. Añadiremos la percepción, que abarca toda la extensión de nuestra piel, además de todo lo que se percibe (se nota) por medio del cerebro; con lo cual ya estamos otra vez en la cabeza.

Como dijimos en la unidad anterior, hay una serie de estructuras que desencadenan la presencia del subjuntivo, pero podemos dar un truco que nos permita recordar fácilmente una regla muy general:

La realidad que pasa por los sentimientos sale convertida en subjuntivo.

La realidad que pasa a través de la cabeza se mantiene casi siempre en indicativo.

through

¡OJO! Aquí tenéis un truco para ayudaros a recordar:
No + verbo de la cabeza en indicativo + *que* + subjuntivo.

Todo lo que se salga de esta estructura, no lleva subjuntivo.
— No he dicho *lo que pensaba*, sino lo que debía.
— No *digas* que *es* difícil, está tirado.

El subjuntivo no aparece porque:
Aparece *lo que* en lugar de *que*.
Aparece *digas* en lugar de una forma de indicativo.

Este truco explica por qué no aparece el subjuntivo en
— No he visto quién *ha entrado*.
Aparece *quién* en lugar de *que*.

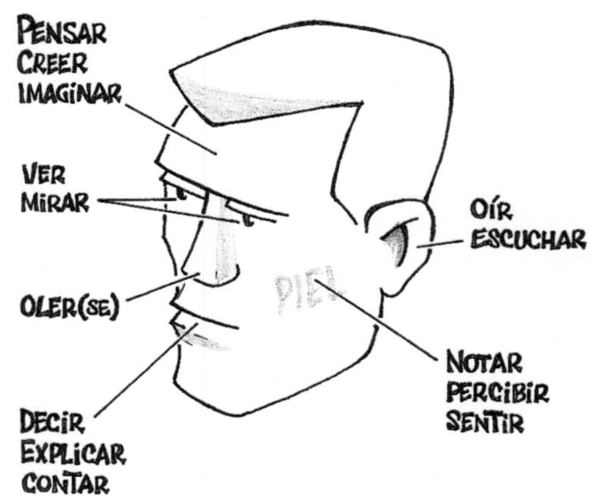

Pero detallemos cada caso:

Se construyen con indicativo:

En forma afirmativa e interrogativa:

— *Creo / me parece que* hoy *va a hacer* más calor que ayer.
— *Me dio la impresión de que estaba* muy enfadado por lo sucedido.
— *¿No te parece que debemos* hablar con ellos a propósito de su actitud?
— *¿Sabíais que van a subir* el teléfono?

Si el verbo principal (el de la cabeza o de percepción) va en imperativo negativo:
— *No creáis que* las cosas *van a ir* mejor con este gobierno.
— *No pienses que te aprobarán* sin que hayas estudiado.

Si en lugar de *que*, llevan detrás adverbios interrogativos (*si; qué; quién; cuál; cómo; cuándo; cuánto; dónde*) ; es decir, son frases interrogativas indirectas.
— *Sabemos* perfectamente *quiénes han hablado* y *qué han dicho.*
— *No recuerdo cómo se llama* ese actor, pero es famosísimo.
— Todavía no puedo *decirte si me han admitido* o no porque no lo sé.
— ¿Qué *os parece si vamos* al cine este sábado? (Aquí tenemos una pregunta directa, además de la indirecta introducida por *parecer).*

> **¡OJO! Otro truco para entender estas frases:**
> Si eliminamos el verbo principal, tendremos una pregunta normal:
> — *¿Quiénes han hablado* y *qué han dicho?*
> — *¿Cómo se llama* ese actor?
> — *¿Me han admitido* o no?

Para las construcciones con *excepto que / salvo que,* ver temas 11 y 20.
— Desde esta ventana lo puede *ver* todo, *excepto que hay* unos contenedores ahí mismo. (verbo de percepción).
— *Diles* toda la verdad, *excepto que* tú también *sabías* lo del atraco. (verbo de lengua).

Se construyen con subjuntivo:
En forma negativa (aunque en la lengua hablada hay casos de indicativo).
— *No creemos que* las cosas *vayan a ir* mejor con este gobierno.
— *No sabíamos que fueran (iban)* a subir el teléfono.
— *No dio la impresión de que estuviera* enfadado.

A veces encontramos construcciones negativas en las que el indicativo es obligatorio. Son los casos en los que el hablante se refiere en forma negativa a algo que otros no ven o no comprenden:
— Hay personas que *no entienden que molestan* a todo el mundo con su actitud.
— Mis vecinos hacen mucho ruido hasta muy tarde, porque *no se dan cuenta de que yo tengo que madrugar* porque trabajo, mientras que ellos están de vacaciones.

Cuando se da un cambio de significado, como vimos en la unidad anterior.
— *Hemos pensado que* (=queremos que) *hables tú,* a ti te escucharán.
— *Añadió que* (=aconsejó que) *tuviéramos* cuidado con la carretera.
— *Diles que* (=pídeles que) *lleguen* media hora antes, para prepararlo todo.

2. Verbos que alternan el indicativo y el subjuntivo sin cambio de significado

Son casos en los que se recoge lo que el interlocutor ha dicho y se le añade una idea de concesión; se acepta, pero se le pone un inconveniente.

Pertenecen a este grupo: ***aceptar; admitir; comprender; entender; reconocer...***
> En el trabajo no reconocen mis méritos, así que me voy a despedir.
< ¡Hombre! *Comprendo que quieras* marcharte, pero piénsalo bien, que hay mucho paro.

> ¿Ves? ¡Yo tenía razón, yo tenía razón!
< Vale, *admito que tuvieras / tenías* razón, pero tampoco es para que te pongas así, ¿no?

Verbos de lengua: *aclarar; afirmar; agregar; anunciar; añadir; asegurar; comentar; confesar; confirmar; contar; contestar; decir; declarar; dejar (quedar) claro; demostrar; defender; enseñar; explicar; exponer; expresar; garantizar; indicar; informar; insistir en; insinuar; jurar; leer; manifestar; mantener (una opinión); mencionar; murmurar; negar; presumir de; proclamar; protestar; referir; repetir; replicar; responder; revelar; señalar; sostener; subrayar,* etcétera.

(Recordemos lo que hemos dicho sobre los cambios de significado en la unidad anterior).

Verbos de entendimiento: *acordarse de; comprender; comprobar; considerar; creer; darse cuenta de; deducir; descubrir; entender; imaginar; juzgar; olvidar; opinar; pensar; saber; sospechar; suponer;* etcétera.

Verbos de percepción: *contemplar; descubrir; notar; observar; oír; oler; percibir; sentir; ver;* etcétera.

3. Un caso especial: *parecer*

Este verbo admite las siguientes posibilidades:
Parecer + *que* + indicativo / subjuntivo.
Depende del grado de evidencia o seguridad que queramos mostrar:
— *Parece que va a llover*, el cielo está cubierto.
— ¡Qué niebla hay! *Parece que fuera a llover.*

Me parece + *que* + indicativo
No me parece + *que* + subjuntivo.
Porque funciona como *creer*; es decir, como verbo "de la cabeza".
— *Me parece que* a todos *nos vendría* muy bien un descanso.
— No sé qué opináis vosotros, pero *a mí no me parece que sea* oportuno empezar ahora con esas discusiones.

(Me) parece + sustantivo / adjetivo / adverbio + *que* + indicativo / subjuntivo.
Porque funciona como las construcciones con *ser*, seguidas de los mismos elementos:
— *Nos parece justo* (es justo*) que tú te lleves* un porcentaje mayor, has trabajado más.
— *Parece evidente* (es evidente*) que ascenderán* a Andrés: es el sobrino del director.

Una variante de esta estructura se da en la forma interrogativa:
— *¿Te parece que vayamos* mañana a la playa?

Para explicarla basta con añadir *bien:*
— *¿Te parece bien que vayamos* mañana a la playa?

Vamos a practicar

1. Elige la solución que tenga sentido:

1. > No me grites, que me pongo más nervioso aún.
   < Vale, vale; pero, al menos, reconoce que te *has equivocado* / *hayas equivocado.*

2. > ¿Te parece que *dejamos* / *dejemos* esta discusión para otro momento?
   < Como quieras, pero recuerda que *has sido* / *hayas sido* tú quien no ha querido hablar.

3. > Oye, de verdad: no he notado que *ha cambiado* / *haya cambiado* tanto como tú decías.
   < Chico, pues debes de ser el único.

4. > Me parece evidente que las cosas *están* / *estén* mejorando.
   < ¿De verdad crees que *es* / *sea* como para lanzar las campanas al vuelo?

5. > Por más que lo intento, no entiendo por qué le *han nombrado* / *hayan nombrado* a él jefe del equipo.
   < Pues está muy claro: porque es el hijo del director.

6. > Dile a todo el mundo que la reunión no *tendrá* / *tenga* lugar mañana, sino el jueves.
   < ¡Uy, uy, uy! Me parece a mí que *se van* / *se vayan* a poner como fieras; todos pensaban irse de puente.

7. > Francisco, acuérdate de que mañana *tienes* / *tengas* cita con el dentista.
   < Gracias, mamá, pero no se me había olvidado.

8. > No me digas que *no has notado* / *hayas notado* que nos *hablaba* / *hablara* con tonillo de recochineo.
   < ¿Para qué te voy a decir *si he notado* / *haya notado* nada, si tú lo dices todo?

9. > No te pongas así conmigo, que yo no he dicho que *no quiero* / *no quiera* ayudarte; lo que he dicho es que ahora *no puedo* / *no pueda.*
   < Ya, pero eso es como insinuar que *no vas* / *vayas* a hacerlo.

10. > Te recuerdo que *eres* / *seas* prudente con lo que dices en la entrevista.
    < Vale, pero no creas que *he olvidado* / *haya olvidado* lo que pasó la última vez.
    Me parece que *he aprendido* / *haya aprendido* la lección.

2. **Transforma el infinitivo en una forma correcta del indicativo o el subjuntivo.**

1. Noticias curiosas.

Un grupo de científicos **ha demostrado que** los monos *(poder)* ______ contar. **Parece que** sólo *(llegar)* ______ hasta el nueve, pero todo es cuestión de que los monos *(imitar)* ______ a sus "hermanos" humanos. Muchos españoles **recuerdan que** algunos financieros, hoy famosos, *(empezar)* ______ sin saber contar grandes cantidades y todos **sabemos cómo** *(terminar)* ______, los financieros, no los monos, claro, que no han hecho más que empezar. **¿Imaginan dónde** *(ser)* ______ capaces de llegar si los entrenan adecuadamente? Lo importante de este descubrimiento es que **prueba que** los primates *(pensar)* ______ sin necesidad de un lenguaje propio ni de instrucciones verbales.

El buen humor de muchos españoles **asegura que,** en esto, los monos *(parecerse)* ______ a muchos políticos. ¿Qué opinan ustedes?

2. Problemas cotidianos.

Hoy en día **nadie niega que** nuestro ritmo de vida *(provocar)* ______, con demasiada frecuencia, "cortocircuitos" en nuestro sistema nervioso y todos **aceptamos** con resignación **que** un día u otro *(ser)* ______ víctimas de alguno de ellos. Es el conocido estrés. Llega el principio de curso o el final de las vacaciones y todos **vemos cómo** se nos *(hacer)* ______ cuesta arriba ese principio. ¿Quién **no ha repetido que** no *(dar)* ______ abasto con lo que tiene que hacer? Cuando aparecen los primeros síntomas, **nadie cree que** *(ser)* ______ algo grave y no les presta atención. Hay personas que **piensan que** a ellas no les *(afectar)* ______ ni la depresión, ni el estrés, ni nada de eso, porque son fuertes. **No saben que** el estrés nos *(acechar)* ______ a todos y **no informa de si** *(pensar)* ______ quedarse mucho tiempo o no. Por eso, **no crean que** *(estar)* ______ a salvo de sufrirlo y cuídense.

3. **Lo mismo que en el ejercicio anterior.**

Parece que el río *(volver)* ______ a su cauce y que las aguas *(tranquilizarse)* ______ después de la "revolución" provocada por tanto fútbol como podemos ver en cualquier canal de la televisión española. Para los que no estén enterados, **contaré que** hace unos meses *(saltar)* ______ la polémica entre los que **afirmaban** que por fin *(hacerse)* ______ justicia al deporte rey, ya que podían ver un partido casi cada día de la semana, y los que **se quejaban de que** eso no *(ser)* ______ justo para ellos, porque no se les ofrecían alternativas.

Comprenderán ustedes **que** el país *(estar)* ______ dividido ante semejante dilema: ¿qué hacer en lugar de enchufarse al partido diario? O ¿cómo podré sobrevivir si sólo hay un partido a la semana? Pero ya les **decía que** la sangre no *(llegar)* ______ al río. Y a ello contribuyeron las ideas de mucha gente como la periodista Pilar Cernuda, que en un artículo aparecido en *Blanco y Negro,* daba algunos sabios consejos.

Proponía la señora Cernuda **que** *(aprovecharse)* ______ la pasión del forofo o forofa ante la pantalla del televisor para hacer cualquier cosa, porque todo el mundo **sabe que** los hinchas, del sexo que sean, no *(estar)* ______ para nada cuando veintitrés señores –incluido el árbitro– empiezan a moverse, y *(ser)* ______ capaces de decir amén a todo.

Si usted convive con un "futbolero" o "futbolera", podrá comprobar que **no se dará cuenta de que** usted *(desaparecer)* ______ para ir al cine, para ver a sus amigas o amigos, o para cualquier otra cosa más excitante. **No crea que** a su regreso a casa le *(esperar)* ______ una escena desagradable. ¡En absoluto! Si su equipo ha ganado, **insistirá en que** ese peinado o ese modelo le *(hacer)* ______ parecer más joven. Si, por el contrario, el equipo de sus amores ha sufrido injustamente la mala suerte –nunca el mejor juego del otro—, **no verá que** usted *(tener)* ______ una sonrisa de felicidad o una cara de pocos amigos insoportable. Simplemente estará cegado o cegada por la ira de la injusticia. Ya les **explicaba** al principio **que** el problema *(suavizarse)* ______ ¿Será que todos, unos por una razón y otros por otra, somos más felices gracias al fútbol?

4. Consulta la lista de verbos que te hemos dado en la teoría y coloca alguno que dé sentido a las siguientes frases:

1. Durante la rueda de prensa, el Ministro de Fomento ______ que Málaga *tendrá* dentro de poco el tren de alta velocidad. Los malagueños ______ que esta vez la promesa *se cumpla.*

2. > *(Yo)* ______ que *no volvería* a salir con él y no lo haré, ya lo verás.
   < Bueno, bueno, será como otras veces: siempre ______ que *no harás* tal o cual cosa y luego casi nunca cumples tu palabra.

3. La prensa del corazón ______ a bombo y platillo que *se casan* de nuevo, después de un divorcio. Ellos hasta ahora no ______ dónde ni cuándo *se celebrará* la llamada *boda del año.*

4. > Si no estudias más, no ______ que *vas a aprobar* así, por las buenas.
   < No ______ que *no estudio*, es que aquí el sistema de exámenes es diferente al de mi país.

5. ¿______ ustedes que en Estados Unidos ya *existe* un Tribunal Antitabaco de Menores? Los fumadores están furiosos, pero el juez "inventor" de la medida ______, orgulloso, que su idea de salvar a los jóvenes del peligro de fumar *está dando* resultados.

6. > Nuestra representante nos ______ hoy que nos *van a hacer* nuevos contratos.
   < Bueno, bueno; ya estamos con eso otra vez; yo no me ______ que nos *vayan a hacer* esos "famosos" contratos. ¿Cuánto tiempo llevan ______ que *van a arreglar* nuestra situación?

7. En una reciente discusión entre autoridades universitarias y estudiantes, ________ el hecho de que en España *existen* grandes defectos en la educación superior. Entre las muchas protestas, los alumnos ________ de ser conejillos de indias de algunos experimentos que no les ayudan a aprender.

8. > ________ que *estuvieras* enfadado con todo el mundo.
   < ¿Por qué lo ________?
   > Porque tienes una cara de pocos amigos que...

9. Ayer todos pudimos ________ en el periódico que *acaba de aprobarse* la primera ley española de "parejas de hecho". Esta ley, nacida en Cataluña, ________ que los homosexuales, sean o hombres o mujeres, *pueden formar* parejas con los mismos derechos que una pareja heterosexual, excepto el de adoptar niños.

10. > Entre las cosas que dijo ayer el médico, ________ muchísimo en que *tuviéramos* cuidado con la grasa de las comidas .
    < Pero si en casa sólo usamos aceite de oliva.
    > Sí, hombre, pero él no lo sabe; yo ________ que sólo *quiso* ________ que las grasas animales *son* perjudiciales.

TEMA 13

Oraciones de relativo. Construcciones modales

Los relativos: *que; el/la/lo/los/las que; el/la/lo/los/las cual(es); quien(es); como; cuando; cuyo/a/os/as; donde*

— Es alguien *que* viaja mucho.
— *Los/las que/quienes* no puedan venir, que avisen a tiempo.
— Esos son temas *sobre los cuales* no quiero volver a hablar.
— "En un lugar de La Mancha, de *cuyo* nombre no quiero acordarme,..."
— Nos encontraremos *donde (en el lugar en que)* tú decidas.
— Siempre como *cuanto (la cantidad que/todo lo que)* me apetece.
— Viene a vernos *cuando (en el momento en que)* quiere.

1. Función y forma de las oraciones de relativo

Para empezar, diremos que las frases de relativo añaden información al sustantivo; es decir, funcionan como los adjetivos. De ahí que se conozcan también como *frases adjetivas*.

Podemos encontrarlas con antecedente expreso o sin él. El antecedente es la palabra a la que se refiere el relativo y la que puede ayudarnos a saber si necesitamos el indicativo o el subjuntivo.

2. Tipos de oraciones de relativo

Las hay de dos tipos:

Especificativas: identifican el antecedente, lo separan de otros posibles; se refieren a una parte del total posible:

— Hoy no ha habido mucha gente en clase, porque no han venido *los alumnos que fueron ayer a la fiesta.* (Sólo una parte de los alumnos).

Explicativas: van entre comas; añaden una información extra al antecedente; se refieren a todo él de forma global:

— Hemos tenido que suspender las clases, porque *los alumnos, que fueron a la fiesta de ayer, no han venido.* (Todos los alumnos).

a. Con indicativo

- Las usamos para referirnos a antecedentes **conocidos, informando** sobre ellos. Por eso las frases **explicativas** se construyen con **indicativo**.

— Por fin me he comprado la casa *con la que tanto he soñado.*
— Paso mucho frío porque la casa *donde vivo* no tiene calefacción.
— Aquí hay *alguien que pregunta* por ti.
— Tenemos *algo que podría* servir para lo que usted necesita.
— No voy a repetir *lo que digo siempre*: para aprobar hay que estudiar.
— Los profesores de español, *que* en general *están* un poco locos, suelen ser personas muy creativas.
— No me has dicho nada *de lo que hablasteis* en la entrevista.

- También se usa el indicativo cuando hablamos **en general**, incluso si no tenemos experiencia propia, pero nos referimos a **verdades universales**.

— No me gustan *los alumnos que estudian* poco.
— Es más agradable vivir en *las casas donde hay* calefacción.
— *El que / Quien se pica,* ajos come.
— *Al que madruga,* Dios le ayuda.
— *Al que a buen árbol se arrima,* buena sombre lo cobija.

b. Con subjuntivo

- Las usamos para referirnos a antecedentes **desconocidos**:

> Estoy buscando *un* ordenador portátil *que no sea* demasiado caro.
< Éste está muy bien de precio.

— En este edificio necesitamos *un* conserje *que controle* quién entra y quién sale.

- Pero si desaparece el elemento **desconocido**, también desaparece el subjuntivo:

— Perdone, estoy buscando *el* ordenador portátil *que me enseñó* ayer.
— En este edificio necesitamos *el mismo* conserje *que estuvo* antes.

- La pregunta por la existencia o no de alguien o de algo obliga al uso del **subjuntivo**. También es obligatorio su uso cuando **negamos esa existencia**:

— Siempre estás quejándote, ¿es que hay *algo que pueda* contentarte del todo?
— ¿Conocéis *a alguien a quien le guste* pagar impuestos?

— ¿Existen en tu país *casas que no tengan / donde no haya* calefacción?
— Siempre estás quejándote y ya he visto que *no* hay *nada que pueda* contentarte del todo.
— *Nadie que tenga* dos dedos de frente, puede aceptar una cosa tan absurda
— La verdad es que *no* conozco *a nadie a quien le guste* pagar impuestos.
— *Nada que tú puedas* hacer o decir me hará cambiar de opinión.

- Pero en cuanto afirmamos esa **existencia**, ya no es desconocida y por tanto, el **subjuntivo** desaparece:
  — Para que dejes de quejarte, creo que hay *algo que puede* contentarte: una subida de sueldo. ¿Eh?, ¿qué te parece?
  — Sí, conozco a *alguien a quien le gusta* pagar impuestos: a mí; siempre que sean justos, claro.
  — En España hay todavía casas *que no tienen / donde no hay* calefacción.

- La presencia del **subjuntivo** viene determinada porque nos referimos a **antecedentes posibles**:
  — Las nuevas normas de urbanismo dicen que las casas *que se construyan* en esa zona, no *podrán / pueden* tener más de cuatro pisos.
  — Los alumnos *que quieran* hacer el DELE, *tienen que* inscribirse antes del 15 de octubre.
  — Supongo que lo *verían* todos *los que estuvieran* allí.

- Pero en cuanto hablamos de **costumbre** o de **hechos comprobados**, desaparece el **subjuntivo**:
  — Pero eso no es nuevo; *normalmente*, las casas *que se construyen* en el centro de un casco histórico, no *pueden* tener más de cuatro pisos.
  — En tu caso particular, no sé qué aconsejarte; pero *en general*, los alumnos *que quieren* hacer el DELE *se preparan* a fondo antes.
  — Lo *vieron* todos *los que estuvieron* allí, por supuesto.

- Un caso particular es el que ofrecen las frases en las que tenemos una **orden** en la **oración principal**. En la frase de relativo aparece el **subjuntivo** porque no sabemos qué personas de entre las del grupo realizarán la orden.
  — *El que quiera* conseguir algo, *que se arriesgue.*
  — *Los que no vengan* a clase todos los días, *que no se quejen* después si no tienen certificado.

OJO: Las palabras *nadie y nada* no necesitan subjuntivo por sí solas:
— *Nadie me había avisado*, por eso no vine.
— *Nada me molesta* tanto como la mala educación.

- Las frases de relativo se construyen con **subjuntivo** para expresar **indiferencia** ante lo que dice el interlocutor o para **aceptar sus ideas.**
  > ¿Qué prefieres, el cine o el teatro?
  < *Lo que tú quieras*, cariño.

  > Esta clase hay que llenarla con más alumnos.
  < ¿Más? Bueno, *como usted diga.*

c. Con indicativo y subjuntivo

- En algunos casos, **la misma frase** puede construirse con los dos; depende del punto de vista:
  — La reunión parecía *un gallinero donde las gallinas se habían / se hubieran vuelto* locas. (Con el subjuntivo predomina la idea de comparación irreal).
  — La próxima *casa donde viviré*, tendrá calefacción. (Parece que la persona tiene muy clara la casa que quiere, incluso ya la ha elegido).

— La próxima *casa donde viva*, tendrá calefacción. (Aquí se trata de una casa hipotética, de un sueño).
— Este libro puede ser útil para *las personas que quieren / quieran* practicar la gramática por su cuenta.
— Yo siempre creeré *lo que tú me digas / dices*, porque nunca me has engañado.
— *Rara* es *la persona que* no *se haya / ha enamorado* nunca.
— *Los alumnos que han / hayan sacado* más de un 7 en el examen, no tienen que repetir esa parte de la asignatura.

3. Construcciones modales

- Lo mismo que los adverbios, las construcciones con preposición, y algunos casos de gerundio, las construcciones modales sirven para expresar el **modo** en que se **realiza la acción**:
  — Lean *atentamente* (*con atención*) las instrucciones de uso.
  — Mira, siempre lee *moviendo* los labios.
  — Lee *como le da la gana, sin tener* nunca en cuenta los signos de puntuación.

- Tienen en común con los relativos las reglas para la aparición del **indicativo** o **subjuntivo** (ver más arriba):
  — Lo he hecho *como decían* las instrucciones. (*Conozco las instrucciones*).
  — Lo haré *como se me ocurra*, no tengo un plan previo. (*Desconozco el modo).*

A menudo, una construcción modal es equivalente a otra de relativo:
— No me gusta *(la manera, el modo en que) como* estás actuando.
— Actúa *según (de la manera en que)* te parezca.

CONJUNCIONES

como **igual que** **según** **conforme** **tal y como** **del modo (en) que** **de la manera / forma (en) que** **de acuerdo con lo que** **de (tal) forma / manera que** **de (tal) modo que**	+ indicativo / subjuntivo
como si / igual que si	+ imperfecto / pluscuamperfecto subjuntivo

Expresan un modo irreal. También pueden considerarse comparativas irreales. (Ver Tema **21**)

sin que	+ subjuntivo

— Si te comportas *según mandan* las normas, no tendrás problemas.
— El circuito lo haremos *tal y como lo elija* el cliente.
— Habla de *tal manera, que es* imposible no escuchar sus palabras.
— No me hables *como si / igual que si fueras* mi padre; me pone furioso.
— No podemos abrir el bar *sin que nos den* el permiso de sanidad.

Vamos a practicar

1. Completa con la forma apropiada de indicativo o subjuntivo.

SI QUIERES ADELGAZAR, TEN CUIDADO CON LO QUE HACES
Desconfía de las dietas que:

(prometer) ______ perder mucho peso en pocos días.
(asegurar) ______ que adelgazarás sin dejar de comer lo que (desear) ______.
(estar) ______ basadas en la utilización de un parche adelgazante.
(apoyarse) ______ en la ingestión de productos inhibidores del apetito, que sólo (deber) ______ tomarse por prescripción médica.
(incitar) ______ a tomar laxantes y diuréticos.
(eliminar) ______ sistemáticamente un grupo de nutrientes; por ejemplo, el de los hidratos de carbono.
(fomentar) ______ el consumo de un solo producto de alimentos.
(anunciarse) ______ como basados en nuevos descubrimientos médicos y científicos.
(proponer) ______ formas extrañas de comer.
no te (enseñar) ______ cómo mantener tu peso después de haber adelgazado.

2. Dinos qué tipo de persona te gusta más.

En general me gustan las personas que ______

2.1. Ahora, si pudieras elegir, ¿cómo te gustaría que fueran tu profesor/a y tus compañeros /as?

Me gustaría tener un/a profesor/a que ______

Me gustaría tener unos/as compañeros/as que ______________________________

2.2. **Elige el libro de español ideal.**

Quiero encontrar un libro que ______________________________

Un buen libro es el que ______________________________

3. **Transforma el infinitivo en una forma correcta de indicativo o subjuntivo. Recuerda otros casos ya estudiados.**

1. El buen carácter de los nativos de este signo hace que *(llevarse)* ________ bien con casi todo el mundo y que todos *(querer)* ________ contarles sus cosas. Son capaces de escuchar de tal modo que todos *(creer)* ________ que sus problemas son únicos.
2. Si quieres tener contento a un Piscis, actúa de forma que no *(sentirse)* ________ manipulado o presionado, deja que obre tal y como le *(parecer)* ________ mejor.

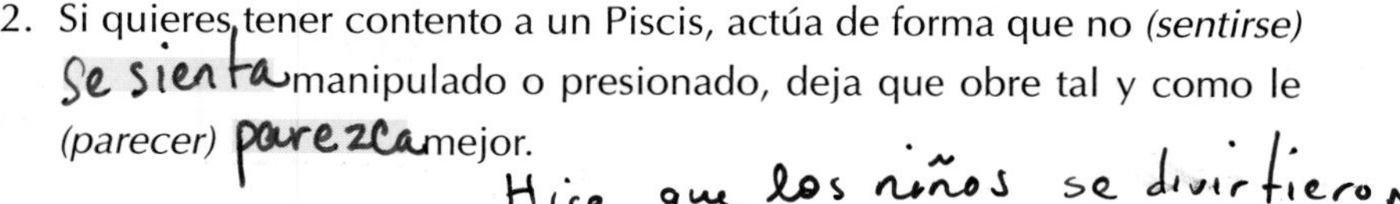

3. Este mes su popularidad hará que *(aumentar)* ________ sus amigos.

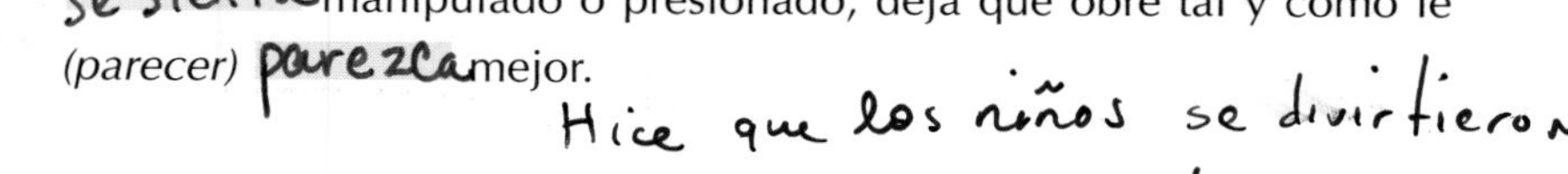

4. Buscará a alguien que *(poder)* ________ compartir sus ideas.
5. No debe hacer un viaje, es mejor que *(quedarse)* ________ tranquilamente en su casa.
6. Piscis se mueve bien en cualquier trabajo que *(tener)* ________ relación con la ayuda a los demás, sin que eso *(significar)* ________ que *(ser)* ________ especialmente altruista.
7. No quiere empleos que *(exigir)* ________ concentración en los detalles. No le agrada dirigir; pero tampoco, que alguien *(venir)* ________ a decirle lo que *(tener)* ________ que hacer.
8. Por eso elegirá una profesión en la que *(poder)* ________ actuar solo.

9. Debe buscar un ambiente de trabajo que *(ser)* sea positivo, donde *(haber)* haya muchas oportunidades y en el que *(poder)* pueda desarrollar su imaginación.

10. Necesita un compañero/a que *(apreciar)* aprecie su talento y que le *(ayudar)* ayude a usarlo de manera positiva.

4. **Completa con la forma adecuada de indicativo o subjuntivo.**

1. > Si ahora te esfuerzas y trabajas, hija mía, cuando seas mayor, vivirás como *(querer)* quieras
   < ¡Ay, abuela! Eso es muy fácil de decir, pero no creo que sea posible.

2. > Me gustaría ser como ella.
   < ¿Por qué?
   > Porque tiene todo lo que *(querer)* quiere y vive como le *(dar)* da la gana.
   < Sí, pero ella siempre dice que lo que *(conseguir)* ha conseguido le ha costado mucho esfuerzo.

3. > Oye, no le sirvas mucho al niño, porque se comerá lo que le *(poner, tú)* pongas en el plato, **es como una lima**. *comer muchísimo*
   < ¡Pues qué suerte!, mi hijo come poquísimo.

4. ¡Atención, por favor! Los que *(querer)* quieran *(quieren)* ir a la excursión del sábado y no *(estar)* están, estén inscritos, que pasen por secretaría inmediatamente o tendremos que anularla.

   (Una hora después)
   Otra vez igual: ahora hay demasiada gente que *(apuntarse)* se ha apuntado, siempre lo dejan para última hora, es como si les *(gustar)* gustara que te *(poner)* pusieras antipático.

5. > Inspector, en realidad, ¿qué están buscando?
   < No lo sabemos muy bien, algo que nos *(servir)* sirva de pista y nos *(llevar)* lleve hacia el asesino, cualquier cosa con la que *(poder, nosotros)* podamos identificarlo.

6. > ¿Conoces a alguien que *(estar)* esté contento de la vida que *(llevar)* lleva ?
   < ¡Hombre, sí! La verdad es que toda la gente con la que me *(relacionar)* relaciono siempre se queja de algo, pero, en el fondo están satisfechos de la forma en que *(vivir)* viven

7. > ¿Hay algo de su vida que le *(gustar)* guste cambiar?
   < Pues sí. Por ejemplo, querría tener un trabajo más próximo a las cosas que de verdad me *(interesar)* interesan ; o sea, vivir de tal forma que no *(verse)* se viera la diferencia entre el trabajo y el resto del tiempo. Un sueño, vamos. *hipotético*

8. > Deberías hacer caso al refrán ese que dice: *Al que a buen árbol (arrimarse)* ______, *buena sombra le cobija*.
   < ¿Me estás sugiriendo que tengo que empezar a **hacerle la pelota** a ese incompetente que *(poner)* ______ la dirección como jefe?
   > La pelota, no; pero es un tipo que no *(estar)* ______ muy seguro de sí mismo; por eso no creo que sea prudente enfrentarse con él. Tú sólo haz como si no *(caerte)* ______ tan mal.

9. > Creo que voy a buscarme otro trabajo en el que *(tenerse)* ______ en cuenta lo que *(valer, yo)* ______ en lugar de **ponerme trabas** todo el tiempo.
   < ¡Que tengas suerte! Porque hoy en día, eso de encontrar un trabajo donde a uno le *(pagar)* ______ bien y le *(valorar)* ______, resulta difícil.

10. > Nunca he conocido a nadie que *(tener)* ______ una habilidad tan grande para **meter la pata,** como Antonio.
   < Es verdad; pero no lo hace con mala intención, es que dice las cosas según le *(venir)* ______, no piensa en el efecto que *(poder)* ______ provocar.

5. Completa los diálogos con la forma correcta de indicativo o subjuntivo.

1. > Buenos días. Querría comprar un libro para un amigo que *(tener)* ______ unos gustos muy difíciles.
   < Vamos a ver si podemos ayudarle. ¿Me puede indicar el tipo de libros que *(soler)* ______ leer su amigo?
   > A ver, si me encuentra un libro donde *(haber)* ______ un poco de acción, que *(tener)* ______ una buena intriga y pocas descripciones, que, además, no *(ser)* ______ de ciencia ficción, habremos acertado.
   < No me lo pone fácil, pero mire, creo que tenemos algo como a su amigo le *(gustar)* ______, aquí en la sección de novela negra.
   > ¡Uy! Pero yo no conozco muy bien este género. ¿Por qué no me recomienda una que le *(parecer)* ______ buena a usted?
   < ¿Y si no coincido con su amigo?
   > Pues nada, ¡mala suerte!

2. > Mira todos los currículos que *(recibir)* ______ para el puesto de jefe/a de personal.
   < Normal, es que hay mucho paro y la gente se lanza sobre cualquier cosa que *(ofrecerse)* ______. Por eso, tendréis que seleccionar de acuerdo con lo que *(esperar)* ______ de los candidatos.

> Ya lo hemos hecho. Primero hemos eliminado a los que no *(tener)* ______ ninguna experiencia y a los que *(estar)* ______ por debajo de los treinta. Para este puesto necesitamos a alguien que *(conocer)* ______ este mundillo y *(ser)* ______ capaz de tomar decisiones.

< Claro, y la experiencia y la edad siempre ayudan, ¿no?

> Por supuesto. Además, el perfil que *(buscar, nosotros)* ______ corresponde a una persona dinámica, que *(relacionarse)* ______ bien con los demás, pero que no les *(dar)* ______ excesivas confianzas. Tiene que ser alguien capaz de poner en su sitio a los que no *(comportarse)* ______ tal y como *(dictar)* ______ las normas de la empresa y, si fuera necesario, despedirlos.

< ¿Y ya habéis encontrado a alguien que *(reunir)* ______ todo eso?

> Tengo aquí cinco personas a las que *(ir, nosotros)* ______ a llamar para las típicas entrevistas y los tests psicológicos. El que mejor *(adaptarse)* ______ a ese perfil, y además, no *(querer)* ______ ganar demasiado dinero al principio, tendrá el trabajo.

< Pero eso no es muy justo, creo yo. Pedís un montón de requisitos, pero no queréis pagar bien.

> Así están las cosas.

6. Completa con la forma correcta de indicativo o subjuntivo. Después explica la razón de tus elecciones.

1. > ¿Tú también estás metido en líos con la policía?
   < ¿Pero es que tú conoces a alguien que no los *(tener)* ______ alguna vez?
   > Tienes razón; hay pocas personas, si es que hay alguna, que no *(verse)* ______ metidas en alguna ocasión en problemas con la ley.

2. Viví unos años en aquella gran ciudad que *(parecer)* ______ un hormiguero en el que *(declararse)* ______ un estado de emergencia permanente, por eso me fui, porque no podía soportar aquel ritmo que nos *(volver)* ______ a todos locos.

3. > ¿De dónde sales? ¡**Vaya pinta** que tienes! Arréglate un poco, o cualquiera que te *(ver)* ______, pensará que te pasa algo malo.
   < Y tendría razón: me han echado del trabajo sin que *(saber)* ______ muy bien por qué.

4. > Tenemos que ir por caminos distintos, como lo *(hacer)* ______ la última vez. A ver quién llega antes.
   < Vale, estupendo. Los últimos que *(llegar)* ______, pagan una copa a los otros en el mesón de Curro, ¿qué os parece?
   > Bien… Vamos a ganar nosotros…

5. Os voy a contar algo relacionado con las supersticiones: Cuando uno cree que para librarse de la mala suerte tiene que realizar algún tipo de truco mágico y luego todo parece ir mejor, lo que pasa, muchas veces, es que aumenta la atención que *(prestar)* ______ a lo que *(hacer)* ______, algo que *(estar)* ______ motivado por la expectación que *(vivirse)* ______ para ver si surte efecto el "encantamiento" que *(realizar)* ______

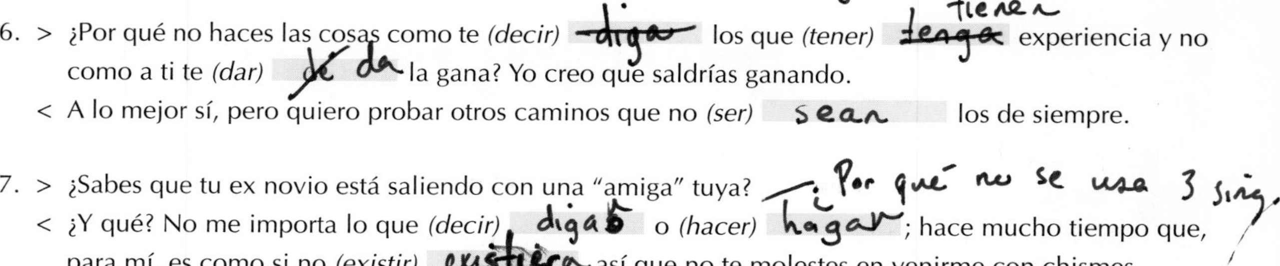

6. > ¿Por qué no haces las cosas como te *(decir)* ________ los que *(tener)* ________ experiencia y no como a ti te *(dar)* ________ la gana? Yo creo que saldrías ganando.
   < A lo mejor sí, pero quiero probar otros caminos que no *(ser)* ________ los de siempre.

7. > ¿Sabes que tu ex novio está saliendo con una "amiga" tuya?
   < ¿Y qué? No me importa lo que *(decir)* ________ o *(hacer)* ________; hace mucho tiempo que, para mí, es como si no *(existir)* ________, así que no te molestes en venirme con chismes.

8. > ¿Has visto qué respeto le tienen todos? Además, hacen las cosas como ella *(sugerir)* ________.
   < Te diré que no me sorprende: ha sido la primera persona que *(atreverse)* ________ a enfrentarse con unas normas que no nos *(gustar)* ________ a ninguno y que, sin embargo, *(aceptar)* ________ todos sin rechistar.

9. > Tenéis que ir a ver esa película; es la mejor que *(hacerse)* ________ sobre ese tema; bueno, eso me parece a mí, claro.
   < Es verdad, es la primera vez que *(ver)* ________ una película histórica que *(estar)* ________ contada con total imparcialidad.

10. > No sé por qué te enfadas así conmigo, me tratas como si *(hacerte)* ________ algo malo.
    < ¿Que no lo sabes? Para ser alguien a quien todos *(considerar)* ________ inteligente, a veces pareces tonto: pues porque siempre te fías del primero que *(llegar)* ________ y eso no es muy prudente.

11. > ¿Cómo has podido firmar un contrato como ése? Nadie que *(tener)* ________ dos dedos de frente, lo habría firmado.
    < Pues a mí no me parece tan malo; lo que pasa es que tú **eres muy quisquilloso**.

12. > ¿Hay alguien en el edificio que *(estar)* ________ interesado en vender su apartamento y que no *(querer)* ________ demasiado dinero?
    < Creo que los del 115 están buscando a alguien que *(pagar)* ________ al contado lo que *(pedir, ellos)* ________. Pero no sé cuánto es.

Vuelve a leer las frases y trata de explicar a tu manera lo que significan las expresiones en negrita.

TEMA 14 Construcciones temporales

Recuerda que, en general, cuando detrás de la conjunción aparece *que*, significa que suele haber distinto sujeto en las dos frases:

— *Antes de* ***que*** *te vayas* (tú), tengo (yo) que contarte todo lo que pasó**.**
— Se quedaron (ellos) en mi casa *hasta* ***que*** les pedí (yo) ***que*** se fueran.

— Si el sujeto es el mismo, no necesitamos el subjuntivo, solemos usar el infinitivo:
— *Antes de* ***irte*** (tú), *tienes* (tú) que contarme lo que pasó.
— Se quedaron (ellos) en mi casa *hasta agotar* (ellos) mi paciencia.

Podemos dividir las **conjunciones temporales** en tres grupos:

INDICATIVO / SUBJUNTIVO	SÓLO INDICATIVO	SÓLO SUBJUNTIVO
Cuando ***Hasta que*** ***Tan pronto como*** ***Mientras*** ***En cuanto*** ***Así que*** ***Siempre que*** ***No bien*** ***Cada vez que*** ***Apenas*** ***Después de que*** ***A medida que*** ***Según*** ***Una vez que*** ***Conforme***	***Ahora que*** ***Desde que*** ***Al mismo tiempo que***	***Antes de que***

1. Indicativo o subjuntivo.

1ª frase (principal) **+ *cuando* +** 2ª frase (subordinada)

a. presente de indicativo + ***cuando*** + presente de indicativo
— *Doy* un paseo con mi perra *cuando vuelvo* del trabajo.
— *Cuando tengo* tiempo, *hago* deporte

En estas frases predomina la idea de costumbre.

b. pasados + ***cuando*** + pasados
— *Vivía* con mis abuelos *cuando era* niña.
— *Me compré* la impresora de color *cuando cobré.*
— *Estaba* en la ducha *cuando tú llamaste.*
— Todo *había terminado cuando llegamos.*
— Esta mañana, *cuando me he levantado,* todavía *era de noche.*

c. futuro (idea de futuro) + ***cuando*** + ~~futuro~~ → PRESENTE DE SUBJUNTIVO
Es decir: que cuando en las dos frases aparece la idea de futuro, el verbo que va detrás de *cuando,* se convierte en *subjuntivo.*

> **¡OJO! Un truco para que no te confundas:**
> — Ya nos angustia el futuro y sólo es uno, ¡imagínate si fueran dos! Por eso uno se va.

RECUERDA: la idea de futuro puede expresarse con:

- futuro
- presente de *ir a* + infinitivo
- condicional
- imperfecto de *ir a* + infinitivo
- imperfecto de *pensar* + infinitivo
- presente de *pensar* + infinitivo
- imperativo
- perífrasis de obligación
- presente de indicativo

— *Volveré* a mi país *cuando termine* este curso.
— *Pienso decirle* la verdad *cuando lo vea.*
— *Voy a escribir* novelas *cuando me jubile.*
— *Cuando vuelvas* a casa, *sigue* estudiando español para no olvidarlo.
— Le dije que la *llamaría cuando tuviera* los resultados de la prueba.
— Pues claro que te lo *iba a contar,* pero *cuando estuviera* segura de ello.
— *Pensaba decirle* la verdad *cuando lo viera,* pero no tuve tiempo.

2. Otros casos

***Al* + infinitivo**

— Me di cuenta de que me había dejado las llaves en la oficina, *al llegar a casa.* (*Cuando llegué* a casa).

En gerundio equivale a ***en cuanto, tan pronto como***. No es muy usual en la lengua hablada.

— *En terminando* este informe, me voy a casita. (*En cuanto* lo termine).

Después de que puede construirse también con subjuntivo aunque no se refiera al futuro. Esto es muy común en el lenguaje de los medios de comunicación:

— *Después de que* lo *nombraran* ministro, renunció a su puesto de director de la empresa.

— Las irregularidades no tardaron mucho en descubrirse, *después de que cambiara* el equipo rector.

Una vez + participio. Expresa una acción que se inicia al acabarse otra. El participio concuerda con el sujeto de la oración de participio.

— *Una vez aprobado* el examen escrito, puede usted presentarse al oral.

— Todos podrán marcharse *una vez terminadas* sus tareas.

Nada más + infinitivo. Equivale a *tan pronto como*. El sujeto va detrás del infinitivo.

— ¡Qué mala suerte! *Nada más llegar ellos* a la costa, empezó a llover.

— Las acciones bajaron *nada más saberse la noticia* de la guerra.

Al mismo tiempo; entre tanto; mientras tanto. Van entre pausas. Son equivalentes. Necesitan que haya un tiempo anterior al que referirse.

— Un grupo de profesores hace el examen oral; *al mismo tiempo*, otro grupo corrige los exámenes escritos.

— Ve poniendo la mesa; *entre tanto*, yo voy a comprar el pan.

Vamos a practicar

1. Contesta a las preguntas.

1. > ¿Cuándo vas a devolverme el libro que te presté?
   < Cuando ______________________.
2. > ¿Hasta cuándo tendremos que esperar?
   < Hasta que ______________________.
3. > Mamá, ¿cuándo vas a comprarme el ordenador?
   < Cuando / En cuanto ______________________.
4. > ¿Hasta cuándo se quedaron tus amigos en casa?
   < Hasta que ______________ las bebidas.
5. > ¿Cuándo me llamarás con el resultado?
   < Tan pronto como ______________________.
6. > ¿Hasta cuándo piensas quedarte aquí?
   < Hasta que ______________________.

7. > Papá, ¿puedo jugar con el vídeojuego?
   < Sí, después de que ______________________.

8. > ¿Cuándo sueles estudiar?
   < Cuando / Después de que ______________________.

9. > ¿A qué hora puedo llamarte a casa?
   < Cuando ______________________.

10. > Necesito ese informe urgentemente.
    < Te lo daré antes de que ______________________.

11. > Yo nunca tomo aspirinas.
    < Pues yo las tomo siempre que ______________________.

12. > ¿Puedo volver a visitarte?
    < Claro que sí, siempre que ______________________.

13. > ¿Cuándo trabajas tú?
    < Cuando ______________________; soy autónomo.

14. > ¿Cuándo te diste cuenta de que tu novio/a te engañaba?
    < Cuando ______________________.

15. > ¿Cuándo estarán terminadas las obras?
    < Antes de que ______________________.

2. **Transforma el infinitivo de forma correcta y de acuerdo con el sentido de cada frase.**

1. Los avances de la técnica podrán acabar con algunas de las cosas o costumbres que hoy día nos parecen normales; por ejemplo, la intimidad de una llamada telefónica *(ser)* ______ un recuerdo tan pronto como los teléfonos *(tener)* ______ un monitor de televisión incorporado.

2. Por otra parte, ese mismo monitor *(poder)* ______ sernos de gran utilidad cuando *(querer)* ______ saber quién es el que está llamando a nuestra puerta. Antes de que cualquiera *(invadir)* ______ nuestra casa, *(tener)* ______ que ser controlado por una cámara y sólo si pasa "el examen", *(obtener)* ______ el visto bueno para entrar.

3. ¿Recuerdan aquel tiempo en que el tren estaba considerado como un instrumento infernal? Mi abuelo era un pobre maquinista, pero en cuanto *(subirse)* ______ a su locomotora, *(sentirse)* ______ importante y poderoso, y a medida que aquella máquina *(aumentar)* ______ de velocidad, *(crecer)* ______ su sentido del deber, porque él era el único responsable hasta que *(dejar)* ______ de nuevo la máquina y el tren en la estación. ¿Se sentirán lo mismo los conductores del *tren-bala* o del AVE?

on la memoria: ¿Qué sintieron ustedes el día en que *(montar)* ______ en avión por pri-a vez? ¿Recuerdan sus sensaciones, conforme aquella masa de varias toneladas *(elevarse)* ______ como el más grácil de los pájaros? Yo sí. Son las mismas que *(sentir)* ______ siempre que *(volver)* ______ a subir a un avión. Incomodidad según *(ir)* ______ alcanzando altura y sorpresa de que se mantenga en el aire, llevando dentro los kilos que lleva.

5. Para terminar, regresemos al futuro, como en la película: Cuando *(pensar, ustedes)* ______ en el año 2050, por ejemplo, ¿cómo lo *(imaginar)* ______ ? ¿*(Perder)* ______ el ser humano un poco de su humanidad a medida que *(pasar)* ______ los años, o *(volverse)* ______ más humano? Cuando *(llegar)* ______ a otros planetas, ¿*(olvidar)* ______ la Tierra, o *(preocuparse)* ______ más de ella, una vez que la *(sentir)* ______ tan lejos? Claro está que no tengo respuestas, pero espero que hasta que *(ser, nosotros)* ______ capaces de viajar a otros planetas, *(tener)* ______ tiempo de reflexionar y cuidar, en la medida de lo posible, nuestra "casa azul".

3. **Sustituye los fragmentos que van en negrita, por una construcción equivalente, donde sea posible y haz las transformaciones necesarias.**

1. Cada uno de los asistentes expuso sus opiniones sobre la última reunión *y* **una vez aclarados los puntos oscuros**, pasamos a proponer ideas para realizarlas a lo largo del nuevo periodo lectivo.

2. > Yo, **nada más ver llegar** a mi hijo, sé si me va a contar una trola, o no; es que lo lleva escrito en la cara.
   < Mujer, a mí me parece que eso les pasa a todas las madres, ¿no?

3. > Sé prudente y no te precipites; no digas todo lo que piensas **apenas llegues**. Observa y, **mientras tanto**, ve formando tu propia opinión sobre el terreno.
   < No sé por qué me dices eso. **Al oírte**, parece que yo fuera por ahí metiendo la pata todo el tiempo.

4. Las instrucciones son las mismas que en años anteriores: **mientras estemos caminando,** todos somos responsables de todo. Pero, **no bien hayamos alcanzado** el punto de nuestra acampada, cada grupo es responsable de su propio equipo y de su buena conservación.

5. > **Hasta que llegó** el inútil de Pérez, las cosas iban más o menos bien. Pero **ahora que él es responsable** de esta sección, no sale nada a derechas.
   < ¿Y no será que dices eso porque le tienes manía?
   > ¿Es que me vas a negar que **tan pronto como él "tomó el mando"**, todo empezó a fallar?

6. > Ten cuidado **al cerrar** la puerta, que hace mucho viento y se puede golpear.
   < No creo que se rompan estos cristales tan gordos, ¿no?

4. **Coloca una conjunción o estructura temporal que dé sentido a las frases.**

1. > ________ llegué a la oficina, me di cuenta de que me había dejado dentro las llaves de casa.
   < ¡Qué faena! A mí también me ha pasado varias veces ________ cambié el sistema: la puerta no se cierra sola, tengo que cerrarla con llave.

2. José Coronado, actor español que encarna la figura de El Coyote, responde a algunas de las preguntas de nuestra revista:
   > ¿Le gusta ver la vida con un antifaz?
   < ________ hablo con las personas, me gusta verles la cara. Ponerse un antifaz es esconderse y eso no me gusta.
   > ¿Hay algo que le haya sorprendido de sí mismo ________ hacía esta película?
   < Que me encanta el riesgo y la aventura y que ________ tengo cuarenta años, sigo teniendo la misma vitalidad de antes.
   > ¿Ha padecido la crisis de los 40?
   < No, porque ________ cumplir los 35, empecé a prepararme y ________ llegaron esos supuestamente terribles 40, descubrí la madurez, no la decadencia.

3. Aquel día, ________ entrar en casa, percibí que algo era distinto. No habría sabido explicar cómo fue, pero ________ me quitaba el abrigo y los zapatos, noté que algo iba a pasar. Me puse cómoda, me preparé algo de cenar...; todo parecía haber sido producto del cansancio. Pero de pronto sonó el teléfono y ________ aquella horrible voz acabara con mi tranquilidad, los pelos ya se me habían puesto de punta: una parte de mí era consciente de que había un peligro muy cerca.

4. > Vamos a repartirnos todo lo que hay que hacer, ¿te parece?
   < Vale, yo arreglo un poco el salón y tú, ________, preparas algo de comer.

5. > Ya estamos con lo mismo: ________ te piden un favor, acabas diciendo que sí.
   < Es que el pobre Luis necesitaba ayuda.
   > ¿Y qué? Si ________ alguien cerca de ti necesita ayuda, vas tú corriendo a dársela, nunca tendrás tiempo para ti.
   < Tienes razón; lo que me pasa es que no sé decir que no ________ alguien me pide algo.

6. ________ usted salga de nuestro hotel, sentirá que su vida ha cambiado. Sabrá lo que es sentirse atendido como un rey o como una reina. Habrá aprendido algo para el futuro: ________ rellenar la inscripción de cualquier otro hotel, buscará alguno de nuestra cadena. ________ haber probado lo mejor, uno no puede conformarse con menos.

7. ________ la reina Sofía cumplió 60 años, aparecieron distintas manifestaciones en los medios de comunicación. Nosotros elegimos algunas declaraciones de su familia, aparecidas en *El Semanal*. Decía la princesa Irene de Grecia: ________ *pequeña, era algo tímida.* ________ *se casó con el Rey, su carácter se ha hecho más abierto. Es una mujer muy serena, que sabe controlar sus emociones.* El príncipe Felipe contestó, ________ le preguntamos, que admiraba profundamente a la Reina por su capacidad para pensar en los demás y cumplir con sus deberes.

8. > No quiero verte por aquí ______ hayas terminado lo que tienes que hacer.
   < ¿Y si necesito ayuda para terminar?
   > Bueno, vale, pero no me pidas ayuda ______ haberlo intentado tú solo.

9. > Bien, queridos colegas, ______ terminado este proyecto, sólo nos queda esperar que esta colaboración se repita.
   < ¿Cuándo cree usted que podrá ser eso?
   > Exactamente no se lo puedo decir; tendrán que esperar un poco; ______, deberían descansar y preparase para el próximo trabajo.

10. > ______ no te expliquen claramente en qué consisten tus funciones, no aceptes nada.
    < Por supuesto, ______ habérmelo leído todo, yo no firmo ningún contrato.

TEMA 15 Construcciones concesivas

1. Primer caso

CONJUNCIÓN	MODO	SIGNIFICADO
aunque ***pese a que*** ***a pesar de que*** ***aun cuando*** + ***por más / mucho que*** ***por más / mucho*** + sustantivo ***incluso si*** +	**INDICATIVO** **O** **SUBJUNTIVO** **IMPERFECTO/ PLUSCUAMPERFECTO DE SUBJUNTIVO**	— experiencia; información nueva para el interlocutor — no experiencia; hechos no realizados (subjuntivo obligatorio) — en caso de información compartida, el subjuntivo enfatiza uno de los elementos y quita importancia al otro.

A. Experiencia, información

— *Aunque estamos en octubre,* no hace nada de frío.
— *Aun cuando soy española,* no comparto todas las ideas de mis compatriotas.
— *Por mucho / más que trabajo,* no veo los resultados.
— *Por muchos problemas que ha tenido,* siempre ha mantenido la sonrisa.

— *Incluso si tengo tiempo,* no pienso ir a su fiesta.
— *Incluso si lo viera con mis propios ojos,* no lo creería.

B. No experiencia

— *Aunque el examen del viernes sea difícil,* lo aprobaremos, ya veréis.
— *Aun cuando en enero haga calor,* nunca será igual que en agosto.
— Ese chico no estudia mucho, pero *por mucho / más que estudiara,* nunca sacaría notas muy altas: el profesor le tiene manía.
— *Por más / muchas dificultades que tengamos allí,* nunca serán tantas como las que tenemos aquí.

C. Contrastes

> ¿Tú no duermes la siesta? ¡Pero si eres española...!
< ¿Y qué? *Aunque sea española,* no me gusta acostarme después de comer.

> ¿Te has enterado de los problemas que ha tenido Lola?
< Sí, es admirable: *por muchos que haya tenido,* ha mantenido la sonrisa todo el tiempo.

(En estos casos, lo importante es la información que está en indicativo; con la frase en subjuntivo se quita importancia a la información compartida).

2. Segundo caso

CONJUNCIÓN	MODO	SIGNIFICADO
por (muy) + adjetivo / adverbio + ***que*** ***por poco que***		— Se cumplirá algo, incluso sin que se den todas las condiciones / incluso si se dan todas las condiciones.
aun a riesgo de que	**SUBJUNTIVO. En la lengua hablada también se usa el indicativo**	— Se cumplirá algo, incluso si resulta perjudicial.
porque		— La razón dada no se considera suficiente para que algo se cumpla.
así ***mal que***		— Poco usuales.
siquiera (sea)		— Se presenta lo que se pide como algo evidente.

— *Por (muy) listo que seas,* a mí no vas a engañarme.
— *Por poco que estudies,* sacarás buenas notas; allí no son muy exigentes.
— Siempre dice lo que piensa*, aun a riesgo de que alguien se enfade.*
— *Porque vayas en coche* no llegarás antes que yo.
— Ellos son más inteligentes*, mal que os pese* (= moleste).
— Ven con nosotros*, siquiera sea por una vez.*

3. Tercer caso

CONJUNCIÓN	MODO	SIGNIFICADO
(aun) a sabiendas de que		— Se refieren a hechos conocidos.
y eso que		— La razón dada no ha evitado el cumplimiento de algo.
si bien	**SIEMPRE INDICATIVO**	— Formal.
y mira que		— Añade la idea de reproche.
con + artículo + sustantivo + ***que*** ***con lo*** + adjetivo/adverbio + ***que***		— Informales. Añaden una idea de ponderación
cuando		— Se da una mezcla entre el sentido temporal y el concesivo.

— Lo conozco y sé que lo hará, *aun a sabiendas de que me molestará.*
— ¿Te has comido todo lo que tenías en el plato? ¡*Y eso que no tenías* hambre!
— Se enfadó conmigo, *cuando*, en realidad, *yo no tenía* la culpa de nada.
— *Si bien Andalucía es conocida por sus playas,* existen también otras posibilidades de hacer turismo.
— Has vuelto a meter la pata, *y mira que te he avisado* montones de veces.

> Me voy a dar una vuelta.
< *Con la lluvia que cae,* ¿te vas a pasear?

> ¡Qué injusticia! *Con lo bien que lo ha hecho,* y nadie se ha dado cuenta.
< Así es la vida, hijo.

4. Otros casos

A. Verbo en subjuntivo + (preposiciones) + relativos (excepto ***que, el cual***) + verbo en subjuntivo
— *Me lo pida quien me lo pida* (aunque me lo pida alguien importante), yo no voy a cambiar de actitud, así que no insistas.
— *Se de quien sea, yo no voy a cambiar de actitud, así que no insistas.*

B. Verbo en subjuntivo + ***o no*** + (mismo verbo) ***/ tanto si*** + verbo en indicativo + ***como si no*** + mismo verbo en indicativo
— Un día tendrás que jubilarte, *te guste* (*o no*) / *tanto si te gusta como si no* (aunque no te guste).

C. Verbo 1 en subjuntivo + ***o*** + verbo 2 en subjuntivo
— *Compres o vendas,* debes tener presentes unas reglas básicas del mundo del comercio.

D. ***Quieras que no,*** + oración principal.
> ¡Qué cansado estoy! Y eso que sólo he andado dos kilómetros.
< *Quieras que no*, los años se notan, abuelo.

E. ***Ya + poder*** en indicativo + infinitivo + ***que*** + verbo en indicativo
— Es un cabezota increíble: *ya puede acabarse* el mundo (aunque se acabe el mundo...), *que* él seguirá en sus trece.

F. Futuro + ***pero*** + verbo en indicativo
— Sí, *tendrá* problemas (aunque tenga problemas), no lo discuto, *pero* no se le nota nada.

G. ***Con*** + sustantivo + ***y todo*** + verbo en indicativo
— *Con dinero y todo* (=aunque tenga dinero...), va por la vida con una cara de asco inaguantable.

H. ***Con*** + infinitivo + verbo en indicativo
— Mira, mira, *con ser* (aunque sea) el mayor del grupo, es el que más se divierte

I. Participio / adjetivo + ***y todo*** + verbo en indicativo
— Estoy hecho polvo, pero *cansado y todo* (=aunque esté cansado...), esta noche me voy de juerga.

J. ***Aun / incluso*** + gerundio / gerundio + ***y todo*** + verbo en indicativo
— Tenían tantas ganas de bañarse, que se fueron a la playa, *lloviendo y todo* (aunque estaba lloviendo).

K. ***Ni*** + gerundio + verbo en indicativo
— Ya no sé qué hacer: no adelgazo *ni comiendo* (aunque coma) una sola vez al día.

L. ***Si*** + verbo en indicativo + mismo verbo en imperativo
Si + verbo en indicativo + ***que*** + mismo verbo en subjuntivo
— *Si te lo compras, cómpratelo,* pero a mí no me pidas dinero (aunque te lo compres...).
— *Si te molesta, que te moleste,* no podemos hacer nada (aunque te moleste).

Vamos a practicar

1. **Completa con la forma correcta de indicativo o subjuntivo. Relaciona las frases entre sí y explica qué tienen en común.**

1. > La opinión de Pedro es que, ***aunque*** las cosas *(ser)* ______ difíciles, podremos conseguir nuestro objetivo, si luchamos en serio.
< Para él es muy fácil escribir eso, ¿por qué no viene ***siquiera*** *(ser)* ______ una vez, en lugar de escribir?
> No te pongas pesado, ¿quieres que venga, ***aun a riesgo de que*** lo *(descubrir)* ______ y lo *(meter)* ______ en la cárcel?

2. > Voy a decir lo que pienso, ***a sabiendas de que*** mis opiniones no *(ser)* ______ muy populares y ***de que*** *(poder)* ______ jugarme el trabajo.
< Pues, en esas condiciones, yo me callaría.
> ¿***Aunque*** no *(estar, tú)* ______ de acuerdo con lo que se está haciendo?
< Por supuesto; es que yo no estoy loco.

3. > He pedido asesoramiento para nuestro proyecto de abrir un negocio y me han dicho que es muy arriesgado.
< Bueno, vale, pero yo quiero seguir adelante; ese negocio me ***interesa, por muy arriesgado que*** *(resultar)* ______.
> ¿***Incluso si*** *(perder)* ______ nuestra inversión?

4. > Estoy muy contenta, porque he trabajado mucho para que salga bien la conferencia de prensa del lunes.

< Eso espero yo también, porque ya sabes lo que pasa a veces: que ***por mucho que*** *(esforzarte)* ______ y *(trabajar)* ______, siempre hay alguien que dice que podrías haberlo hecho mejor.

> ¿Tú crees?

< Claro, mujer, no seas ingenua, siempre hay gente que se queja ***aunque*** *(estar)* ______ todo previsto.

5. > ¿Sabes? Tenías tú razón: ayer hubo algunos problemillas en la conferencia de prensa; ***y eso que*** lo *(tener, yo)* ______ todo pensado; bueno eso creía yo.

< Ya te lo dije: ***por muy organizadas que*** *(estar)* ______ las cosas, siempre puede producirse un imprevisto.

6. > La próxima vez que vea a Pedro, quiero decirle algo: ***por muy líder*** nuestro que *(ser)* ______, no tiene derecho a meternos en los líos en los que nos mete.

< Creo que tienes toda la razón, ese hombre es muy lanzado; ***y mira que*** le *(decir)* ______ que sea más prudente, pero nada, ni caso.

7. > Esteban dijo el otro día que iba a dar su opinión, ***aunque*** *(costarle)* ______ el puesto, ¿qué te parece?

< Que tiene razón, ***así*** *(ser)* ______ la locura más grande del mundo.

> Pero, bueno ¿es lógico que se arriesgue a perder el trabajo, ***con el paro que*** *(haber)* ______ ?

8. > Hemos decidido que vamos a hacerle el regalo entre todos, ***a pesar de que*** algunos *(creer)* ______ que es una hipocresía monumental.

< Y, entonces, ¿por qué lo hacéis?

> Porque no todos somos tan valientes como Esteban y ***por mucha razón que*** *(tener)* ______ para estar enfadados, no nos atrevemos.

9. > No sé por qué todos le echan a Pedro la culpa de los líos, ***cuando***, en realidad, él no *(mandar)* ______ hacer nada a nadie.

< Porque es el jefe, el gran líder.

> Pues yo creo que ***porque*** alguien *(ser)* ______ el jefe, no tiene necesariamente la culpa de todo.

> ¿Verdad que tú has sido jefa alguna vez? Se te nota.

< ¿Ah, sí? ***Y eso que*** *(intentar)* ______ disimularlo.

10. > ¿Por fin montasteis el negocio que queríais?

< Sí, y todo va muy bien, ***a pesar de que*** los expertos *(decir)* ______ que era muy arriesgado.

> Me alegro mucho. No siempre se puede hacer caso de los asesores, ***por más que*** (saber) ______ o *(decir)* ______ que saben.

11. > En el capítulo de ayer se supo quién era el asesino, ¿lo viste?
< Sí, y nunca lo habría adivinado, ***aunque*** *(darme)* ______ un montón más de pistas.
> ¿No? ¡***Con lo clarísimo que*** *(estar)* ______ !
< Es que yo soy muy torpe para ese tipo de cosas.

12. > ***Aunque*** *(ser)* ______ poco, necesitamos dinero para montar el negocio.
< Sí, pero preferiría no pedírselo a nadie ***por muy apurados que*** *(estar)* ______ .
> Me parece a mí que exageras, ¿no crees?

13. > Los de ese grupo son los que más dinero han puesto para el regalo; ***y eso que*** *(decir)* ______ que era una hipocresía.
< ¿Qué esperabas?, ¿que se enfrentaran a su jefe? Eso ya no lo hace nadie, ***por poco*** sentido común ***que*** *(tener)* ______ .

14. < Al final aceptaron el dinero que les ofrecimos; ***y eso que*** al principio no lo *(querer)* ______
< Normal, es que a nadie le amarga un dulce, ***por poco goloso que*** *(ser)* ______ .
> Y, sobre todo, porque al final no tenían un duro, ***por muy dignos que*** *(ponerse)* ______

15. > Estoy harto. Aquí todo el mundo tiene que aceptar las normas, ***así*** *(ser)* ______ las más absurdas del mundo.
< ¡Hombre! Tienes dos posibilidades: o las aceptas, o te vas.
> ***Incluso si*** la mayoría *(pensar)* ______ como yo, ¿nadie me apoyaría?

2. Elige la respuesta adecuada.

1. No podrás pasar ______ tengas una autorización: ha habido un accidente.
   a. *por muy que* b. *si bien* c. *aunque*

2. ______ todas mis advertencias, ha hecho lo que le ha dado la gana y, claro, ¡mira el resultado!
   a. *con las* b. *pese a* c. *incluso si*

3. Tampoco esta vez les ha llegado a tiempo el paquete; ______ lo he mandado un mes antes.
   a. *así* b. *porque* c. *y eso que*

4. Debemos seguir escribiendo contra la violencia; ______ se haya escrito, todavía no es suficiente.
   a. *por mucho que* b. *por muy que* c. *a poco que*

5. ______ la experiencia diaria demuestra lo contrario, mucha gente sigue creyendo que las mujeres guapas son tontas.
   a. *y mira que* b. *aun cuando* c. *aun a riesgo de que*

6. ________ la igualdad de derechos y obligaciones debería ser lo normal, todavía no lo es, por eso hoy queremos recordar a quienes han luchado y luchan por alcanzarlos y mantenerlos.
   a. *cuando* b. *pese a* c. *si bien*

7. No saber cocinar no es un problema. ________ seas un desastre total, puedes quedar con tus invitados llamándonos. Te organizamos un banquete en un par de horas.
   a. *aunque* b. *incluso si* c. *por mucho*

8. ¿De verdad que no te gusta Brad Pitt? ¡________ buenísimo que está!
   a. *por muy* b. *con lo* c. *pese a*

9. No me vengas con lo de los años. ________ alguien sea mayor, no tiene necesariamente más experiencia.
   a. *porque* b. *aun a riesgo de que* c. *mal que*

10. No te preocupes que yo lo terminaré ________ trabajo que tenga.
   a. *por mucho* b. *con el* c. *y eso*

3. Hemos seleccionado las construcciones concesivas más coloquiales. Completa con ellas estos minidiálogos.

Será..., pero... quieras que no te guste o no con lo que... viejo y todo... ya puede..., que... tanto si..., como si... y eso que... ni corriendo pase lo que pase,... mira que... vayas por donde vayas,...

1. > ¿En serio que te vas?
   < Sí, esta vez sí que me voy, ________.
   > ¿Y si te suben el sueldo?
   < ________, me voy y no pienso cambiar de opinión.

2. > ¿Por qué no empiezas de una vez a hablar inglés?
   < Es que no me gusta; además, me siento ridículo.
   > Pero, ¿tú estás bobo o qué? ________ ________, tienes que ponerte o buscarán a otro para ese trabajo.

3. > Bueno, vamos a ver, tú le llamas, le dices que lo sientes, y todo arreglado.
   < ¿Yo? ¿Llamarle yo? ¡Ni loco!
   > Pero, ¡hombre! ¿No ves que se va a enfadar contigo?
   < ________, que a mí me da igual

4. > Oye, vamos a terminar ese dichoso trabajo de una vez.
< Es que es un rollo monumental.
> ______ hay que hacerlo.

5. > ¿Qué te han suspendido? ¿A ti? ______, ¡No me lo puedo creer!
< Pues sí, hija, sí, a mí.

6. > Tía, este ordenador ya tiene tres años; se te ha quedado viejo, ¿eh?.
< ¿Y qué? ______ a mí me sirve; así que, de momento, no pienso comprarme otro.

7. > ¡Ahí va! ¡Se me ha olvidado el pasaporte!
< ______ te he dicho miles de veces que lo cogieras. No sé dónde tienes la cabeza.

8. > ¿Sabes? Esteban no ha terminado todavía la carrera y ya le están ofreciendo trabajo en varias empresas.
< ¡Vaya! ______ dicen que hay tanto paro. Pues no se nota.
> Es que este chico es muy bueno en lo suyo. ______, los buenos siempre encuentran trabajo.

9. > ______, no te olvides de la cámara.
< ¡Que no, mujer, que no!
> Ya que no puedo ir contigo, que pueda ver al menos un poco de Brasil.

10. > Oye, date prisa, que vas a llegar tarde.
< ¡Madre mía, qué tarde es! Me parece a mí que hoy no llego ______.

4. Aquí tienes unas notas para un artículo titulado "Crisis laborales. Cómo salir del lío". Redáctalas usando cada vez una construcción concesiva.

Introducción: Momentos de crisis. Conflictos laborales. Siempre hay posibilidades de superarlos.

Ejemplo: ***Aunque*** *en los momentos de crisis* ***haya*** *conflictos laborales, siempre hay posibilidades de superarlos.*

Caso 1.

En el laboratorio no puede ascender. Es muy competente. Un amigo llama como si fuera una empresa de la competencia.

______

Caso 2.

Pierde unos papeles muy importantes. Se asusta. No sabe qué hacer. Decide confesarlo todo. Sorpresa: sus jefes lo comprenden.

______

Caso 3.

Restaurante a 48 kms. de la ciudad, en un pueblo donde no hay otro. La cocina se estropea. ¿Qué hacer? ¿Enviar a los clientes a la ciudad, o ...? Decisión muy costosa: invitarlos a una cena fría. Al final, decisión rentable: clientes fijos.

Caso 4.

Licenciada. Varios masters. Estancias en el extranjero y tres idiomas. Sin trabajo. No pierde el ánimo y al final, la llaman de un bufete de abogados muy importante.

Caso 5.

Tiene una idea genial para lanzar al mercado un producto que no le gusta a nadie en el lugar donde trabaja. Tiene problemas. Se va. La misma idea es aceptada por otra empresa: éxito total de ventas.

Conclusión.

No bloquearse ante los problemas. Con juicios negativos o actitudes lloronas no se llega lejos. Incluso con razón. Enfrentarse a los problemas siempre; cuando parecen imposibles de resolver, también.

TEMA 16

Construcciones causales

En general, se construyen con **indicativo**. Aparece el **subjuntivo** cuando negamos una causa y damos después la verdadera. Esto suele ocurrir cuando corregimos una información:

— No vine ayer a clase *porque estuve* enfermo.
— *Como estuve* enfermo, no vine a clase.

Pero:
> Ayer no viniste, porque estuviste enfermo, ¿no?
< No, **no fue porque estuviera** enfermo, sino porque me quedé dormido.

1. Conjunciones

Las únicas que admiten la forma negativa + subjuntivo son ***porque*** y ***es que.***

A. *como / como quiera que* (formal)

Suelen encabezar la frase; sirven para ***presentarnos*** la causa.
— *Como ya sabéis* el subjuntivo, vamos a explicar otra cosa.
— *Como ha llovido* últimamente, han bajado las temperaturas.
— *Como quiera que* las circunstancias *han cambiado*, no podemos mantener nuestro acuerdo inicial.

Si ***como*** se coloca después, la entonación de la frase es ascendente.
— Llego tarde; *como* no he oído el despertador...

B. *ya que, puesto que, en vista de que, visto que, dado que* (formal)

Son sinónimos de ***como***, pero pueden ir delante o detrás de la frase principal.
— *Puesto que* todos *estamos* muertos de hambre, vamos a comer de una vez.
— Vamos a estudiar otra cosa *en vista de que ya sabéis* el subjuntivo.
— *Dado que tiene* tanto interés, le enviaremos un ejemplar, aunque no solemos hacerlo.

C. *es que, lo que pasa es que*

Es que se usa con el mismo sentido que *sucede que, ocurre que*. Admite la construcción en subjuntivo. Se emplea para justificar algo:
> ¿Por qué no viniste a la excursión?
< *Es que me quedé* dormido.

> ¿No quieres más sopa? ¿Es que no te gusta?
< No, *no es que no me guste,* es que no puedo más.

Lo que pasa es que se usa para explicar algo; sobre todo, cuando se produce una reacción negativa de nuestro interlocutor:
> Otra vez ha llegado tarde, es inadmisible.
< No se enfade; *lo que pasa es que vive* muy lejos y los autobuses son un desastre.

D. *que*

Aparece detrás de una orden, de un consejo o de una decisión, para justificarlos:
— Por favor, *cierra* la ventana, *que me estoy* quedando helado.
— *Deberías* acostarte, *que pareces* estar muy cansado.
— Bueno, *voy a dejar* de trabajar con el ordenador, *que* ya no *puedo* más.

E. *gracias a, por culpa de*

Gracias a + sustantivo / infinitivo ***Gracias a que*** + verbo

Presenta la causa como algo positivo:
— Ha conseguido el puesto *gracias a su constancia.*
— Pude matricularme *gracias a que tú me avisaste*; si no, no me entero.

Por culpa de + sustantivo ***Por culpa de que*** + verbo

Presenta la causa como algo negativo:
— Te han echado del trabajo *por culpa de tu impuntualidad.*
— Perdí el autobús *por culpa de que no me despertaste* a tiempo.

F. *a fuerza de, de tan*

A fuerza de + sustantivo / infinitivo
De tanto + infinitivo / sustantivo + ***que***
De tan + adjetivo / adverbio + ***que***
De tanto como + verbo

Presentan la causa con la idea de trabajo, de repetición o de esfuerzo:
— Ha adelgazado *a fuerza de regímenes* durísimos.
— Lo han aprendido *a fuerza de repetirlo* una y otra vez.
— Se ha puesto enfermo *de tanto trabajar / de tanto como trabaja.*
— Se ha ido de vacaciones antes de tiempo, *de tan cansado que* estaba.

G. *con lo (que), con la de*

Con lo que + verbo
Con el/lo(s)/la(s) + sustantivo + ***que***
Con lo + adjetivo / adverbio + ***que***
Con la de + sustantivo + ***que***

También presentan la causa con intensidad. Expresan la justificación de una hipótesis que hacemos y que no hemos confirmado. Se usan, sobre todo, en la lengua hablada:
— No te preocupes, que aprobarás, *con lo que has trabajado*, no hay duda.
— Yo creo que no aguantará mucho en ese puesto, *con el carácter que tiene* …
— *Con la de amigos que tiene*, ya encontrará a alguien que le eche una mano.

H. *pues, a causa de, debido a (que), considerando que, teniendo en cuenta que*
+ sustantivo / infinitivo
+ verbo
+ sustantivo / + ***que*** + verbo

Se usan en registros algo más formales:
— Tuvimos que eliminar esa obra del repertorio, *pues no le gustaba* a nadie.
— *Debido a la gran afluencia* de gente, hemos tenido que prorrogar unos días más la exposición..
— No pudimos hacer nada, *debido a que no nos llegó* a tiempo la información.
— No pudimos hacer nada, *debido a la falta* de información.
— *Considerando / teniendo en cuenta la gran afluencia* de público, hemos tenido que prorrogar unos días más la exposición.

2. Otras expresiones causales

por	+ sustantivo / infinitivo / adjetivo
por lo	+ adverbio / adjetivo + ***que***
por si (acaso) / por lo que pueda / pudiera	+ infinitivo

Estas últimas presentan la causa como una precaución:
— No me han dado el trabajo *por no tener* permiso de conducir.
— Los han echado del local *por maleducados y ruidosos.*
— Te han vuelto a llamar para dar ese curso *por lo bien que* lo hiciste la otra vez
— Envié el paquete certificado *por si se perdía / por lo que pudiera pasar.*

Vamos a practicar

1. Completa las frases con una conjunción adecuada a su sentido. Añade la razón de tu elección.

con el / la... que	**por**	**porque**	**por si (acaso)**
es que	**que**	**puesto que**	**debido(s) / a(s) a**
como	**pues**	**ya que**	

1. > Date prisa, ______ llegamos tarde y luego no hay sitio.
   < Mira, ______ todavía me falta un poco para terminar; vete tú primero y déjame la entrada en la taquilla.

2. > ______ ahora su situación ha mejorado, ya no se acuerda de los que le ayudaron al principio.
   < Supongo que nos ha engañado a todos ______ carita de ángel ______ tiene.

3. Lamentamos todos los inconvenientes que han tenido que padecer ______ causas ajenas a nuestra voluntad; no obstante, nuestra agencia está dispuesta a compensarles ______ las molestias sufridas.

4. > ______ todos vosotros estáis al tanto de la situación, no voy a repetir lo que ya sabéis, e iré directamente al grano.
   < Estupendo, ______ tengo una reunión dentro de tres cuartos de hora y no puedo quedarme más.

5. > ¡Eres un chivato! Se lo has contado a los "profes".
   < ______ me amenazaron con echarme del colegio y me entró un miedo terrible.

6. > Escucha lo que dice aquí: *No todo el mundo, en contra de lo que pueda parecer, es partidario de la utilización de tarjetas de crédito, ______ mucha gente se siente incapaz de controlar sus gastos si no paga con dinero contante y sonante.*
   < Es verdad, a mí no me gustan las tarjetas, pero llevo siempre una ______ surge una emergencia.

7. Padre e hijo viajaron juntos, aunque normalmente no solían hacerlo, ______ ambos temían que sus enemigos aprovecharan una ocasión parecida para librarse de los dos en un solo golpe.

2. Preguntas y respuestas. Completa con una conjunción adecuada; después responde y compara con las respuestas de tus compañeros /as.

1. **¿Sería conveniente colocar cámaras de vigilancia en la calle?**

   a. Sí, __________ una ley de este tipo corrige un vacío legal, __________ el sistema se viene utilizando desde hace tiempo en grandes almacenes o para controlar el tráfico y no veo por qué no puede servir, además, para detener a los violentos.

   b. No, __________ entonces todos seremos sospechosos __________ la intromisión del Estado en nuestra intimidad y nuestra vida privada, que están protegidas por la Constitución.

   c. Y tú, ¿qué opinas?

   ____

2. **¿Crea adicción ver mucho la televisión?**

   a. Me parece que no __________ no se puede comparar con el tabaco, la bebida y esas cosas. __________ a mucha gente le gusta sentarse delante de la tele y ver cualquier programa sin seleccionarlo. Y claro, __________ ver tantas tonterías, acabas por parecer tonto; pero yo creo que eso no significa que no se pueda prescindir de ella.

   b. Yo creo que la palabra adicción es muy fuerte; sin embargo, opino que la televisión crea algún tipo de dependencia __________ sirve para muchas más cosas de las que, a veces, queremos reconocer. Por ejemplo, __________ a ella, mucha gente que vive sola se siente acompañada.

   c. Y tú, ¿qué opinas?

   ____

3. **¿Es machista echar piropos?**

   a. Depende del piropo y de las personas. A muchas mujeres les gusta __________, dicen, es como saber que existen, que son atractivas, pero pueden sentirse molestas __________ su grosería.

b. Claro que sí; sobre todo, ______ que dar una opinión sobre el aspecto de alguien se considera, en general, de mala educación. Además hay una cuestión de equilibrio ______ se considera poco adecuado que las mujeres hagan lo mismo con los hombres y eso no es muy justo.

c. Y tú, ¿qué opinas?

Los piropos

3. Sustituye la conjunción causal por otra que tenga un significado parecido o que cumpla la misma función. Puedes modificar algo la frase.

1. Mucha gente se siente incapaz de hacer algo para lo que está preparada, sólo ***porque la presionan*** demasiado y se inhibe.

   Por sentirse demasiado presionada.

2. ***Puesto que es*** alguien que no puede guardarse sus opiniones ni ser diplomático cuando hace falta, no podemos elegirlo para ese cargo.

   Como es alguien que

3. ***Visto que*** todos mis intentos por ayudarle ***han sido*** inútiles, a partir de ahora no pienso mover un dedo para sacarlo de ningún apuro.

4. Supongo que no tendrá ninguna dificultad para que le den ese trabajo, ***con la de amigos importantes que tiene...***

5. Han tenido que cortar las carreteras ***debido a las fuertes lluvias*** caídas en los últimos días.

6. ***De tanto como trabaja***, no tiene tiempo para su familia ni para sí mismo, así que tendrá que tener cuidado con su vida familiar y con su salud.

7. ***Considerando las circunstancias expuestas***, no nos creemos en la obligación de compensar a sus clientes de ninguna manera: no somos responsables de los fallos cometidos.

8. ***Como quiera que nadie se presentó*** a la convocatoria del premio de novela corta Ciudad de Ribera Blanca, nos vimos en la necesidad de declararlo desierto.

9. Haga usted lo que crea más conveniente, ***pues*** le hemos dado carta blanca para actuar.

10. Vamos a tener que llamarle la atención ***a causa de sus constantes faltas*** de puntualidad.

4. **Corrige la información incorrecta y explica tu comportamiento. Recuerda la teoría.**

1. > Hay que ser honrado con uno mismo, no porque ______, sino porque ______.

   < Sí claro. El problema no es que ______, sino ser siempre honrado.

2. > Me han dicho que has suspendido porque, durante el curso, no has hecho nada de nada.

   < No es que ______, es que ______

3. > María no vino a nuestra fiesta porque habíamos invitado a su ex novio. ¡Qué tontería!

   < La tontería es lo que tú has dicho; no faltó porque ______, sino porque ______.

4. > Tenemos que ir a la fiesta, o pensarán mal de nosotros.
   < Yo voy a ir, pero no porque ______________________, sino porque ______________________.

5. > Me marché de la fiesta no porque ______________________, como todos dicen, sino porque ______________.
   < Pues no sé yo si alguien se lo va a creer.

5. Escribe frases causales con los siguientes matices:

1. La causa es algo molesto, pesado.

____

____

2. La causa es una justificación.

____

____

3. La causa se presenta como una suposición.

____

____

4. La causa se presenta como una precaución.

____

____

5. La causa se presenta como algo positivo.

____

____

6. Presentamos la causa.

____

____

TEMA 17

Construcciones consecutivas y finales

1. Construcciones consecutivas

En general se construyen con **indicativo**.
Aparece el **subjuntivo** en casos especiales que veremos en su momento.

A. Conjunciones no intensificativas

luego
entonces
o sea que
así (es) que (informal)
de modo / manera / forma que (formal) + indicativo
por lo que (formal)
conque (informal y, a veces, brusco)

Expresan una consecuencia lógica:
— Pepe no me ha llamado, *o sea que / así que* todo ha ido bien, ¡menos mal!
— El retraso se debe a la compañía aérea, *de modo que* la agencia no se responsabiliza de nada.
— Ya te he dado lo que querías, *conque déjame* en paz.

total que + indicativo
Presenta las conclusiones de la información:
— Había poca gente en el restaurante, hacía un poco de frío..., *total que nos volvimos* a casa y comimos allí tan ricamente.

así pues,
con lo cual
en consecuencia
por (lo) tanto + indicativo
por consiguiente
por (todo) eso / ello (formales)

Presentan la consecuencia como resultado de lo anterior:
— Este hombre es alérgico a los gatos; *en consecuencia, no podrá* hacer el papel de criador de esos animales.

— He conocido a mucha gente que empezó desde abajo y llegó lejos; *por ello no pierdo* la esperanza en los malos momentos.
— El profe no ha venido, *con lo cual* hoy *no tenemos* clase.

B. Conjunciones intensificativas

tanto (s) / (as) + (sustantivo) + ***que***
tan + adjetivo / adverbio + ***que***
tal (es) + sustantivo + ***que*** + indicativo
un / o (s) /a (s) + sustantivo(s) + ***tan / más*** + adjetivos + ***que***
de tal modo / forma / manera que
de un(a) modo / forma / manera + ***tan*** + ***que***

— Hay *tantos papeles* en esta mesa, *que no encuentro* nada.
— Vive *tan lejos* de su trabajo, *que tarda* dos horas en llegar.
— Dice *tales tonterías que* cualquiera lo *cree.*
— Dice *cada tontería que...*
— Se compra *unos pantalones tan estrechos, que tiene* que estar dos días sin comer para poder ponérselos.
— Se vistió *de un modo tan estrafalario, que lo echaron* de la discoteca.

A veces aparece sólo ***que***, porque el resto se sobreentiende:
— Estoy *que muerdo* (tan furioso, que muerdo).

C. Otras conjunciones intensificativas

si, cuándo, cuánto, cómo + futuro / condicional + ***que*** + indicativo
Suelen ser construcciones exclamativas en las que puede aparecer o no un verbo introductor del tipo: *fíjate, mira.*
— (Fíjate) *si será alto, que han tenido* que traerle una cama especial.
— *Cómo tendrá la casa* de bonita, *que* los de la tele *han venido* a hacerle un reportaje.

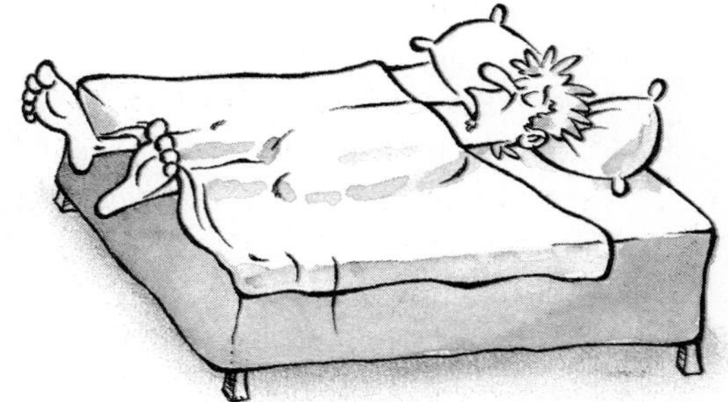

D. ¿Cuándo se usa el subjuntivo?

de ahí que + subjuntivo
Con este nexo se presenta el origen de algo:
— Sé que la sinceridad no suele ser bien recibida por la gente; *de ahí que no cuente* toda la verdad cuando me preguntan.

no tan(to)... que + subjuntivo
no (o cualquier negación***) tan(to) como para que*** + subjuntivo
no tanto como para + infinitivo
— La reunión *no* es *tan importante que tengamos* que ir todos; basta con que vayáis dos.
— Bueno, bueno; *nadie* te ha dicho *nada tan* desagradable *como para que te pongas* a llorar.

2. Construcciones finales

Se construyen siempre con **subjuntivo**.

Cuando en el nexo o conjunción hay una preposición, aparece el **infinitivo** si el sujeto es el mismo en las oraciones principal y subordinada.

A. Conjunciones

para (que) / a (que) + subjuntivo

Se puede usar cuando el verbo precedente es de movimiento, o si rige la preposición *a*.

— Hemos venido *a que* (*para que*) nos *enseñe* los exámenes; no estamos de acuerdo con la nota.

— Quiero ayudarles *a que (para que)* salgan del bache.

que, a fin de (que), con vistas a (que)
con (el) objeto de (que), con miras a (que) + subjuntivo
con (la) intención de (que)

— No hagas ruido, *que* (*para que*) *no te oigan* salir.

— Hemos empezado a ahorrar *con miras a* la jubilación.

— Nos reunió *con la intención de que* cada uno *expusiera* sus puntos de vista.

B. Conjunciones con más de un sentido

no sea que / no vaya a ser que

— No cuentes tus secretos a nadie, *no sea que / no vaya a ser que* se entere (*para que no se entere...*) todo el mundo.

— Llama tú mismo para confirmar el hotel, *no sea que / no vaya a ser que* se le haya olvidado al guía (*por si acaso se le ha olvidado...*).

porque

Puede tener valor final:

— No voy a decir lo que pienso *porque no me llaméis* maleducada. (poco usual).

con tal de (que)

Esta construcción puede tener valor condicional, o final:

— De acuerdo, acepto el precio, *con tal de que* la duración del alquiler *sea* de cinco años (*si la duración es...*).

— *Con tal de que me dejen* en paz, soy capaz de no salir de casa durante semanas *(para que me dejen en paz,...).*

de forma / manera / modo que

Con **indicativo** tiene valor consecutivo.

Con **subjuntivo** tiene valor final:

— No ha llamado, *de modo que todo ha ido* bien. (*por lo tanto todo ha ido bien*).

— Lo ha escondido *de modo que* nadie *pudiera* encontrarlo. (*para que nadie pudiera encontrarlo*).

Vamos a practicar

1. **Transforma los infinitivos en la forma adecuada y comenta con tus compañeros/as el problema de la adicción al trabajo.**

La adicción al trabajo existe.

Es algo ***tan*** respetado en nuestra sociedad, ***que*** no *(hacer)* ______ mucho que se habla de *enfermedad.*

El trabajo es necesario para el bienestar social; ***de ahí que*** no nos *(chocar)* ______ que alguien se quede en la oficina más de diez horas diarias.

Ángel es directivo de una cadena de supermercados. Todos los días llega tarde a casa y viaja mucho los fines de semana. Cuando Elvira, su mujer, se queja de que apenas ve a sus hijos, él siempre dice que lo hace ***con miras a que*** *(vivir)* ______ lo mejor posible.

La doctora Barbara Killinger dice que estas personas se han convencido de que sólo se las querrá por sus éxitos, ***de modo que*** *(verse)* ______ impulsadas a ser buenas, fuertes y perfectas.

El problema de Ángel y de tantos otros, es que no reconocen su adicción. Viven ***de tal modo que*** no *(poder)* ______ distanciarse para verse a sí mismos y replantearse su vida. Y eso sería posible ***con tal de que*** *(querer)* ______ adentrarse en una aventura apasionante: buscar el aspecto lúdico de la vida.

La psicóloga Isabel Menéndez opina que las mujeres están, de momento, más a salvo de este peligro, porque tienen más intereses y responsabilidades. La vida laboral de una mujer no es ***tan*** importante para ella ***como para que*** *(descuidar)* ______ su vida familiar. Pero esta situación está cambiando actualmente.

2. **Completa con una de las conjunciones del recuadro y transforma de forma adecuada el infinitivo.**

Entonces; de ahí que; a que; tantos... que; para que **(dos veces)*****; por (lo) tanto);*** ***a fin de que*** (dos veces)***; así que; fíjate si; por eso.***

Hemos hablado con tres emigrantes y con Esteban Ibarra, presidente del movimiento contra la intolerancia. Esto nos han contestado:

1. > ¿Qué problemas tienes en España?
   < Aquí no puedo desarrollar los talentos de mis estudios. En Polonia estudié Pedagogía y hablo cuatro idiomas, pero no me convalidan mi licenciatura, ______ *(tener, yo)* ______ que hacer un curso de Turismo.

2. > ¿Qué diferencias notaste al llegar entre España y tu país?
   < Yo soy dominicana y lo que más me chocó fue lo poco amable y lo desconfiada que es la gente. En mi país tenemos la casa abierta ______ los vecinos *(venir)* ______ cuando quieran.

3. > ¿Te sientes integrada en España?
   < Ahora sí, pero no ha sido fácil. ______ lo *(estar, yo)* ______ que *(ser)* ______ la presidenta de la comunidad de vecinos. Pero ______ no *(haber)* ______ tanta discriminación, los españoles deberían recordar que ellos también fueron emigrantes.

4. > ¿Cuál es el perfil de una persona racista?
   < Suele rechazar al diferente y ______ le *(molestar)* ______ lo que no es conocido. Tiene tendencia a generalizar, ______ que *(resultar)* ______ tan peligrosa. ¿Hay delincuentes entre los emigrantes? ______ todos *(ser)* ______ delincuentes. ______ *(deber, nosotros)* ______ estar atentos ante los estereotipos que descalifican.

5. > ¿Qué les diría a los que afirman que los extranjeros vienen a quitarnos un puesto de trabajo?
   < Que, en la mayoría de los casos, es falso. Hay ______ trabajos ______ los españoles no quieren hacer que no *(poderse)* ______ decir que nos los quiten.

6. > ¿Qué se puede hacer ______ no *(repetirse)* ______ los casos de racismo?
   < Educar en la diversidad. Enseñar a los niños ______ *(respetar)* ______ a sus compañeros, puesto que ellos son el futuro; deberíamos recordar a los adultos que los niños imitan lo que ven. Todo eso, además, debería ir acompañado de la legislación y las medidas sociales adecuadas.

(Adaptado de la revista *MH*. Marzo - 2000)

3. Sustituye por otra la conjunción en negrita y haz los cambios que sean necesarios. Podéis comentar estas noticias en clase.

1. Llegan los exámenes de junio... y con ellos, las chuletas. Muchos estudiantes se juegan el curso a una sola carta ***con tal de no estudiar***. Prefieren pasar horas ingeniándoselas para encontrar una buena fórmula que les permita copiar en el examen, que abrir los libros. En algunas ciudades españolas se han hecho exposiciones de "chuletas famosas" e, incluso, algunos profesores han enseñado a sus alumnos técnicas para copiar. ¿Os fiaríais?

2. Hay personas que están a favor y otras en contra de la llamada "cultura del botellón". En un parque cualquiera podemos encontrarnos un grupo de jóvenes que bebe de grandes botellas que han comprado en los supermercados. Lo hacen ***de modo que*** las salidas del fin de semana les resulten más baratas. Otros jóvenes prefieren este sistema a reunirse en discotecas: "*Tiene un ambiente especial, puedes hablar tranquilamente, sentado en la hierba o en las escaleras.*" Pero ¿qué opinan los vecinos de las zonas donde estos chicos se reúnen?

3. Los que más miedo tienen con esto del botellón son las discotecas y bares de copas. No les gusta esta nueva costumbre, ***no vaya a ser que*** los clientes se queden fuera y ellos pierdan sus muchos beneficios. ¿Creéis que hay algún peligro para ellos?

4. Elige la respuesta correcta.

1. > ¡Vaya plantón que me has dado!
< El otro día me lo diste tú a mí, __________ estamos en paz.
a. para que b. de ahí que c. conque

2. > Oye, ten cuidado con esas copas, __________ no se rompan.
< No te preocupes, mujer.
a. que b. para c. así es que

3. > ¿Qué hacen ustedes aquí?
< Hemos venido __________ nos expliquen por qué han seleccionado a los nuevos y no a nosotros.
a. con tal de que b. a que c. de ahí que

4. > ¿Por qué tenemos que hacer caso?
< Porque lo he dicho yo.
> Oiga, oiga, que usted no es tan importante que __________ obedecerle sin razones.
a. tendremos que b. tengamos c. tengamos que

5. > Nuestra profesora es tan buena que __________ a sus clases por gusto.
< ¡Vaya suerte!
a. iríamos b. vayamos c. fuéramos

6. > ¿No vas a venir a la fiesta de Sara?
< Mira: __________ fuera a esa fiesta, tendrían que llevarme atado.
a. a fin de que b. para que c. a que

7. > ¡Cómo le hace la pelota Tino al profe!
< ¿Tanto se nota?
> Fíjate si se __________, que el otro día se lo dijo delante de toda la clase.
< ¡Menudo corte!
a. notara b. notará c. haya notado

8. > Este verano me lo voy a pasar tumbado bajo un árbol.
< ¿Tú sin trabajar? Dices __________ cosa __________ parece que nos tomas por imbéciles.
a. cada ... que b. tal ... como c. tantas ... que

9. > Nuestra Asociación se fundó ________ ayudar legalmente a los emigrantes, pero ahora estamos desbordados.
   < ¿Cuál es su principal problema?
   > Recibimos ________ cantidad de peticiones ________ no podemos atenderlas todas. ________ necesitamos la colaboración desinteresada de otros abogados.

   a. de ahí   a. tal ... que ... por eso
   b. con el fin de   b. tal ... que ... que
   c. para que   c. tantas ... que ... por eso

10. > ¿Para qué sirve esto?
    < No tengo ni idea, pero te diré cualquier cosa ________ no empieces con tus listas de preguntas.

    a. no sea que   b. con tal de que   c. que

5. Completa esta conversación con los nexos apropiados.

> Ya tengo las entradas para el concierto, ________ esta noche, primero cenita, luego buena música y...
< Verás, tengo mucho que hacer y no sé si voy a ...
> ________ no vienes, ¡me estás diciendo que no vienes!
< No te pongas así, ¡hombre! Es que tengo ________ trabajo ________ no sé si voy a terminarlo a tiempo.
> ¡Que no me ponga así, dice! Tienes ________ morro ________ te lo pisas, tía. He removido cielo y tierra para conseguir estas entradas y ahora me sales con esas.
< Perdona, de verdad, yo creí que podría, pero...
> No te preocupes, ya me buscaré yo alguien que trabaje menos, ________ quédate en tu casa, que yo me iré por ahí a divertirme.

TEMA 18

Construcciones condicionales con si

1. Construidas con indicativo

REGLA GENERAL: Detrás de *si* podemos usar cualquier tiempo del indicativo, menos los futuros y los condicionales.

*_Si tendré_ tiempo, lo haré	> _Si tengo..._
*_Si habrá entendido_, lo hará bien.	> _Si ha entendido..._
*_Si tendría_ tiempo, lo haría.	> _Si tuviera..._
*_Si habría tenido_ tiempo, lo habría hecho.	> _Si hubiera tenido..._

A continuación encontrarás ejemplos de casi todas las combinaciones posibles.

A. Referidas al presente

— ***Si*** + presente + presente
Expresa costumbre; la frase adquiere valor temporal:
— Si *tengo* tiempo, *estudio* todos los días.

— ***Presente*** + futuro
Anunciamos una posibilidad:
— Si *vamos* en coche, *llegaremos* tarde, hay mucho tráfico.

— ***Presente*** + imperativo
Damos un consejo condicionado:
— Si *tienes* un poco de dinero, *aprovecha* las rebajas.

Se repite con ***si*** algo dicho previamente; la frase adquiere valor causal:
— Si *eres* tan listo como dices, *contéstame* ahora.

— ***Presente*** + imperativo negativo
Damos un consejo condicionado:
— Si le *duele* la espalda, *no haga* esfuerzos.

B. Referidas al pasado

— ***Si*** + pretérito perfecto + futuro

Anunciamos una posibilidad:

— Si *han llegado* antes que nosotros, nos *esperarán* a la puerta del cine.

— ***Pretérito perfecto*** + presente

Repetimos una idea previa; la frase adquiere valor causal:

> ¿Qué tal el examen?

< No sé, porque no he estudiado mucho.

> Si no *has estudiado*, ¿cómo esperas aprobar?

— ***Pretérito perfecto*** + pretérito perfecto

Repetimos una suposición planteada previamente:

> Me parece que Ángel y Fina se han comprado una casa en el campo.

< Si *se han comprado* una casa, no *han dicho* nada a nadie.

— ***Pretérito perfecto*** + futuro

Hacemos una suposición con una idea previa, ya mencionada o supuesta:

> Ya he terminado el informe; míralo, a ver qué te parece.

< Si *lo has hecho* tú, *estará* bien.

— ***Pretérito perfecto*** + condicional

Se repite una idea previa; damos un consejo y la frase adquiere valor causal:

> Míralos: otra vez se van de vacaciones; y eso que han pedido un crédito.

< La verdad es que no es muy responsable. Si *han pedido* un crédito, *deberían* ahorrar un poco más.

— ***Indefinido*** + indefinido

> ¿Oíste a Francisco? Anoche llegó tarde otra vez.

< Ah, ¿sí? Pues si *llegó* tarde, yo no *me enteré*.

— ***Indefinido*** + futuro

— Si *estuvo* aquí, *habrá* alguna prueba por alguna parte.

— ***Indefinido*** + presente / pretérito perfecto

En todas estas frases con indefinido hay una repetición de una idea previa y una suposición:

> Todo el mundo cree que fue él quien robó ese dinero.

< Si *fue* él, nadie *puede / ha podido* demostrarlo.

Obviamente la frase tiene valor causal:

— Todos sabemos lo tacaño que es; si *compró* el reloj, *es que era / fue porque era* muy barato.

— ***Imperfecto*** + imperfecto

Frase condicional equivalente a dos presentes:

— *Si era verdad* lo que se decía sobre ellos, entonces *tenían* verdaderos problemas.

Frase con claro valor habitual, muy próxima a ***cuando***:

— Nunca tenía problemas con él porque *si se enfadaba, siempre le daba* la razón.

Frase con valor causal:
— Me parece a mí que Bea lloraba demasiado.
— *Si lloraba, (era porque) tenía* un motivo.

— ***Pluscuamperfecto*** + indefinido / pretérito perfecto
— Si ya lo *habías pensado*, ¿por qué no *lo dijiste* / no lo *has dicho*?

RECUERDA: Las frases de *si + pasados de indicativo* suelen repetir o recoger algo dicho u oído antes:
> Me parece a mí que siempre estaba llorando.
< *Si lloraba (era porque) tenía* un motivo.

2. Construidas con subjuntivo

REGLA GENERAL: Detrás de *si* no podemos usar ni el presente ni el pretérito perfecto de subjuntivo.

**Si tenga* tiempo, lo haré. > *Si tengo...*
**Si haya entendido*, lo hará bien. > *Si ha entendido...*

Recuerda lo visto en el punto **1**.

* *Si tendría* tiempo, lo haría. > *Si tuviera...*
* *Si habría tenido* tiempo, lo habría hecho. > *Si hubiera tenido...*

A. *Referidas al presente*

— ***Si*** + imperfecto de subjuntivo + condicional simple
— Si *fuera/se* pez, me *moriría* fuera del agua.
— Si no *vivieras(ses)* en el centro, *llegarías* tarde todos los días al trabajo.
— Si no *estuviéramos(semos)* en tu casa, te *diría* lo que pienso.

— ***Imperfecto de subjuntivo*** + imperfecto de indicativo
Se presenta la acción como una posibilidad más inmediata:
— Si no *vivieras(ses)* en el centro, *llegabas* tarde todos los días.
— Si no *estuviéramos(semos)* en tu casa, te *decía* ahora mismo lo que pienso.

— ***Imperfecto de subjuntivo*** + imperativo o presente con valor de imperativo.
Vale, ve a la fiesta, pero *si te pusieras* malo, *vente* a casa (*te vienes* a casa) pitando.

B. Referidas al pasado

— ***Si*** + pluscuamperfecto de subjuntivo + condicional perfecto / pluscuamperfecto de subjuntivo
— Si me *hubieras(ses) avisado*, te *habría / hubiera acompañado* al aeropuerto.
— Si ayer Luis *hubiera(se) llegado* tarde, yo le *habría / hubiera oído* entrar.

— Si *hubiera(se) robado* él el dinero, nadie *hubiera / habría podido* demostrarlo.
— Si *hubiera(se) comprado* el reloj, *habría / hubiera sido* porque era barato.

¡OJO! Los imperfectos y el pluscuamperfecto de subjuntivo tienen dos formas: una termina en *-ra* (procede del pluscuamperfecto de indicativo latino *amaveram*) y la otra, en *-se* (procede del pluscuamperfecto de subjuntivo latino *amavissem*). Detrás de *si* puedes usar las dos. En la frase principal, sólo es recomendable la forma en *-ra*, aunque hay muchos hablantes que no hacen la diferencia.

C. Referidas al futuro

Aquí las frases se pueden entender siempre de dos maneras: con presente, la posibilidad de realización es más probable. Con imperfecto de subjuntivo, la probabilidad se presenta como menor:
— Creo que llegaré a tiempo para cenar en casa; pero *si no llego / llegara, no me esperéis.*
— Seguramente llamaré mañana; *si no lo hago / hiciera, llámame* tú.
— Imagino que te valdrá la chaqueta que te mando; *si no te vale / valiera, puedes* cambiarla por otra.

D. Una parte referida al presente y al futuro; la otra, al pasado

— *Si* + imperfecto de subjuntivo + condicional perfecto / pluscuamperfecto de subjuntivo

La primera parte se considera intemporal: vale lo mismo para ayer, para hoy o para mañana. La segunda parte se refiere al pasado:
— *Si fueras(ses)* más simpático, también *te habrían / hubieran invitado.*
— *Si tuviera(se)* tantos contactos como él, los *habría / hubiera aprovechado* para conseguir ese trabajo.

— *Si* + pluscuamperfecto de subjuntivo + condicional simple.

La segunda parte es el resultado presente de un hecho pasado:
— *Si* ayer *te hubieras(ses) acostado* más temprano, hoy *te sentirías* mucho mejor.
— *Si* no *hubiera(se) llovido* tanto durante la primavera, ahora los campos no *estarían* tan verdes.
— *Si hubieras(ses) revisado* bien el trabajo, *comprenderías* mi enfado.

Vamos a practicar

1. Completa con una forma correcta del indicativo.

1. < Tiene un carácter inaguantable. Si las cosas no *(salir)* ______ como a él le *(gustar)* ______, *(enfadarse)* ______ y *(poder)* ______ estar así varios días.
   > No será para tanto, yo creo que exageras.

2. < No está bien eso que haces; si *(enterarse)* ______ tu jefa, *(tener)* ______ problemas graves.
   > Bueno, pero si nadie *(decírselo)* ______, no *(tener)* ______ por qué enterarse.

3. (En el contestador)
¿Meli? Soy Isabel. Mira, me voy unos días de vacaciones, así que, por favor, si *(salir)* ______ los resultados de los exámenes, *(llamar)* ______ a casa de mis padres y *(decirles)* ______ si *(aprobar, yo)* ______. ¿De acuerdo? Muchas gracias. Hasta la vuelta.

4. > El albañil ha dicho que estará aquí mañana a las 8,30.
> Pues si lo *(decir)* ______, entonces *(venir)* ______, es un hombre muy formal.

5. < Señor López, ¿es cierto que estuvo usted aquí el lunes pasado?
> Sí, señor.
< Y ¿quién le avisó de que viniera?
> Nadie.
< Y si no le *(avisar)* ______ nadie, ¿cómo es que tuvo usted la idea de venir?

6. < Yo creo que el asesino es el novio de Rosalinda.
> Ya lo había pensado.
< ¡Tú ya lo habías pensado! ¡Claro, como siempre! Pues si ya lo *(pensar)* ______, ¿por qué no me has dicho nada ?

7. < Yo creo que fue un error vender la casa; ahora nos vendría muy bien tenerla.
> Si *(ser)* ______ un error o no, el tiempo lo *(decir)* ______.

8. < ¿De dónde has sacado esa información?
> Se dijo en la última reunión.
< ¡Qué raro! Si *(decirse)* ______, al parecer nadie lo *(oír)* ______ más que tú.

9. < Estoy preocupado por si el otro día la gente *(llevarse)* ______ una mala impresión.
> No adelantes los problemas; si *(llevarse)* ______ una mala impresión, lo *(saber)* ______ muy pronto.

10. < Mientras pintamos, voy a poner todos los muebles en el patio.
> ¿Y si *(llover)* ______?
< Si *(llover)* ______, ya *(ver)* ______.

11. < Mi abuelo era un hombre de costumbres fijas: se levantaba muy temprano todos los días, incluso los domingos y sólo si *(hacer)* ______ muy mal tiempo, *(quedarse)* ______ en casa; pero, la verdad, eso era muy raro.
> Yo también soy así: si *(coger)* ______ una costumbre, *(costarme)* ______ mucho trabajo soltarla.

12. < Si *(seguir)* ______ cortando árboles al ritmo actual, muy pronto el planeta *(convertirse)* ______ en un desierto.
> Los que pensáis así sois unos alarmistas.

13. < Si *(creer, tú)* __________ que vas a llegar a casa antes de las tres, *(llamarme)* __________.
> Vale, y si no *(comer, tú)* __________ todavía, *(poder)* __________ comer juntos, ¿te apetece?
< ¡Perfecto!

14. < Si no *(saber, tú)* __________ qué hacer el sábado, *(venir)* __________ conmigo al cine.
> Buena idea, pero sólo si *(terminar, yo)* __________ lo que tengo entre manos.

15. < Ha llegado un papelito de Hacienda.
> Y ¿qué dice?
< Que hay que pagar el I.A.E., y que si ya lo *(pagar, nosotros)* __________, que no *(tener)* __________ en cuenta este aviso.

2. Completa con una forma correcta de indicativo o subjuntivo. Puedes usar lo estudiado en los puntos 1 y 2.

1. < No quiero quedarme aquí; estoy hasta las narices de todo esto. Me voy.
> Tú verás lo que haces, pero si te *(quedar)* __________, las cosas te *(ir)* __________ mejor; aquí, por lo menos, tienes un sueldo fijo.

2. < Me parece a mí que vamos a tener muchos problemas.
> Si las cosas *(pasar)* __________ como tú dices, entonces tendremos que actuar de otra manera.

3. < Mira, yo que tú, no *(quedarme)* __________. Si yo *(estar)* __________ en tu lugar, me *(ir)* __________ sin pensarlo dos veces.
> Y ¿adónde voy?

4. < Oye: no has encontrado trabajo porque no lo has buscado. Si lo *(buscar)* __________, lo *(encontrar)* __________.
> No hables de lo que no sabes, ¡claro que lo he buscado!

5. < ¡Vaya follón que se organizó!
> Y tú ¿por qué le dijiste aquello? Si te *(callar)* __________, no te *(lamentar)* __________ ahora.

6. < Nunca pides ayuda; si la *(pedir)* __________, *(ver)* __________ que todo el mundo está dispuesto a dártela.
> Es que no me gusta molestar.

7. > ¡No insistas! Ya sabes que a mí no me gusta salir por la noche; si me *(gustar)* ______, lo *(hacer)* ______.
   < Bueno, vale. Cuando quieres, puedes se realmente desagradable.

8. < No me avisaste a tiempo; si lo *(saber)* ______, yo también *(ir)* ______.
   > Oye, oye, que la información está ahí para todos.

9. < Cuando me lo contó, me asusté mucho; si a mí me *(pasar)* ______ una cosa así, no sé cómo *(reaccionar)* ______.
   > Yo creo que uno no sabe de lo que es capaz, si no *(verse)* ______ forzado por las circunstancias.

10. < No pude acompañarle al aeropuerto; si *(poder)* ______, lo *(hacer)* ______.
    > Pues yo creo que se ha enfadado contigo.
    < ¿Ah, sí? Si *(enfadarse)* ______, es que no *(entender)* ______ nada.

11. Los domingos siempre hacía lo mismo: salía temprano a dar una vuelta con su perra y si (llover) ______ o *(hacer)* ______ mal tiempo, *(quedarse)* ______ en casa leyendo los periódicos.

12. < Tú viviste algún tiempo con tu familia, ¿no?
    > Sí; y fue una temporada muy difícil. Sólo *(poder)* ______ soportar la situación si *(hacer)* ______ un esfuerzo y *(olvidar)* ______ el mal ambiente que *(haber)* ______. Pero si *(tener, yo)* ______ un mal día en el trabajo, a veces *(explotar)* ______ y *(armarse)* ______ unos líos tremendos.

13. < Oye, David se enteró de todo con tiempo de sobra, ¿no?
    > No lo sé, pero si *(enterarse)* ______, no *(decir)* ______ nada, ni *(llamar)* ______; es un caradura.

14. < Quiero preguntarte algo: ¿por qué me dijiste aquellas cosas tan desagradables el otro día?
    > Ya no me acuerdo, pero si te las *(decir)* ______, *(ser)* ______ por algo.

15. < ¡Qué situación más absurda! Si *(estar)* ______ allí, *(morirte)* ______ de vergüenza.
    > Y ¿por qué no dijiste nada?
    < Si *(decir, yo)* ______ algo, ahora *(estar)* ______ buscando trabajo, ¿es que no conoces al director?

3. Completa las frases de forma que tengan sentido.

1. > No creo que me retrase precisamente hoy, pero si ______, esperadme.
   < No te preocupes, no empezaremos sin ti.

2. > Es muy puntual; si ______ tarde, ______ por alguna razón de peso.
   < Sí, claro, pero esto es muy importante.

3. > ¿Vino Antonio ayer a la reunión?
   < No lo sé, había mucha gente; si ______, ______.

4. > ¿Por qué eras tú el único que no se peleaba con él?
   < Porque si ______, yo siempre le ______ razón.

5. > ¿Tú crees que Francisco y su novia han regañado?
   > No lo sé, pero si ______, ya ______, siempre están igual.

6. > ¿Sabes? ahora puedo contártelo, aquellas comidas que hacías antes, no me gustaban nada.
   < ¿Ah, sí? ¿Y por qué no ______, si no ______?
   > Porque no quería que te enfadaras.

7. > Si yo ______ a mi hijo fumando, ______, ¡sólo faltaba eso!
   < Pero Antonio, ¡por Dios! ¿en qué mundo vives?

8. > Ya sé que hay mucha gente que quiere irse de puente, pero si ______ billete, ______ el viernes por la tarde para Cabo de Gata, ¿vale?
   < Por mí, estupendo, a ver si hay suerte.

9. > Yo sí fui a la conferencia del otro día.
   < Pues si ______, ______ comentar contigo algunas cosas que me interesan. ¿Tienes tiempo?

10. > Ayer vi a una persona rarísima saliendo de tu casa, parecía un adefesio.
    < Pues si ______ un adefesio, seguro que ______ mi primo; está estos días en casa y siempre lleva unas cosas…

11. > ¿Usted vio todo lo que pasó?... Y si ______, ¿porqué no ______ a la policía?
    < Porque tuve miedo.

12. > ¡Qué pena que te vayas! Si ______ unos días más, ______ ir a muchos más sitios juntos.
    < Ya iremos la próxima vez.

4. Transforma según los modelos.

Cómprate todo eso que quieres y te quedarás sin un duro.

➔ *Si te compras* todo eso que quieres, te quedarás sin un duro.

¿Por qué no *haces* un poco de gimnasia? Te sentirías mucho mejor.

→ *Si hicieras (haces)* un poco de gimnasia, te sentirías mucho mejor.

¿Por qué no *compraste* el ordenador en las rebajas? Te habrías ahorrado un buen pico.

→ *Si hubieras comprado* el ordenador en las rebajas, te habrías ahorrado un buen pico.

1. Quédate a dormir y luego podemos salir a hacer algo por ahí.

2. No te acuestes ahora y podremos ir al cine, a la sesión "golfa".

3. ¿Por qué no vienes a pasar las vacaciones aquí? Lo pasaríamos fenomenal.

4. Busca algo que hacer y te aburrirás mucho menos.

5. ¿Por qué no cambias de coche de una vez? Gastarías menos gasolina.

6. Deje usted de comer a cualquier hora y empezará a adelgazar sin grandes esfuerzos.

7. ¿Por qué no fuiste al concierto? Te habría encantado.

8. No pongas ahí ese sillón y el salón parecerá más grande.

9. ¿Por qué no hablas claramente con ellos? Así se acabarían los malos entendidos.

10. ¿Por qué no les dijiste a tiempo la verdad? Te habrías evitado muchos disgustos.

11. Estudia ahora y así tendrás el fin de semana libre.

12. ¿Por qué te quedaste en casa? Fue una fiesta estupenda y te habrías divertido de lo lindo.

5. **¡Qué carácter! Completa con la forma correcta de indicativo o subjuntivo.**

¡Hay que ver qué tímido es Jaime! Todos sus amigos pensamos que *(poder)* ______ hacer muchísimas cosas si *(reaccionar)* ______ de otra manera. A veces tratamos de animarlo para que se lance y él siempre dice que si *(atreverse)* ______ a todo eso, *(ser)* ______ otra persona.

El otro día pasó algo absurdo; si *(ser)* ______ un niño, le *(castigar)* ______ un mes sin salir. Verás: su jefe —o jefa, no sé— lo llamó para ofrecerle el puesto de director comercial; si *(ser)* ______ otra persona, *(aceptar)* ______ inmediatamente porque es un trabajo interesante y está muy bien pagado, ¿no crees?. Pues no; él, no; empezó a decir que había personas más preparadas, más antiguas, ¡qué sé yo! Si no lo *(conocer, yo)* ______, *(decir)* ______ que realmente pensaba esas cosas. Pero todo es por miedo a mandar, por miedo a decirle a alguien lo que tiene que hacer. De verdad, hay veces en que le *(dar)* ______ un par de bofetadas para despertarlo. Tú ¿qué opinas?

6. **Algunos consejos prácticos. Hay dos contextos en estas frases, ¿cuáles son?**

1. Si usted *(pensar)* ______ viajar por la Unión Europea, *(solicitar)* ______ el formulario E-111.

2. Si *(padecer)* ______ alguna enfermedad que *(necesitar)* ______ revisiones periódicas, es conveniente que *(visitar)* ______ previamente a su médico.

3. Si, además, usted *(sufrir)* ______ una enfermedad que *(exigir)* ______ tratamiento, *(llevar)* ______ el correspondiente suministro de medicamentos.

4. Si *(decidir)* ______ hacer un viaje a un país tropical, *(enterarse)* ______ de las vacunas necesarias.

5. Si *(tener)* ______ alguna duda sobre la vacunación, *(consultar)* ______ en la Seguridad Social y ellos le *(informar)* ______.

6. Y por último, si, al volver de algún país, *(notar)* ______ algún síntoma raro, *(acudir)* ______ a la consulta de su médico.

7. Señores clientes, si ustedes *(comprar)* ________ alguno de nuestros productos la semana pasada, les *(rogar, nosotros)* ________ que *(pasar)* ________ por nuestro departamento de atención al cliente y así *(recibir)* ________ un regalo.

8. Todos nuestros abonados han recibido una circular informativa; si a usted no le *(llegar)* ________, por favor *(pasar)* ________ por nuestras oficinas o *(llamar)* ________ al 900 201 102. Muchas gracias.

9. Si todavía no *(decidirse)* ________ a hacerse la tarjeta de cliente, no lo *(dudar)* ________ más. Con ella *(poder)* ________ aplazar sus pagos hasta seis meses sin recargo.

10. Con motivo de nuestro vigésimo quinto aniversario, hemos lanzado unos premios a la fidelidad: si usted *(entrar)* ________ en nuestro club hace más de 15 años, *(tener)* ________ derecho a un regalo, pero si *(ser)* ________ uno de nuestros primeros socios... ¡*(prepararse)* ________ a recibir algo realmente especial!

11. Si no *(quedar)* ________ satisfechos de alguno de nuestros servicios, *(querer, nosotros)* ________ ser los primeros en saberlo.

12. No se lamente más: si le *(gustar)* ________ nuestros viejos modelos por su comodidad y su elegancia, ahora *(poder)* ________ disfrutar de las mismas características, pero con todas las ventajas de las nuevas tecnologías.

TEMA 19

Las oraciones condicionales y el estilo indirecto

REGLA GENERAL: Siguen las mismas normas que las demás frases.

1. Construidas en indicativo

Si *tengo* tiempo, *estudio* todos los días.

Si *vamos* en coche, *llegaremos* tarde porque hoy *hay* mucho tráfico.

Si *tienes* dinero, *aprovecha / tienes que aprovechar* las rebajas.

Si *eres* tan listo como *dices, contéstame* en este momento.

Si *han llegado* antes que nosotros, nos *esperarán* en la puerta.

Si Francisco *llegó* tarde anoche, yo no lo *oí*.

Si *ha estado aquí, habrá* alguna prueba por alguna parte.

Estilo indirecto:

Alguien **dijo que:**

Si *tenía* tiempo, *estudiaba* todos los días.

Si *iban* en coche, *llegarían* tarde porque *había* mucho tráfico.

Si *tenía* dinero, *aprovechara(se) / tenía que aprovechar* las rebajas.

Si *era* tan listo como *decía*, le *contestara(se)* en ese momento.

Si *habían llegado* antes que ellos, les *esperarían* en la puerta.

Si Francisco *había llegado* tarde, él no lo *había oído*.

Si *había(se)* estado allí, *habría* alguna prueba por alguna parte.

2. Construidas en subjuntivo

Los tiempos de la irrealidad se mantienen, en el estilo indirecto, en presente y en pasado:

PRESENTE	**PASADO**
Si *fuera(se)* pez, me *moriría* fuera del agua.	Si me *hubieras(ses) avisado*, te *habría acompañado.*
Si no *vivieras(ses)* en el centro, *llegarías* siempre tarde.	Si *hubieras(ses) estado allí*, las cosas *habrían sido* distintas.
Si no *estuviéra(se)mos* en mi casa, *diría* lo que pienso.	Si nos *hubiéra(se)mos dado* más prisa, *habríamos llegado* a despedirte.

Estilo indirecto:

Alguien **dijo que:**

Si *fuera(se)* pez, se *moriría* fuera del agua.
Si no *vivieras(ses)* en el centro, *llegarías* siempre tarde.
Si no *estuviéra(se)mos* en su casa, *diría* lo que piensa/pensaba.

Si le *hubieras(ses) avisado*, te *habría acompañado*.
Si *hubieras(ses) estado* allí, las cosas *habrían sido* distintas.
Si nos *hubiéra(se)mos dado* más prisa, *habríamos llegado* a despedirte.

3. Referidas al futuro

Si no *llego / llegara(se)* a tiempo, no me *esperéis.*
Si no te *llamo / llamara(se)* yo, *llámame* tú.
Si no te *vale / valiera(se)* la chaqueta, *puedes* cambiarla por otra.

Estilo indirecto:

Alguien **dijo que**:
Si no *llegaba* a tiempo para la cena, no le *esperára(se)mos.*
Si no me *llamaba* él, le *llamara(se)* yo.
Si no me *valía* la chaqueta, *podía* cambiarla por otra.

Las frases referidas al futuro se comportan de una manera especial: Recordemos los ejemplos del tema anterior: el hablante podía elegir entre dos posibilidades: una con indicativo y otra con subjuntivo y esa era una elección subjetiva, en función de que la realización fuese más o menos posible.

Al transmitir las palabras de otros o las nuestras, probablemente no se mantienen los mismos sentimientos. Por eso, la mayoría de las veces se transforma la opción en indicativo:
— Creo que *vendré* a cenar a casa, pero *si no llego / llegara(se), no* me *esperéis.*
— Seguramente *llamaré* mañana; *si no lo hago / hiciera(se), llámame* tú.

Vamos a practicar

1. Pon en estilo indirecto. No olvides que las frases condicionales siguen las mismas reglas del estilo indirecto. Ten cuidado con las frases que tienen dos posibilidades.

1. > Señora, usted tiene mala circulación, así que, *si tiene* tiempo, *vaya a pasear* por la playa.
   < De acuerdo, doctor. Lo intentaré.

   Días después:
   El otro día el médico me dijo que ________________, pero no sé de dónde sacar el tiempo.

2. Me encanta pasear y *si tengo* tiempo, *voy* todos los días a hacerlo por la playa.

   Días después:
   > ¿Dónde está Concha?
   < Estará paseando; el otro día me dijo que ________________________________.

3. Si tú me lo *pides,* me *quedaré (me quedo)* más tiempo.

   Días después:
   > ¿Por qué no te quedas un rato más?
   < Es que es muy tarde, otro día, ¿vale?
   > Pero si hace una semana me dijiste que ________________________________.

4. Si no *sabe* hacerlo, que no lo *haga.*

   Al poco tiempo:
   > ¿Está hecho ya el informe?
   < No, yo no lo he hecho, por lo menos; es que me dijeron que ____________________
   ____.

5. Si *quieres* aprender más, *tienes que estudiar* más.

   Al poco tiempo:
   > Ignacio, chico, no se te ve el pelo por ninguna parte.
   < Es que mi profesora me dijo que ________________ y estoy siguiendo sus consejos.

6. Si ya *han comprado* un coche nuevo, *venderán* pronto el que tienen ahora, así que estáte atenta.

   Al poco tiempo:
   < ¿Queréis vender vuestro coche viejo?
   > Pues sí; y tú ¿cómo lo sabes?
   < Es que el otro día me encontré a Rafael y me dijo que ____________________ y a mí me interesaría comprarlo.

7. Si tu padre *se enterase* de lo que estás haciendo, te *mataría.*

Más tarde:
¿Ves? Tu padre se ha enfadado, ya te dije que ______________________________.

8. Mamá, si tú *fueras* pobre, cuando sea mayor, yo te *cuidaría.*

Días después:
> El otro día mi hijo me dijo una cosa... ¡Es más bonito...! ¡Es para comérselo!
< Bueno, bueno, que se te cae la baba; ¿que te dijo?
> Pues que ______________________________.

9. Si no *lloviera,* el próximo fin de semana, *podríamos* ir a la sierra. ¿verdad?

El sábado:
> Pero ¿qué haces, que no estás preparado? ¿Tú no dijiste que ______________?
< Sí, lo dije, pero es que estoy para el arrastre.

10. Si la carta *ha llegado,* a mí no me la *han dado.*

Tres días después:
> Marta me dijo que ______________________ y que por eso no había podido enviar la información.
< Pues, entonces, ¿quién tiene la dichosa carta?

11. Si ya *has terminado, sal,* o *haz lo que quieras,* pero *déjame* en paz.

Al día siguiente:
> ¿Dónde estuviste ayer todo el día?
< Tú me dijiste que _________________________, así que me fui a dar una vuelta.

12. Si lo *has hecho bien,* no lo *repitas / no tienes que repetirlo.*

Durante el verano:
> Andrés, ¿no tienes que practicar para el examen de dibujo?
< No, el profesor me dijo que ______________________________.

13. Había mucha gente en la sala, si *estaba* tu novio, yo no lo *vi.*

Dos días después:
> Miguel me dijo que mi novio no fue a la conferencia.
< No, no; no fue eso lo que te *dijo.* Yo estaba con vosotros y lo oí muy bien; te *dijo* que ______________________________.

14. ¿Anoche hubo tormenta? Si la *hubo,* no *me enteré.*

Otro día:

> ¡Hay que ver qué suerte tienes! Duermes como un lirón.
< ¿Por qué lo dices?
> Porque el otro día me contaste que ________________.

15. Era muy buen alumno: si *tenía* dudas, siempre *preguntaba, hacía* los deberes todos los días, ¡en fin!, una maravilla.

Otro día:

El otro día me encontré con la profesora de mi padre y me contó que ________________.

16. Es normal que no se comprara el libro, si ya lo *había leído.* ¿Por qué *iba a hacerlo*?

Un poco más tarde:

Cuando venga Tino, no le riñas por lo del libro; me he encontrado con su tutor y él mismo le ha disculpado diciendo que ________________.

17. Si *pudiera, iría* a la fiesta

Al día siguiente:

> Me dijiste que ________________, por eso te esperé y, claro, llegué tarde.
< No te enfades, porque no tienes razón: yo no te aseguré nada.

18. Si *tuvieras* un perro, *te sentirías* menos solo.

Unos meses más tarde:

> Me dijiste que ________________, por eso me lo compré y ahora estoy todo el día sacándolo a pasear.
< ¿Ves cómo tenía razón?

19. Si me *quisieras,* no me *echarías* esas broncas.

Meses después:

< No has vuelto a echarme broncas, ¿qué pasa?
< A ver si te aclaras: no hace mucho me dijiste que ________________ y ahora que no lo hago, tampoco te gusta, ¿en qué quedamos?

20. Si te *sobrara* algo de dinero, *deberías* comprártelo, es una ganga.

Al día siguiente:

> Mira, te he hecho caso: como me dijiste que ________________, pues me lo he comprado.
< Eso está muy bien: que escuches la voz de la experiencia.

2. Completa y transforma en estilo indirecto.

1. > ¿Cómo es que Victoria no ha venido todavía?
   < Ayer dijo que __________ con retraso.

2. > Buenos días, vengo a recoger mis botas.
   < Lo siento, no están.
   > Pero ayer me dijeron que __________ para hoy.

3. Anteayer fui a ver a Ángel y me dijo que no __________ muy bien y que __________ ir al médico.

4. No sabemos si estará preparado su certificado. De todas maneras, pásese por aquí, si quiere.

   Un poco más tarde:
   > ¿Qué hace usted aquí?
   < He venido a ver lo de mi certificado.
   > No está.
   < Ya, pero como ustedes me dijeron que __________ si __________, pues he venido a ver.

5. Si tuvieras vergüenza, no vendrías más por aquí.

   Otro día:
   > ¿Tú sabes lo que me dijo el energúmeno de mi ex suegro?
   < No, ¿qué?
   > Que si __________, no __________.

6. > Dicen que hará bueno el sábado, pero si lloviera, no iríamos de excursión, ¿vale?

   El sábado, lloviendo a cántaros:
   < ¿Vamos de excursión, o no?
   > No, claro, con lo que está cayendo...
   < Eres un aburrido, un muermo y un aguafiestas.
   < Pero, bueno, ¿no fuiste tú quien dijo que __________, no __________?

7. ¡Qué difíciles eran aquellos tiempos!

   Días más tarde:
   > En mis tiempos todo resultaba mejor.
   < No hay quien te entienda ¿no dijiste el otro día que __________?

8. Sí, hijo, sí: tu padre era un lanzado, lo conocí un día en la biblioteca, salimos dos o tres veces y, a los pocos días me pidió que me casara con él.

   Unos días después:

   > Papá, siempre dices que yo corro mucho; pero el otro día mamá me contó que ________________________________.

9. > Si no termino este encargo para la fecha prevista, no vuelven a darme más trabajo.
   < Seguro que si se lo explicas, te comprenderán, ¿no?

   Unas semanas más tarde:

   > ¿Te han vuelto a dar trabajo los de la editorial?
   < Pues sí. ¿Por qué dices eso?
   > ¡Anda! Pues porque el otro día, tú dijiste que ________________________________.

10. Estimado cliente:
    En anexo encontrará las condiciones del contrato de alquiler. Si alguna de ellas no le parece clara, le rogamos que nos lo haga saber lo antes posible.

    Unos días después:
    Estimados señores:
    En respuesta a su atenta del 19 pasado, y puesto que decían que si ________________________________, paso a exponerles lo siguiente.

TEMA 20

Construcciones condicionales

1. Estructuras

a condición de que ***con tal (de) que*** ***con que*** ***siempre y cuando***	+ subjuntivo	***sólo si***	+ indicativo / imperfecto de subjuntivo

- Con estas estructuras el hablante pone condiciones que cree imprescindibles para la realización de la acción. Por eso no se pueden usar con sentido negativo:
  — Ese periodista me dijo que no publicaría las fotos, *a condición de que le diera* la suma que me pedía.
  — Puedes hacer lo que quieras, *con tal de que me dejes* en paz.
  — Es increíble el poder que tiene: *con que él lo diga*, todo el mundo lo cree.

— Sí, hijo, puedes hacer aquí la fiesta, *siempre y cuando lo dejéis* todo como estaba.
— Puedes hacer la fiesta en casa, *sólo si lo dejáis* todo como estaba.
— Aceptaría ese trabajo *sólo si me pagaran* el doble que ahora.

— ***(en) caso de que*** + subjuntivo
Se usa para presentar la realización de la condición como muy poco probable:
— Creo que llegaré pronto, pero *en caso de que no sea* así, no esperes levantado.

— ***como*** + subjuntivo

Usamos esta conjunción para presentar la condición como una amenaza o con miedo:

— Os vengo avisando desde hace tiempo y *como no me hagáis* caso, al final lo lamentaréis.

— Creo que Piedad vive en esta calle, pero *como no sea* aquí, no tengo ni idea.

— ***a poco que*** + subjuntivo

Presenta la condición acompañada de la idea de poco esfuerzo:

— Aprobar no es tan difícil; *a poco que estudies,* lo conseguirás.

— ***siempre que / mientras*** + subjuntivo

Son conjunciones temporales que adquieren valor condicional cuando se usan en subjuntivo; en muchos casos mantienen también su valor temporal:

— Podemos salir a cenar juntos el lunes, *siempre que todos estén* de acuerdo.

— *Mientras te comportes* así, seguirás teniendo problemas.

— ***porque*** + subjuntivo

Es una conjunción causal que, construida con subjuntivo, adquiere valor condicional:

— Me casaré con él *porque le quiera,* no porque me obliguen.

— Saldré con ellos *porque me apetezca,* no porque sea lo normal.

— ***salvo que***
— ***excepto que***
— ***a no ser que*** + subjuntivo
— ***a menos que***

— ***salvo si*** + indicativo
— ***excepto si*** + imperfecto / pluscuamperfecto de subjuntivo.

- Presentan una condición negativa; es decir, introducen la única posibilidad de que la condición no se cumpla:

— Esta vez saldré temprano de la reunión, *a menos que / a no ser que surjan* complicaciones.

— Me gustaría invitarte a cenar, *salvo que / excepto que tengas* ya un compromiso.

— De Benalmádena a Málaga el autobús suele tardar media hora, *salvo si / excepto si hay* mucho tráfico.

— Podíamos ir al cine, *salvo si / excepto si tuvieras* una idea mejor, claro.

¡OJO! ***excepto que*** y ***salvo que***, tienen valor restrictivo y pueden construirse detrás de un verbo de "la cabeza" o de influencia. En esos casos se comportan según las reglas de esos verbos:

— *Cuéntale* (verbo de lengua) lo que quieras, *excepto que llegamos* el viernes.

— El casero nos *deja* (verbo de influencia)hacer cualquier cosa en casa, *excepto que organicemos* fiestas.

— ***por si (acaso)*** + indicativo
+ imperfecto / pluscuamperfecto de subjuntivo.

En realidad, aquí introducimos una causa que se deriva de una condición.

Cuando alternan el presente de indicativo y el imperfecto de subjuntivo nos estamos refiriendo al presente o al futuro y la diferencia es el grado de probabilidad.

— Cuando fui al sur, me llevé el bañador, *por si hacía calor y podía* bañarme.

— Quiero contaros lo que pasó, *por si no lo sabéis / supierais.*
— Vámonos un poco antes al teatro, *por si hay / hubiera* mucha gente.

2. Otras construcciones con valor condicional

— ***de*** + infinitivo + frase principal
Procede de la estructura *en caso de que* y tiene el mismo sentido.
— *De no ser* tan tarde, iría contigo a esa fiesta.
— *De haberte quedado* con nosotros, te habrían incluido en el contrato.

— ***gerundio*** + frase principal
— *Peleándote (Si te peleas)* siempre con tus jefes, no llegarás lejos.
— Todo mejoraría *poniendo todos (si todos ponemos)* un poco de nuestra parte.

— ***participio*** + frase principal
— *Bien mirado (Si lo miramos bien),* no resulta tan feo.
— *Vistas las cosas así (Si se ven las cosas así),* podrían resultar aceptables.

— ***imperativo*** + *y* + *futuro*
— *Vete* de casa *y sabrás* (*Si te vas de casa, sabrás)* lo que es ser independiente.
— *Cómete* todo ese chocolate *y te dolerán* (*Si te comes todo ese chocolate, te dolerán)* las muelas.

— ***que*** + imperfecto / pluscuamperfecto de subjuntivo + frase principal
Esta construcción está muy próxima a ***ojalá***:
— *Que tuviera (Si tuviera) yo* veinte años menos, y ya verían todos esos novatos sin experiencia lo que es trabajar.
— *Que me hubiera dado (Si me hubiera dado)* a mí las mismas oportunidades, y también lo habría conseguido.

— ***para*** + sustantivo + adjetivo + frase principal
A veces la frase principal se sobreentiende:
— *Para restaurante buenos,* los de la costa.
(*Si buscáis restaurantes buenos, id a la costa*).
— *Para postres ricos,* los que hacía mi abuela.
(*Si pienso en postres ricos, recuerdo los de mi abuela).*

— ***frase condicional*** elíptica (sin verbo o sin partícula condicional) + frase principal**.**
— *Yo que tú / yo en tu lugar* (*Si estuviera en tu lugar*) , no lo haría.
— Después de tanta amabilidad, *una reina* no se sentiría mejor.
(*Si fuera una reina, no me sentiría mejor*).
— *Que quieres* ir, vamos; *que no quieres,* no vamos.
(*Si quieres ir, vamos; si no quieres, no vamos*).

— ***que yo recuerde, que yo sepa, que a mí me conste, que yo vea,*** etcétera.
Tienen un valor condicional: Con ellas el hablante se asegura de no comprometerse si la información que facilita no es exacta:
> ¿Hay por aquí alguna farmacia?
< *Que yo sepa,* no. Pero pregunte usted a otra persona.

¡OJO!: El imperativo de los verbos ***suponer(se), imaginar(se), figurar(se)*** y ***poner(se)*** sirve para introducir situaciones imaginarias que adquieren valor condicional:
— *Suponte* que no *llegas* a tiempo (*Si no llegaras a tiempo*), ¿qué *harías* entonces?
— *Imaginaos* que nos *ha tocado* la lotería (*Si nos hubiera tocado la lotería*), ¿*seguiríamos* viviendo como hasta ahora?

Vamos a practicar

1. Completa estas frases incluyendo la estructura condicional correspondiente que se da al final de cada una y haciendo los cambios necesarios.

1. *(Decidir)* ________________ dejar de fumar, busque otra persona que también desee dejarlo y así podrán ayudarse. ***en caso de que.***

2. No se engañe, no dejará de fumar, *(no estar)* ________________ convencido de ello. ***mientras.***

3. *(Ser posible)* ________________, evite estar con otros fumadores. ***siempre que.***

4. Los beneficios de su esfuerzo serán casi inmediatos, *(ser)* ________________ un poco estricto consigo mismo. ***a condición de que.***

5. Piense que es posible, *(tomárselo)* ________________ en serio. ***con tal de que.***

6. Después de un tiempo sin fumar, se dirá: *(hacerlo)* ________________ antes, no lo habría pasado tan mal. ***de.***

7. Hablemos de otros peligros: ¿por qué no te pones el casco? No hay ninguna razón para no hacerlo, *(tener)* ________________ la cabeza tan grande que no encuentres tu talla. ***a no ser que.***

8. ¿Por qué arriesgarte a "perder la cabeza" *(poder)* ________________ evitarlo fácilmente? ***gerundio.***

9. Nunca te ha pasado nada hasta ahora, pero *(no llevarlo)* ________________ una sola vez, ya te estás jugando la vida. ***con que.***

10. Además, no comprendo por qué te molesta tanto ponértelo; *(pensarlo)* ________________ bien, no es tan incómodo. ***gerundio.***

11. Y aunque sea incómodo, espero que nunca tengas que decir: "*(llevar)* ______ puesto el casco y ahora no estaría en una silla de ruedas". ***que*** + subjuntivo

12. Y ¿qué decir de los cinturones de seguridad? ¡Cuánta gente se habría salvado *(llevarlo)* ______ puesto! ***de***.

13. No seamos absurdos, hay personas que no se ponen el cinturón, *(ver)* ______ cerca a la policía; ¿es que los enfermos se toman las medicinas *(estar)* ______ presente el médico? ***excepto que; sólo si***.

14. Es una pena que haya que decir: *(no llevar)* ______ el cinturón, le caerá una multa de cuidado. ***como***.

15. Seamos prudentes y hagamos caso del consejo de la Dirección General de Tráfico: "*(Ponerte)* ______ el cinturón y *(abrocharte)* ______ a la vida." ***imperativo y futuro***.

16. Y después de escuchar todos estos consejos, no te olvides de añadir a tu vida grandes dosis de optimismo *(torcerse)* ______ las cosas. ***en caso de que***.

17. Piensa que, *(ser)* ______ optimista, atraerás la buena suerte. ***a poco que***.

18. Las cosas *(ver)* ______ con buen humor, siempre resultan menos trágicas. ***participio***.

19. Trata de que la gente piense que eres un modelo de optimismo ______ ***para*** + sustantivo + adjetivo + frase.

20. Claro que también puedes creer que *(ser)* ______ optimista, todo te saldrá bien, y tampoco es eso. ***porque***.

2. **Sustituye la oración condicional con *si* por una de las conjunciones que te damos que vaya bien con el sentido. Recuerda que algunas son equivalentes y que, por lo tanto, hay varias posibilidades.**

siempre y cuando / siempre que	***en caso de que***	***sólo si***	
con tal de que	***como***	***a menos que / a no ser que***	
a condición de que	***porque***	***a poco que***	***con que***

1. (*En el contestador*) Hola, Pepe, soy Isabel. Te llamo para decirte que hoy he enviado el paquete. *Si no te llega a tiempo*, llámame tú para ir a reclamar a Correos.

2. > Me ha preguntado Domingo si puede entrar en nuestro grupo y yo le he dicho que te lo consultaría.
   < Dile que sí puede, *si está dispuesto* a aceptar las normas.

3. > Oye, ¿por qué no me dices lo que pasó el otro día?
   < Bueno, vale, *si no se lo cuentas* a nadie.

4. > No sé cómo tratarlo; me han dicho que Eustaquio tiene muy mal carácter.
   < ¡Hombre! Depende. *Si no le llevas la contraria*, no tendrás problemas con él.

5. > ¿Has preguntado por el paquete?
   < Sí, y me han dicho que seguramente te llegará mañana o pasado, *si no surge* ningún otro problema.

6. > ¿Qué te dijo el médico?
   < Que me recuperaría fácilmente *si dejaba de fumar* y *me ponía* a dieta.

7. > *Si seguimos así*, no sé a dónde vamos a llegar.
   < No exageres: *si mantenemos* la calma, encontraremos una solución entre todos.

8. > Es tu obligación recibir a esa gente en tu casa.
   < ¡¡Mi obligación!! ¿Qué dices? Los recibiré *si me apetece*, pero no porque sea mi obligación.

9. > No sé por qué te he hecho caso, no aguanto a nadie en mi casa.
   < ¡Qué intratable te has vuelto! *Si te esforzaras un poco*, las cosas resultarían más fáciles.

10. > Todo saldrá bien *si no surge* ningún imprevisto.
    < ¡No seas agorera! ¿Qué puede pasar?

3. **Haz frases condicionales con estas ideas:**

Ejemplo: > Conseguir el crédito no es imposible, sólo hay que tener avales.
< *Con que tengas avales, podrás conseguir el crédito.*

1. Comer tantos dulces no es bueno; vas a engordar.

2. Es poco probable que me retrase, pero espérame.

3. Llegaré para Navidad, pero siempre puede surgir algún imprevisto.

4. Te pido que no hagas ruido y así puedes quedarte aquí.

5. Aprobar es fácil: sólo hay que estudiar.

6. Tienes que cambiar de actitud, o no encontrarás trabajo.

7. Para sacar el proyecto adelante, tenemos que estar todos de acuerdo.

8. O me invitan formalmente, o no voy.

9. Acabas de escribir y publicar un libro.
Sueña con ganar el Premio Nacional de Literatura.

10. Lo tendré terminado en marzo, pero no tienen que darme otro trabajo extra.

11. Puedes llevarte el coche, pero tienes que devolvérmelo mañana por la mañana.

12. No llevar el casco es peligroso: puedes tener un accidente grave.

13. Jugar al ajedrez no es difícil: sólo hay que pensar un poco.

14. Puede ocurrir que te ofrezcan un trabajo mejor pagado, pero lejos de tu familia. ¿Aceptarías?

15. Haz que tus amigos piensen que se realiza su gran sueño.

4. Elige la solución correcta.

1. No sabes lo interesado que es, ________ ganar unas pesetas es capaz de vender a su padre.
   a. *con que*
   b. *con tal de que*
   c. *con tal de*

2. ¡Aprovecha __________ puedas! Una ocasión así no se presenta todos los días.
   a. *mientras*
   b. *siempre que*
   c. *desde que*

3. Si __________ a saberlo, __________ en casa.
   a. *llegué.................... me quedé*
   b. *llegara .... me quedara*
   c. *llego .... me quedo*

4. Me acosté tarde y si ellos ya __________, yo no los __________.
   a. *habían llegado .... vi*
   b. *llegaran .... vi*
   c. *llegaron .... había visto*

5. Me dijeron que si __________ marcharme, que __________.
   a. *quisiera .... me marchaba.*
   b. *quería .... me marchara.*
   c. *querría .... me marchara.*

6. Llévate el paraguas por si acaso __________.
   a. *llueva*
   b. *llueve*
   c. *llovió*

7. Si __________, __________ pero que __________ en paz.
   a. *se fue...................... que se fue .... me deje*
   b. *se va .... que se vaya .... me deje*
   c. *se vaya .... que se vaya .... me deje*

8. Con que tú __________ a mi lado, __________ feliz.
   a. *estés .... seré*
   b. *estás....................... seré*
   c. *estabas .... seré*

9. Si te __________ lo del otro día, lo siento; yo no __________ ofenderte.
   a. *molestó .... quise*
   b. *molestara .... querría*
   c. *molestara .... quería*

10. > ¿Sabes? se enfadó conmigo
    < Juan es un pedazo de pan; si __________ contigo, __________ por alguna razón.
   a. *se enfadara .... fuera*
   b. *se enfadó .... sería*
   c. *se hubiera enfadado .... fue*

11. > ¿Qué vas a hacer en agosto?

< No sé, depende; ________ al extranjero a hacer un curso ________ tenga dinero.

a. *iré .... siempre y cuando*

b. *iría .... salvo si*

c. *iré .... de*

12. Es una empresa donde podrás hacer carrera, ________ te esfuerces.

a. *a menos que*

b. *como*

c. *a poco que*

TEMA 21

Expresiones de deseo y de duda. Otros casos

1. Expresar deseo

A. Recuerda que para expresar deseos, puedes usar distintas fórmulas:

— **el condicional:**
Me gustaría ayudarte, pero no puedo.

— **los verbos *querer (que), desear (que), apetecer (que), tener ganas de (que)...* :**
Quiero tener más tiempo libre.
No siempre *me apetece* salir con amigos.

— **el verbo *esperar (que)*:**
Esperemos que todo os salga bien.

B. Aquí tienes otras posibilidades:

— ***que*** + presente de subjuntivo (en cualquier persona, menos *yo*)
Se usa para desear cosas a otros. Es como si delante de ***que*** sobreentendiéramos ***deseo/deseamos***
> Nos vamos de vacaciones.
< ¡*Que os divirtáis*! (=*Deseo que os divirtáis*)

También puede expresar deseos negativos; sobre todo, cuando pedimos a un "poder superior" que las cosas no salgan mal:
> ¡*Que no haya* retrasos esta vez!
< ¿Hablas con Dios, o con el presidente de Iberia?

— ***ojalá*** + presente / imperfecto de subjuntivo
Se usa para expresar deseos, tanto para otros como para el hablante.
En ambos casos, los deseos se refieren al **presente** o al **futuro**. La diferencia está en que con e **presente**, el deseo se considera realizable. Con **el imperfecto**, se presenta como imposible c poco probable.
> La profe ha dicho que hoy va a preguntar en clase.
< ¡*Ojalá no me pregunte* a mí! No he abierto el libro.

> ¿Has visto lo que ha hecho?
< Sí, *ojalá fuéramos* todos así de valientes.

— ***ojalá*** + pretérito perfecto / pluscuamperfecto de subjuntivo.
Expresan deseos referidos al pasado. En el primer caso expresamos un deseo referido a un hecho ya ocurrido, quizá conocido por otros, pero que el hablante todavía no conoce. La diferencia con el presente es que el hecho no ha ocurrido.
En el segundo caso, expresamos un deseo imposible:
> Estoy como un flan. Voy a buscar las notas.
< *¡Ojalá hayas aprobado!*

> ¿Te han suspendido?
< Sí, *ojalá hubiera estudiado* más.

— ***quién*** + imperfecto / pluscuamperfecto de subjuntivo
Se usa para expresar un deseo imposible. Es como si quisiéramos ponernos en el lugar de otro. El verbo siempre está en tercera persona porque el sujeto es *quién*.
Con el **imperfecto** nos referimos al presente o al futuro. Con el **pluscuamperfecto**, al pasado.

> ¡*Quién tuviera* veinte años!
< Abuelo, no te quejes, que estás como una rosa.

> ¿Te acuerdas de aquella casa que no pudimos comprar?
< ¡Claro! ¡*Quién hubiera tenido* el dinero entonces!

— ***así*** + cualquier tiempo del subjuntivo
Se usa para expresar malos deseos o maldiciones:
> ¡Qué mala persona es! ¡*Así le dé* un dolor de tripas!
< No digas eso, a ver si te va a caer algo malo a ti.

2. Expresar duda

A. Recuerda que para expresar duda, conjetura, probabilidad puedes usar distintas fórmulas:

— **las formas verbales de *futuro y condicional*:**
— No ha venido porque *estará* enfermo.
— Llega tarde porque no *habrá oído* el despertador.
— *Serían* las diez cuando me llamó.
— Ya *se habría acostado*, por eso no abrió.

— ***deber de*** + infinitivo:
— *Debe de tener* cuarenta años, más o menos.

B. Aquí tienes otras posibilidades:

— ***con indicativo:***
a lo mejor ***igual, lo mismo (es que)*** ***seguramente*** ***seguro que***

Para expresar seguridad, usamos ***seguro***. A veces, en la lengua hablada, oímos un subjuntivo detrás de ***seguramente***.

— ***con subjuntivo:***
puede (ser) que ***podría (pudiera) ser que***
(Se puede usar ***puede*** como respuesta).

— ***con indicativo / subjuntivo:***
quizá(s) / tal vez / acaso
(Cuando se colocan detrás del verbo, éste va en indicativo).

probablemente / posiblemente

por si (acaso);
(No lleva presente de subjuntivo).

no sea / vaya / fuera a ser que

Recuerda que para expresar posibilidad, también se pueden usar:
es posible que, es probable que,...
> ¿Dónde *podrá* estar?
< *Seguramente lo has guardado / Lo mismo está* en un cajón y no te acuerdas.
> *Puede que lo haya guardado* yo, pero *¿seguro que no lo tienes* tú? Mira, aquí está. *Quizás lo metí / lo metiera* aquí cuando limpié la última vez.

> Deberías reservar ya el hotel, *no vaya a ser que no encuentres* uno que te guste.
< Hay tiempo, pero te voy a hacer caso, *por si (acaso) hay* mucha gente.

¡OJO! Recuerda:
— **no sea que / vaya/ fuera a ser que**
  a. ***por si acaso***
  b. ***para que no***
— **así**
  a. ***ojalá*** para deseos negativos
  b. ***aunque***
  c. ***de este modo***
— **quién** + indicativo = expresión de incredulidad
  — ¿Él, un ladrón? ¡*Quién lo iba a decir*!
  + subjuntivo = *ojalá*.

3. Otros casos de subjuntivo

También se construyen con subjuntivo:
— ***ni que*** + imperfecto / pluscuamperfecto de subjuntivo..

Se usa para comparar la situación, la actitud de alguien, etc., con otras falsas y que sirven para quejarse o criticar la realidad. Está muy próximo a ***como si***. (Ver Tema 13).

> Yo, a un hostal, no voy.
< ¡Chico! ¡*Ni que fueras* Rockefeller! ¿Acaso te puedes pagar un hotel de cuatro estrellas?

< ¿Qué te pasa? ¡*Ni que hubieras visto* un fantasma!
< Pues casi.

— ***el hecho de que / el que / que***

> No te pongas así *por el hecho de que te hayan suspendido.* Ya aprobarás.
< ¡Claro, como tú has aprobado...!

— *El hecho de que / el que / que estés* aquí, demuestra tu interés.

— ***que yo recuerde / que yo sepa / que a mí me conste / que yo vea*** (Ver unidad 20).

Vamos a practicar

1. **Utiliza la fórmula apropiada según el modelo:**

Alguien se va a la cama:
> ¡ Buenas noches, ***que duermas*** bien!

1. Es el cumpleaños de un amigo:
   >

2. Se casa un familiar:
   >

3. Varios compañeros se van a una fiesta:
   >

4. Unos vecinos se cambian de ciudad y de trabajo:

   > ______

5. Llegas a casa y todos están comiendo:

   > ______

6. Tu compañero va a hacer un examen:

   > ______

7. Unos amigos tienen que hacer un trabajo muy duro y difícil:

   > ______

8. Alguien va al médico porque cree que tiene algo grave:

   > ______

9. Nos despedimos de alguien que tiene un tremendo resfriado:

   > ______

10. No queremos encontrarnos con alguien en una reunión:

    > ______

2. Elige la solución adecuada.

1. (Jueves por la mañana)

   > ¡Qué pocas ganas de trabajar! ¡Ojalá ______ sábado!

   < Pues todavía falta un poco.

   a. fuera
   b. estuviera
   c. sea

2. > ¿Sabes si Julia viene a la reunión?

   < No sé, a lo mejor ______ más tarde.

   a. habrá venido
   b. venga
   c. viene

3. > Tengo que ir al centro, ¿me llevas?

   < ¡Otra vez hoy! ¡Ni que ______ un taxi!

   a. haya sido
   b. sería
   c. fuera

4. > ¿Por qué crees que no vino Ángel con nosotros?
   < Seguramente ya ______ la película y prefirió quedarse en casa.
   a. vería
   b. vio
   c. habría visto

5. > ¿Dónde ______ los niños? No se oye ningún ruido y eso no me gusta.
   < No te preocupes, mujer, ______ al parque.

a. estarán	a. habrán ido
b. irán	b. estarán
c. habrán estado	c. irán

6. > A Fina le han tocado un montón de millones a la lotería.
   < ¡Qué suerte! ¡Quién ______ en su pellejo!
   a. estuviera
   b. esté
   c. estaría

7. > Voy a recoger las notas de los últimos exámenes.
   < ¡Ojalá ______ !
   a. has aprobado
   b. hayas aprobado
   c. aprobaste

8. > ¿Sabes? A lo mejor ______ mi novio a pasar unos días.
   < ______ , tal vez, la mejor noticia que podían darte, ¿verdad?

a. venga	a. Es
b. viene	b. Sea
c. venga	c. Haya sido

9. > ¡Cuántos errores hemos cometido!
   < Sí, ¡quién ______ volver atrás y rectificar!
   a. podía
   b. pudiera
   c. habría podido

10. > ¿Tienen ustedes algún niño chino matriculado en el colegio?
    < ______ , no. Pero vamos a preguntar en secretaría.
    a. Que a mí me conste,
    b. Que a mí me guste,
    c. Que yo pueda,

3. Te damos una serie de situaciones. Reacciona usando las expresiones estudiadas.

Ejemplo: > Juan no ha venido ni ha llamado.
< ***Probablemente se le ha olvidado que teníamos una cita.***

1. > ¡Qué cantidad y variedad de árboles hay en este parque!
< ***Ni que***

2. > Tú, ¿por qué no le dices que es un idiota y te vas?
< Porque ***así***

3. > Otra vez mi cumpleaños. ¡Cómo pasa el tiempo!
< Es verdad. ***Ojalá***

4. > (Hablando de fútbol) ¡Nos ha ganado Inglaterra!
< ***Así***

5. > Mira ese tipo de ahí, ¿no te parece raro?
< No, mujer, ***seguramente***

6. > Te digo que el resguardo del aparcamiento lo cogiste tú.
< ¿A ver?, ***a lo mejor***

7. > Dicen que dentro de poco se podrá ir de vacaciones a la luna.
< ***Quizá*** , pero ***seguramente***

8. > ***Que no***
< ¿Pero estás seguro de que se ha levantado cuando lo has llamado?

9. > Me voy a casa, no me encuentro bien.
< Hasta mañana y ***que***

10. > Los padres siempre tenemos razón.
< De eso, nada. ***El hecho de que*** ________________

4. Y para terminar, unas sonrisas.

Esto nos ha llegado por correo electrónico. Faltaban algunas palabras ¿Quieres ayudarnos a completarlo?

Si usted *(recibir)* ________ un e-mail con el título "A PELO", *(eliminarlo)* ________ inmediatamente SIN LEERLO. Éste es el más peligroso ***virus que*** jamás *(existir)* ________ ***Si*** *(abrir)* ________ el e-mail, su disco duro *(reescribirse)* ________ completamente. Además, el mensaje *(autoenviarse)* ________ a todas las personas de su libreta de direcciones de e-mail. *(Imprimir)* ________ en red todas las fotos de ***chicas desnudas que*** *(tener, usted)* ________ guardadas en su disco duro. Pero no sólo eso: *(borrar)* ________ ***cualquier disquete que*** *(encontrarse)* ________ cerca de su PC, *(borrar)* ________ su agenda electrónica y *(quemar)* ________ su teléfono celular. *(Romper)* ________ su silla, *(partir)* ________ su escritorio por la mitad y le *(rajar)* ________ el pantalón. *(Cortar)* ________ el suministro de luz de todo el edificio y *(disparar)* ________ la alarma contra incendios. *(Llamar)* ________ a la policía. ***Hará que*** no le *(ingresar)* ________ su sueldo a fin de mes, ***que*** no le *(disculpar)* ________ por sus errores y ***que*** no le *(renovar)* ________ el contrato. Desactivará la banda magnética de sus tarjetas de crédito. *(Estropear)* ________ su nevera ***para que*** *(calentarse)* ________ las cervezas, *(derretirse)* ________ los helados y *(pudrírsele)* ________ los fiambres. Le *(enviar)* ________ a su ex novia su nuevo número de teléfono y la foto de ***su nueva novia que*** *(ser)* ________ mucho más fea que la anterior. *(Enviar)* ________ fotos a todos sus amigos, de todas y cada una de ***las fiestas a las que*** *(asistir, usted)* ________, incluidas ***aquellas de las que*** más le *(valer)* ________ no acordarse. *(Esconder)* ________ las llaves de su coche ***para que*** *(llegar)* ________ tarde al trabajo. ***Cuando*** *(salir)* ________ con una chica, le *(desinflar)* ________ las ruedas y le *(quemar)* ________ el estéreo.

"A PELO" ***hará que*** usted *(enamorarse)* ________ locamente de ***una mujer que*** le *(prometer)* ________ serle fiel y que ***cuando*** usted *(ir)* ________ a trabajar, *(acostarse)* ________ con ***cualquiera que*** *(aparecer)* ________ *(Mover)* ________ su coche ***como*** le *(parecer)* ________ alrededor del estacionamiento, ***para que*** no *(poder)* ________ encontrarlo. *(Dejar)* ________ mensajes groseros en su contestador, ***así que...*** *(tener, usted)* ________ cuidado y *(ser)* ________ realmente precavido. Y, sobre todo, por favor, ¡¡¡no *(mandar)* ________ más mensajes sobre la existencia de un nuevo virus!!!

Solucionario

TEMA 1. LA ORTOGRAFÍA. ACENTOS

1. Las frases. Pon la tilde donde sea necesario.

1. No sé cuándo volverá... adónde iba.
2. ...con quienes salís?
3. Si intentáis freír...
4. Dime con quién... y te diré quién...
5. Cuéntame cosas de tu vida...
6. Se gastó un montón... no sé cuánto... pero fácilmente... medio millón...
7. No tenían intención...
8. ...una época muy difícil para que los jóvenes...
9. ...hasta el límite...
10. Los egoístas sólo piensan en sí mismos.
11. No quiero oír hablar más... haréis cuando estéis... ¿no comprendéis... para mí... quedarme aquí...?
12. ¡Qué carácter!...
13. ...porque me contraría.
14. Escúchame: no actúes... sé prudente... te irán.
15. ¿Cuánto valía... que queríais comprar?
16. ...no digáis después... la situación... tenéis... queréis...
17. ...ni por las alegrías...
18. Pídele una reunión para que te dé una explicación del porqué...
19. El té me gusta... con limón... con azúcar.
20. ...la leche está agria... pruébala.
21. El fútbol (futbol, en América)... que más...
22. Está recién llegada... ¿Por qué... y así...?
23. ...David de María que su música... los públicos.
24. Hay quien dice que el carácter...
25. En esa calle hay... parece un río...

2. La literatura. Pon las tildes necesarias.

Cuando llegó por primera vez a aquella ciudad, sólo llevaba una bolsa de viaje, justo lo necesario para los tres días que durarían los exámenes. Recuerda que al bajar del tren en aquella apestosa estación de azulejos amarillos y túneles inhumanos, indigna de lo que se ha dado en llamar la capital de Europa, se metió en una cabina y llamó a Álvaro.

—Mi amor, estoy deseando que me suspendan para no tener que quedarme aquí.

Álvaro se rió (también se puede escribir sin acento, como vio), lejos, en Madrid, donde aún era de día y la tarde estaría marchándose, dorada, hacia los senderos de la sierra.

—No me lo creo. Tú has nacido para ganar, vas a sacar la oposición y me voy a quedar sin ti.

Pero por una vez se equivocó Álvaro, el infalible. La suspendieron en aquellas oposiciones al Parlamento Europeo, a ella que había nacido para ganar. En lo que sí acertó Álvaro fue en que se quedó sin ella, o más bien ella sin él, porque fue Mariana quien empezó a perderlo, poco a poco, a su regreso a Madrid. Y a lo mejor por eso regresó a aquella estación sucia y a aquella ciudad oscura, para nunca más marcharse.

3. Los periódicos. Pon las tildes necesarias.

1. La cirugía... de bisturí... se presentó... de operación... por vídeo (en América: video)... Hoy día esta técnica al mínimo de la recuperación...
2. ...se despidió en el teatro Albéniz... Ana Belén... Joaquín Sabina... Pedro Almodóvar ejerció... en este adiós de lujo.
3. Una fundación creará en Córdoba... que recogerá... de Al-Ándalus. Estará... y se intentará... de la época andalusí... de Andalucía... todo el Mediterráneo.
4. Según... entre jóvenes de doce países... de éxito.
5. ...no está en crisis... se recogió la mayor recaudación desde hacía... como es lógico, eso dis-

paró la producción... la incorporación... tanto en la interpretación... aspecto económico... la última palabra la tiene el público.

6. He leído que hay una exposición... que reúne tesoros arqueológicos... una visión histórica de la cuna geográfica... del paleolítico... hasta la época romana...
7. ...de San Sebastián ofrecerá... pero también habrá categoría en las películas... cosa ésta... Ésa... la opinión...
8. ...que jugó y el primer capitán... no británico. Gracias a él esta competición se jugó...
9. ...celebradas últimamente... el cambio climático... Los científicos...
10. ...que lo único... trabajadoras detrás... de dónde estén... sus compañías... empezó a trabajar... en el almacén de papelería que tenía... decidió montárselo... y creó un anexo... especializándose en la fabricación de carpetas.

4. Algunos contrastes. Pon la tilde donde sea necesaria.

1.	Se rió con ganas.	El río casi no tiene agua.
2.	Hoy es jueves.	Oí lo que dijeron.
3.	No caí en la cuenta a tiempo.	Seguiré adelante, caiga quien caiga.
4.	Brasil es un país enorme.	El paisaje es espectacular.
5.	Me reí de sus tonterías.	Nuestro rey se llama Juan Carlos.
6.	Todavía tengo el baúl de mi abuela.	Me pareces excesivamente cauto.
7.	Busca la palabra que se acentúa.	A ver si averigua la verdad.
8.	No tiene miedo a la verdad.	Nunca sonríe, es muy antipático.
9.	No le dé motivos..., o lo lamentará.	No somos de aquí.
10.	El búho es un ave nocturna.	Es asiduo de las bibliotecas.

TEMA 2. *LOS PASADOS*

1. Pon estos infinitivos en el pasado que te parezca adecuado. Si puedes, trata de explicar la razón de tus elecciones.

(1) han recuperado (valor intemporal)
(2) eran
(3) se encontraban
(4) comenzó
(5) destruyó
(6) vino
(7) sacó
(8) llevó
(9) pudo
(10) comenzaron
(11) era (si nos referimos al "presente" de los hechos) / fue (si hablamos de los hechos ya concluidos)
(12) se recogieron
(13) se descubrieron
(14) se produjo
(15) debió
(16) comenzaban (lo presentamos como costumbre) / comenzarían (expresamos probabilidad)
(17) trazaban / trazarían
(18) continuaban / continuarían
(19) era / sería
(20) empezaba / empezaría
(21) tenían
(22) realizaban / realizarían
(23) eran / serían
(24) se iban / se irían
(25) llegaron (aquí podemos usar el indefinido con valor informativo)

2. Transforma el infinitivo en el tiempo correcto del pasado.

1. ocurrió ... informó ... descubrió ... buscó ... encontró ... llegaron ... tomaron ... revolvieron ... dejó / había dejado.
2. llegué ... había estado ... sorprendió ... había ... resultaba.
3. has vuelto (*v. intemporal*) / volviste ... han resultado (*los efectos llegan hasta el momento de hablar*) / resultaron ... pensaste (*cuando te fuiste*) / pensabas / habías pensado (*antes de irte*) ... decidí.
4. estuvisteis ... fuisteis ... dijeron (*habían dicho*) ... era ... resultó (*valoración tras la experiencia*). *En las frases* **2, 3** *y* **4** *se habla de viajes; en* **3** *y* **4** *más concretamente, de vacaciones.*
5. han despertado ... han dejado ... han logrado (*v. intemporal*).
6. has llegado / llegaste (*en América y en algunas regiones de España*) ... dijiste (*el otro día*) / has dicho (*sin precisar cuándo*) ... podía ... pensé (*cuando te lo dije*) / pensaba / había pensado (*antes de decírtelo*).
7. ha pasado (*sin precisar cuándo*) / pasó ... esperábamos ... han tenido / tuvieron ... había hecho ... querían / habían querido / quisieron (*en sustitución del pretérito pluscuamperfecto*).

8. os quedasteis ... había ... estaba ... se podía ... nos fuimos.
9. empezó ... conocieron ... miraron ... saludaron ... mostraron (*nos referimos a una valoración final del proceso*) / mostraban ... hablaban (*como "decorado" de los hechos*) / hablaron (*informamos de lo que ocurrió*).
10. llegué ... cogí ... llevó ... encontré ... subí ... quité ... esperé.

3. Dos historias de misterio. Transforma los infinitivos en el tiempo adecuado del pasado.

A. (1) llegué / había llegado; (2) recogí / había recogido; (3) facturé / había facturado (todo esto es anterior a los hechos que ocurrieron después); (4) había; (5) entré; (6) estaba; (7) miraba; (8) compraba; (9) estaba; (10) se acercó; (11) puso; (12) decía; (13) hice; (14) paraba; (15) estaba; (16) vi (*nos referimos al momento de ser atacada*) / veía (*describimos los momentos que siguieron*); (17) vi / veía (*como antes*); (18) fue / era (*como antes*); (19) apuntó / apuntaba (*como antes*); (20) pareció (*en el momento de atacarme*); (21) vi (*nos referimos al momento de ser atacada*) / veía (*describimos los momentos que siguieron*); (22) sentía; (23) era; (24) di (*nos referimos al momento de ser atacada*) / daba (*describimos los momentos que siguieron*); (25) era; (26) había tenido, (27) acordé (*de repente*) / acordaba (*como fondo o "decorado" de los hechos*); (28) pasaba; (29) pregunté (*de repente*) / preguntaba (*como fondo o "decorado" de los hechos*); (30) era / sería (*perspectiva de futuro*); (31) pensé; (32) pareció (*valoración*); (33) apuntaba / me había apuntado; (34) dejó; (35) se disculpó; (36) se identificó; (37) dio; (38) era / había sido; (39) quería; (40) había intentado; (41) tuvo; (42) pensé; (43) podía; (44) cancelé; (45) quería; (46) había hecho.

B. (1) estaba; (2) nos reunimos; (3) discutimos; (4) participamos / nos habíamos reunido / habíamos discutido / habíamos participado (*en pluscuamperfecto presentamos todo lo ocurrido antes de los hechos que vamos a contar*); (5) era / fue; (6) teníamos / tuvimos (*en imperfecto presentamos el sábado antes de que haya ocurrido cualquier cosa, como "decorado", no como información*) / (*con indefinido vemos el sábado al final del día, damos información*); (7) nos sorprendieron; (8) se sirvió; (9) pronunció; (10) era / fue (*con imperfecto dejamos en el aire la información*) / (*con indefinido valoramos el hecho*); (11) bebimos; (12) cantamos; (13) bailamos; (14) me quedé; (15) me fui; (16) había; (17) quería; (18) llegué; (19) estaba; (20) me acosté; (21) me dormí; (22) sentí; (23) me acariciaba; (24) miré; (25) vi; (26) estaba; (27) intenté; (28) pude (informo al final de mis esfuerzos) / podía (*describo esos esfuerzos mientras suceden*); (29) duró; (30) cesó; (31) volví; (32) conté; (33) me contó; (34) era; (35) era; (36) quería; (37) encerró; (38) se suicidó; (39) se volvió; (40) vagaba; (41) pregunté; (42) acarició; (43) vagué.

4. Ahora tienes que completar los diálogos y añadir el verbo que falta en una forma correcta del pasado.

1. tuve ... tuviste ... se cayó ... llevamos ... creímos / creíamos ... se había roto ... estaba.
2. Tuvimos ... se paró / se averió / se estropeó ... pasó ... hizo ... tuvimos ... resultaba / era / estaba .... nos levantamos ... pudimos ... se paró / se estropeó / se averió ... llevamos / remolcamos ... tardó ... estábamos ... empezó / se puso / comenzó.
3. conocisteis ... Nos encontramos / vimos por primera vez ... habían invitado ... asistía ... fue ... miré ... miró / sonrió ... intenté ... salió / resultó ... querías.

5. Realización libre.

TEMA 3. YA Y TODAVÍA. *DOS PALABRAS MUY ÚTILES*

1. Practica con todas las posibilidades.

1. ya no ... todavía
2. ya ... ya
3. todavía no
4. Ya
5. Ya
6. Ya ... ya
7. Ya ... ya no
8. Ya ... decía
9. Todavía no
10. ya ... todavía
11. ya
12. ya no
13. todavía no ... ya
14. ya
15. ya ... ya ... todavía no
16. Ya ... ya
17. ya
18. ya

19. Ya
20. todavía no ... ya
21. ya no

2. Completa usando las expresiones del recuadro.

1. ya mismo
2. Ya, ya / Ya veremos
3. ya ves
4. ¡Anda ya! / ¡Venga ya!
5. ¡Anda ya! / ¡Venga ya!
6. Ya podía yo
7. Ya, ya
8. Ya quisieran
9. Ya decía yo
10. Ya podías
11. ya no
12. ya no
13. ya
14. ya lo veremos
15. Ya verás
16. ¡Anda ya!
17. ya no
18. Ya decía yo
19. Ya podías
20. Ya podía yo

3. Explica el valor que tienen las expresiones en negrita:

1. **Ya me parecía a mí...:** Significa que la primera afirmación de alguien era la correcta.
2. **Ya te llamarán:** Sirve para dar ánimos o tranquilizar.
3. **¡Anda ya!:** Significa que rechazamos la afirmación que no nos gusta o no creemos; implica mucha confianza entre los interlocutores.
4. **¡Ya quisiera!:** Sirve para negar la capacidad de alguien para hacer algo.
5. **Ya, ya:** Expresa escepticismo, incredulidad.

TEMA 4. *LAS PREPOSICIONES*

1. Completa con *ante, bajo* o *tras.*

1. ... pero **tras** muchas horas...
2. ... ni **tras** las cortinas, ni **bajo** los muebles.
3. ... nos quedamos **ante** su puerta...
4. ... **tras** ese señor ...
5. ... esconderme **bajo** la mesa...
   ... me escondía **bajo** la cama.
6. ... lo llevamos **ante** un juez...
7. ... no se detiene **ante** nada...
8. ... **ante** los problemas...
9. ... todo **bajo** su supervisión.
10. ... que **tras** una pelota...
11. **Tras** el premio que le dieron...
12. Porque **bajo** un régimen así...
13. **Ante** todo, hay que delimitar...
14. ... 30 grados **bajo** cero.
15. ... dinero **bajo** cuerda...

2. Completa con *contra, entre, según, sin* o *sobre.*

1. ... hablar **sobre** la gente y **sobre** sus vidas ... un tema **sin** complicaciones.
2. ... que hay **sobre** la mesa...
3. ... **entre** la pared y el sofá.
4. ... vivir **sin** trabajar...
   Según mucha gente... que **sin** trabajo...
5. ... **entre** las once y...
6. ... una capa **sobre** sus trajes...
   ... una manía, **sin** más.
7. **Según** todos los datos...
   ... **sin** un duro.
8. ¿**Contra** qué equipo...?
9. ... a hacer **sin** atención...
   ... **entre** todos,...
10. ... **según** tú, ... **sin** hacer nada...
11. ... **sin** la calculadora...
    ... **contra** las calculadoras.
12. ... ha caído **sobre** nosotros...
    ... las cosas **sin** pensar...
13. ... no actúes **contra** la mayoría...
    ... **sobre** lo que está pasando.
14. ... no chocar **contra** los muebles.
    ... pasar **sin** darse un golpe...
15. ... de acuerdo **entre** nosotros...
    ... de acuerdo **sobre** lo que queremos.
16. ... **sin** que te lo tomes...
    ... **sin** que tú le encuentres...
17. ... *Todos **contra** la droga.*
    Pues **según** algunos...
18. ... **entre** unas cosas y otras.
    ... **sin** tener en cuenta a los demás.
19. ... **según** se entra en el patio.
20. **Entre** el viaje y el hotel...

3. Completa con *desde, hacia* o *hasta*.

1. ... vamos **hacia** la ruina total.
2. ... llegar **hasta** el final...
   ... en vilo **desde** que empezó.
3. Mira **hacia** otro lado...
4. Las cartas **desde** Brasil...
   ... llegarán **hacia** mediados...
5. Vente **hasta** la oficina...
   ... caminando **hacia** allá...
6. ... **desde** el año pasado...
   ... **hasta** diciembre...
7. Camine **hacia** nosotros...
8. **Hacia** la medianoche...
   Creo que **hasta** yo, que...
9. **Desde** luego, creo que...
10. ... nos conocemos **desde** hace...
11. ... **hasta** que empezaste...
    ... por mi cuenta **desde** el principio.
12. ... en el taxi **hacia** el aeropuerto...
13. ... que hacer **desde** ya.
    ... **hasta** tú podrías...
14. Que **desde** su *suite*...
    ... llegaría **hasta** allí.
15. ... sólo **hacia** el final...

4. Completa con *a, con, de* o *en*.

1. ... **con** lo del trabajo. Vete un rato **a** la playa...
2. ... **con** lo que les contamos. ... **con** los extraños.
3. ... no fuimos **a** ninguna parte... **en** casita, tan a gusto.
4. ... los niños **en** el cole. **A** los niños... ir **a** clase...
5. ... **con** tanta amabilidad, **con** tanto cariño...
6. ... despedirme **de** todos **con** una sorpresa: me voy **a** vivir solo. ... cada uno **en** su propia casa.
7. ... nada **de** Pedro y Loli, ¿tú sabes algo **de** ellos? ... trasladarse **a** una casa...
8. ... se disfrazó **con** una peluca y **con** ropa... ... **en** su propio ambiente.
9. ... le hables **a** tu jefe **de** mí... vaya **a** verle... te conoce **del** último libro.
10. ... reaccionaba **con** aquel tratamiento, ... esperanzas **de** curación...
11. ... el héroe **de** una película ... proteger **a** sus amigos **con** su silencio... hacerlo **de** otra manera.
12. ... cuenta **con** todo... al máximo **de** su tiempo **de** ocio.
13. ... una carta **a** todos... el pago **de** la cuota... se quejan **de** que... no sé **con** qué dinero...
14. ... **a** tomar una copa... un avión **de** madrugada...
15. ... a vivir **con** ellos... parecen **del** siglo... ayudan **a** todo el mundo **con** la mejor...
16. ... **a** la reunión... convocada **a** las 9.30. **A** la media hora... tres **de** los profesores... *Si* ***en*** *15 minutos*...
17. ... una conferencia **en** el extranjero... te paguen **en** dólares... una transferencia **a** mi cuenta...
18. No creo que **en** el nuevo... más **de** lo que ganabas... yo soy bueno **en** lo que... menos **de** lo que... **con** todos los años de experiencia... **con** la mitad **de** lo que tú pides...
19. ... **a** reunirnos **de** hoy en un año...
20. ... furioso **con** el mundo entero... defendía **a** la gente **de** los delincuentes... **a** él le parecía... **con** un sueldo... llegar **a** fin **de** mes...
21. **A** media tarde... **con** todo el personal... el éxito **de** las ventas... **de** los nuevos productos... muy ocupado **con** la campaña **de** lanzamiento...
22. **En** mi juventud... enfrentarme **a** los deseos **de** mis padres... estamos **en** el siglo XXI; **en** algo...
23. ... dejar **en** siete millones... rebajarlo **a** la cantidad...
24. ... **en** la agencia **de** viajes? ¿Y **a** qué...? ... a trabajar ... y **a** vivir... estoy de directora **de** ventas **de** una cadena **de** hoteles.
25. ... que, **en** / **con** el otoño... ... **con** la vuelta de los niños ... **en** todo el edificio...

5. Completa con *para* o *por*.

1. ... útil **para** nuestros objetivos... y **para** empezar... aquí **por** recomendación.
2. ... de un juicio **por** asesinato.
3. ... extenderse **por** la ciudad...
4. ... adecuadas **para** cada uno. **Por** eso estoy... **para** que nadie... **por** lo que digo...
5. ... un apartamento **para**... ... todo lo posible **para** / **por** ayudarle.
6. ... no iremos **por** la autopista, sino **por** carreteras... poco visitados **por** los turistas.
7. ... ha nacido **para** actriz. **Para** ser una aficionada...
8. ... **por** las ventanillas... la basura **por** todas partes?
9. ... hecho **para** fin de mes... lo que queda **por** hacer?
10. **Para** tener buena cara... **por** las mañanas, también ayuda.
11. ... lo hace para / **por** llamar la atención. ... en mi casa **por** consideración...
12. ... pocos días **para** los exámenes...
13. **Por** esas fechas (*durante, alrededor de*; si usáramos **para,** querríamos decir *antes de esas fechas*)... ... **por** cualquier cosa...
14. ... mi pasión **por** el baile. ... es buena **para** hacer...
15. ... comunicarnos **por** e-mail...
16. ... a la entrevista **por** mí... **Por** mí, no habría...
17. ... botas **para** la nieve.

18. ... **por** su cumpleaños. ... un equipo **para** bucear... gracias **por** la idea.
19. ... se asuste **por** las dificultades... pero **para** este equipo... Dice usted eso **para** animarnos...
20. ... trabajado **para** ellos... Y **por** ser tan generosos... si fue **por** eso, o **por** la incompetencia...
21. *Unas breves palabras* ***para****... las gracias* ***por*** *vuestra amabilidad... y* ***por*** *todas las cosas que... impresionada* ***por*** *los maravillosos paisajes y* ***por*** *la cordialidad...*

6. Trabajemos ahora con todas las preposiciones.

6.1. Elige la correcta.

1. ... me toma **por** imbécil... intenta **Ø** que invite yo.
2. ... me he levantado **sobre** las seis... acostumbrado **a** madrugar.
3. ... decidido **a** no callarme...
4. ... triste **por** no haber... invitarla **a** ir a bailar.
5. ... estoy **en** el instituto... **hasta** muy tarde.
6. ... no confía **en** nadie.
7. Muchas gracias **por** todo lo que has hecho **por** nosotros.
8. He intentado **Ø** ayudarlos... No te enfades **con** ellos.
9. ... ir **de** vacaciones... **A** nosotros nos pasó...
10. **Desde** el balcón de mi casa... iremos **a** tu casa...

6.2. Completa con *a, ante, bajo, con, en.*

1. ... **bajo** mi responsabilidad.
2. **Ante** una pregunta...
3. ... **con** / **bajo** aquella luz...
4. ... **bajo** la luz de las velas...
5. ... **ante** / **con** mis alumnos... más que **en** la clase.
6. ... sentada **ante** (*enfrente de*) / **con** (*cerca de*) un tío pesadísimo...
7. Vivo **a** media hora de aquí **en** tren.
8. Mira **bajo** los libros, **a** ver si...
9. ... aficionado **a** la música...
10. ... nada **bajo** la chaqueta.
11. **Ante** / **con** el policía...
12. ... es una persona **de** palabra.
13. Acércate **a** la estufa...
14. Se cogieron **de** la mano...

6.3. Completa con la preposición adecuada.

(1) en (2) en (3) de (4) a (5) sobre / ante (6) a (7) a (8) a (9) para (10) a (11) ante.

6.4. Completa con la preposición adecuada. Si hay dos posibilidades, explica la diferencia.

1. ... desplazan **a** los abogados... acusadas **de** matar **a** alguien **a** puñaladas, están **en** su...
2. ... una pena **de** 30 años para los acusados. **Según** el diario **de** uno de ellos... matar **a** la primera... volver **a** casa **sin** haber...
3. ... basado **en** los conocidos... **a** los cuales... el "cerebro" **de** la operación..
4. ... impresionados **por** (*causa*) / **ante** (*evidencia*) la personalidad **del** "inventor"...
5. ... ocurrió **en** Madrid y se detuvo **a** los acusados **tras** (*después de*) / **por** (*causa*) la confesión **de** uno de ellos... su sentimiento **de** culpa. **En** casa **del** "inventor"... un diario **en** el que... **con** todo detalle..

6.5. Completa con la preposición adecuada. Si hay dos posibilidades explica la diferencia.

(1) de (2) por (3) de (4) a (5) a (6) hasta (7) a (8) por (9) de (10) a (11) por (12) a / hacia / sobre (13) con (14) a / sobre / hacia (15) tras (*después de*) / con (*simultaneidad temporal*) (16) en (17) en (18) de (19) de (*definición*) / con (*característica, atributo*) (20) para (21) para (22) a (23) de (24) con (25) con / por (*posibilidad irónica*) (26) para (27) de (28) para (29) para (30) para (31) al (32) a (33) a (34) de (35) en (36) por (37) a (38) con (39) en (40) sobre / de (41) de (42) por (43) para (44) de (45) con (46) en (47) a (48) de (49) por (50) tras.

6.6. Explica el sentido que tienen *para* y *por* en esta canción mexicana.

Por tu amor: *a causa de tu amor;*

pa *(para)* todo el año: *con el fin de tener bebida todo el año;*

por ti: *en homenaje a ti;*

Porque: *causa;*

por tu amor: *para conseguir tu amor;*

por tus besos: *por culpa de / a causa de tus besos;*

Para de hoy en adelante: *a partir de / desde hoy* (frase hecha);

por todo el mundo: *a través de todo el mundo* (movimiento indeterminado);

Porque: *causa.*

TEMA 5. *VERBOS CON PREPOSICIÓN*

1. Completa con *a, de, en* o *con.*

1. te opones **a** lo que; pensar **en** las; empezar **a**; se reduce **a**.
2. No se despidió **de** vosotros; salió **de** la ciudad; equivale **a** decir; cabinas **de** teléfono.
3. ¿Vais **a** ir **al** baile...? disfrazados **de** extraterrestres.
4. añadir **a** todos los gastos; cubrir **con** el dinero.
5. Me he librado **del** servicio; negarte **a** hacerlo.
6. al salir **de** su trabajo; se dirigió **a** su casa.
7. Me había olvidado **de** las llaves; no me preocupé **de** regresar; Al volver **de** la fiesta; trepar **al** techo; y **de** ahí, **al** balcón.
8. me he cansado **de** disculpar; faltan **al** trabajo; escabullirse **de** la bronca.
9. Se alimenta **de** agua y **de** verduras.
10. he llegado **a** la conclusión; Sólo aspiro **a** ser feliz.
11. Tú confías **en** que; para defenderte **de** lo que te va **a** caer; tú pecas **de** lo contrario: desconfías **de** todo el mundo.
12. invitó **a** su hermana **a** una fiesta; sospechaba **de** Carlos, accedió **a** ir; la tacharan **de** insociable; para que fuera **a** su casa.

2. Completa con *en* o *con.*

1. no sé **en** qué hemos quedado; **En** que cada uno.
2. se convertiría **en**; no convives **con** él.
3. se hundió **en** una especie; cuando salía **conmigo** al parque; me gustaba compartir **con** él.
4. no me entendía **con** mi padre; sólo pienso **en** todo; obsesionarte **con** esos.
5. competir **con** la gente; destacarás **en** tu trabajo.
6. acabó **en** pelea; se enfadaron **con** todos.
7. coincidí **con** él en un congreso.
8. insistimos **en** que la gente.
9. Adornamos el salón **con** globos; se había empeñado **en** que aquello; pelearnos **con** ella; nos esmeramos **en** cumplir.
10. instalarte **en** cualquiera; Te has convertido **en** una reina; nadie creía **en** tus sueños; consiste **en**; y **en** tener un poco.
11. no caben **en** las estanterías; los he colocado **en** el suelo; tu casa **en** una biblioteca.
12. soñado **con** / **en** ser famoso y **con** / **en** tener; fijarse **en** las cosas y **en** las personas.
13. me conformo **con** tener salud.
14. Hemos entrado **en** la fase final; confío **en** que no haya; tanto **en** que todo salga bien.
15. perfectamente **en** el grupo; hablar **con** los antiguos; tarden **en** surgir.

3. Completa con *a, con, de, por* o *en.*

1. se atengan **a** ellas.
2. se atreve **a** decir; dedícate **a** hacer; no te das cuenta **de** lo que.
3. nos relacionen **con** ellos; te jactabas **de** que eran.
4. asistieran **al** juicio; presumen **de** que allí.
5. me he entrevistado **con** los responsables; terminamos **en** / **con** lo mismo; no nos entendemos **en** lo referente a; dejar **de** pensar **en** asociarnos **con** ellos.
6. Te has adaptado **a** la forma; **a** lo que no me acostumbro es **a** la falta de luz.
7. En mi casa; **a** las dos y media.
8. enfrentarme **con** ella; trataré **de** decirle; Recurre **a** tu encanto; acusarte **de** grosera.
9. Atrévete **con** un trocito más.
10. se disponía **a** meterse **en** su coche; se enteró **de** nada; están muertos **de** miedo; culpar **por** ello.
11. se está aprovechando **de** la amistad; presumiendo **de** ello.
12. se rodea **de** otros; aprender **de** ellos.
13. volver **a** casa de los padres; preocuparse **de** / **por** nada; se ocupan **de** todo; no te habitúes **a** la buena vida.
14. no se contenta **con** lo que tiene; superarse **en** lo que hace; te lleva **a** enfrentarte **con** la gente.
15. retirarme **a** vivir al campo; prescindir **de** mi sueldo; aprender **a** vivir y **a** ganarte la vida.
16. No nos han incluido **en** el grupo que se desplazará **a** negociar **con** los nuevos socios; no nos hemos sometido **a** las condiciones; carecían **de** toda ética; nos han excluido **del** dichoso grupo.
17. sumarse **a** la lista; ¿**a** qué atribuyen...?; Quizá **a** haber sido; confía **en** nosotros; aludir también **a** los errores; pensar **en** nuestros aciertos, más que **en** los errores ajenos.
18. se refirieron **a** su buena...; en la discoteca **con** los que; nos alegramos **de** no haber ligado **con** ellos.
19. adaptarse **a** los nuevos tiempos, o te echan **del** trabajo; te ríes **de** mis "exageraciones".
20. **En** / **A** la nueva empresa hemos contribuido **con** nuestro trabajo.
21. Presumes **de** que no necesitas; te quejas **de** que la vida; te animas **a** hacer; hartos **de** oírte; Se echó **a** reír.
22. voy **a** decirte: no te limites **a** hacer; no presumas **de** nada; apártate **de** las personas; enseña **a** dis-

tinguir unas cosas **de** otras y a separar a los amigos **de** los que no lo son.

23. tan honrado, **a** hacer; beneficiarse **de** todo; estás decidido **a** declarar; habrán obligado **a** cometer; me ratifico **en** todo.

24. va **a** conducirnos **a** un fracaso; me niego **a** participar **en** algo; Me estás amenazando **con** marcharte; trato **de** que abras los ojos.

25. se complace **en** presentarles; están empezando **a** destacar **en** el panorama.

TEMA 6. *VERBOS + PREPOSICIÓN CON CAMBIOS DE SIGNIFICADO*

1. Completa con la preposición adecuada al sentido de cada frase.

1. tachen **de** mandona; pasar **por** ellas; te tenía **por** más transigente; te conviertes **en** un intransigente.
2. preguntan **por** ti; he acabado **con** mi pasado; me he hecho **a** todo esto.
3. meterte **a** / **de** camarero y acabar **de** propietario; tirar **de** los amigos.
4. están **por** llegar.
5. te metes **a** arreglar; acabarás **por** tener; hacer **de** consejero.
6. estoy **de** dos meses y medio.
7. pasar **por** nórdica; como mucho, **por** italiana; me toman **por** sueca.
8. pasemos **a estudiar**; se haya contado **con** la propuesta.
9. se metían **conmigo** por mis gafas; paso **de** esas cosas.
10. acabar de una vez **con** el problema; me daría **por** satisfecho; ya están **en** ello (*pensando en*) / **con** ello (*ya han empezado a hacer algo*).
11. acaban **de** traérmelo.
12. hemos quedado **en** ir en coche; ya he quedado **con** mis compañeros.
13. tirar **de** ella.
14. te ha dado **por** ir; se reduce **a** tener.
15. está **de** ayudante; en cuanto dan **en** ganar dinero.
16. andamos **de** obras; Tú andas **de** obras y yo ando **con** unos líos.
17. se ha convertido **al** catolicismo.
18. andas **de** tiempo; **de** tiempo, bien; **de** lo que ando mal es **de** dinero; se quedan **en** la mitad.
19. han dado **con** un nuevo medicamento.
20. hemos **de** pensarlo bien; anda **en** asuntos; reparado **en** ese detalle.

2. Sustituye el verbo + preposición por su significado equivalente.

1. Tiene una pequeña / ligera tendencia a.
2. Empiezo a pensar.
3. Me golpeé con la mesilla.
4. He conseguido el puesto.
5. Probablemente estén / estarán de vacaciones. No me había dado cuenta de eso.
6. Persigue a los atracadores (*la **a** viene exigida por el* C.D.)
No se detienen por falta de medios.
7. Elige esa dirección / sigue ese camino. Estoy pensando si volverme a casa.
8. Están orientadas hacia la playa.
9. Se consideró cerrado el caso.
10. Se hace responsable de lo que hacen.
11. Cuál es la causa de que hayan venido. A que tenemos / podemos ofrecer una infraestructura.
12. Noten ustedes / Fíjense en la maravilla.

TEMA 7. *SER Y ESTAR*

1. Completa con la forma correcta de *ser* o *estar*. Trata de explicar las expresiones que van en negrita.

1. sólo **es** / **será** por tu culpa; siempre **estás** con lo mismo; **eres** / **serías** capaz.
2. así, **es** como más.
3. hablando **es** como se entiende.
lo mandas a freír espárragos = no le escuchas más / no le prestas atención.
4. No **estás** en lo que te digo. **Es** verdad.
5. No puedo, **está** dentro.
6. **Es** que creo que no **es** aquí, **es** en la sala.
7. **Es** dentro de ti mismo donde **está** la solución.
8. ¿Dónde **has estado**? (*hoy*) / **estuviste** (*en algunas regiones españolas y en América*).
9. Eso **sería** antes (*probabilidad*).
10. No **está** en este momento.
11. ***Érase*** *una vez.*

12. **Estoy** hecho un lío, sé que **es** por aquí.
Estar hecho un lío = estar confundido / perdido / haberse equivocado.
13. Si consigue... **será** con mucha suerte; un poco de ayuda **estaría** (*hipótesis*) muy bien.
14. Ya **está** todo listo; ¿Cuándo **es** / **será** eso?
15. *Ni **son** todos los que **están**, ni **están** todos los que **son***; los que están dentro y fuera.

2. Completa con la forma correcta de *ser* o *estar*. Trata de explicar las expresiones que van en negrita.

1. el mundo **es** mundo; pero eso **es** lo malo.
2. mi cabeza **está** en otra parte; **Eres** muy amable; tú no **eres** yo.
3. puede ser la vida; Ese ha sido / fue (*en algunas regiones españolas y en América*) el último; lo tuyo **es** quejarte; ... y ya **está**.
Poner negro(a) a alguien = enfadarle, ponerle de mal humor.
4. aunque no **sean** de la misma edad; Sí, **son** uña y carne.
Ser uña y carne = ser muy amigos / inseparables.
5. me ha dicho que **es** (*define al niño*) / **está** (*habla de su evolución en la clase*) el primero; así **será** (*probabilidad*).
6. Ya **está** trompa; **Es** que no aguanta nada.
Estar trompa = estar borracho(a), haber bebido mucho alcohol.
7. ese profesor, **es** malo; no **es** mal profesor (*nos referimos a sus cualidades como docente*).
8. **está** como una cabra; Una cosa **es** decirlo; nos **está** volviendo locos.
Estar como una cabra = estar loco(a) (*puede decirse de forma cariñosa cuando alguien hace cosas raras, pero divertidas*).
9. Que **está** mosca.
Estar mosca = estar enfadado(a) (*sospechar algo, pero sin saber en realidad lo que pasa*).
10. él aquí no **es** nadie.
11. Su función **es** ayudar; Y la suya **es** no poner inconvenientes.
12. todavía **estoy** dormido(a) (*no me he despertado del todo*).
13. Esa idea **es** suya; **Está** bien. Cómo **eres** (*¡qué carácter tienes!*) / **estás** (*¡qué actitud tienes hoy!*)
No dejar pasar ni una = no tolerar que nada se haga mal.
14. ¡Qué buena **está**! (*se dice después de probar*); y **estaría** mucho mejor si **estuviera** caliente (*construida así, esta oración puede tener sentido de crítica o reproche*).
15. **Es** la persona más adorable; Eso **es** porque...; cuando **está** enfadado.
16. las cosas no **estaban** como; ¡Qué observadora **eres**!
17. que no **estamos** aquí; ¡qué pesada **eres** (*carácter*) / **estás** (*comportamiento*)!; que **estás** muy estresada.
18. Creo que **eres** / **has sido** / **fuiste** (*carácter, definición*) / **has estado** (*actitud*) muy dura; si no **soy** / **estoy** dura ahora (*en presente se preferiría* **ser***;* **estar** *puede crear ambigüedad:* estar duro(a) = *tener las carnes apretadas*); quien paga **soy** yo, no ellos.
Cargarse algo = romperlo, destrozarlo.

3. Completa con *ser* o *estar*. Señala las construcciones que siempre van con *ser* o con *estar*.

1. **es** conveniente (SIEMPRE CON *SER*); para no **estar** expuesto (*Referido a personas o cosas. Si usamos* **ser**, *estamos haciendo una construcción pasiva*); **es** de pésima educación (*SS*) estar con los brazos cruzados.
2. significa que **son** capaces (*SS*).
3. para qué va a **ser** utilizado (*construcción pasiva de acción*); ahí **está** toda la diferencia; la oferta **es** (*definición*) amplísima; **son** (*SS* con SUSTANTIVOS) las dos razones; **estuvieron** de moda; hoy **son** (*SS* con SUSTANTIVOS) objeto de deseo; Pero **es** (*SS* con SUSTANTIVOS) una locura.
4. **estamos** (*nos referimos a una situación*) mejor que antes; **es** (*SS*).
5. aquéllos **eran** (*SS* con SUSTANTIVOS) otros tiempos.
6. el amor y el dinero **están** (*resultado*) reñidos; lo que se gana **es** (*porque va con sustantivo*) tabú, **está** (*resultado. Si usamos* **ser**, *estamos haciendo una construcción pasiva de acción*).
7. no **está** a nuestro alcance (*frase hecha*); no **estamos** a la altura (*construcción fija*); **es** decir (*frase hecha*); no **estamos** preparados (*si usamos* **ser**, *estamos haciendo una construcción pasiva de acción*); no **están** interesados (*si usamos* **ser** *cambia el sentido de la frase*).
8. los que **están** en paro (*construcción fija*); lo **están** porque quieren; si no **es** (*SS* porque va con RELATIVO) exactamente; si la cosa **fuera** así (*definición*), **sería** (*definición*) para hacer algo.
9. la mayoría **estaba** en contra (*construcción fija*); la reunión **fuera** (*SS* ser = ocurrir) otro día; la idea **era** buena (*definición de la idea*); la gente ya **estaba** hasta las narices (*frase hecha*).
10. La calle **estaba** desierta (*comparamos con otro momento*); no **era** prudente (*definición del hecho de* ***salir solos***); aunque **estábamos** deseosos

(SIEMPRE CON ESTAR); que **estaban** organizados (*pasiva de resultado*) / **habían sido** organizados (*pasiva de acción; posibilidad poco probable*).

4. Completa con una forma correcta de *ser* o *estar*. Recuerda al mismo tiempo por qué, a veces, es necesario el subjuntivo.

los ingenieros **estén** obligados (*pasiva de resultado; el subjuntivo aparece porque vamos a introducir después una restricción a nuestra comprensión por medio de **cuando** = concesivo*); las carreteras **fueran** rectas (*definición; el subjuntivo aparece introducido por **preferir***); no todo puede **ser** autopista (*va con sustantivo*); no **esté** en buen *estado;* (*el subjuntivo aparece porque vamos a introducir después una restricción a nuestra comprensión*); **sea** cual **sea** la dificultad (*definición; el subjuntivo pertenece a una fórmula fija con valor concesivo*); Y **es** que cuando...

5. Completa con *ser* o *estar* y fíjate en los adjetivos.

1. No **ser** independientes; todavía **es** insuficiente.
2. **es** original; es que **es** difícil.
3. tenemos que **estar** preparados.
4. ¿**Estás** furioso...? los hoteles **están** repletos; el personal **es** escaso.
5. la novia tiene que **estar** emparentada.
6. manía de **estar** descalzo; esta vez **soy** inocente; la calefacción **está** estropeada.
7. Cuando **estamos** solos; lo que **somos** capaces de hacer.
8. nadie **está** capacitado; y tú **estarías** loca.
9. los datos no **son** / **sean** exactos; los planes **son** estimulantes.
10. **Estoy** francamente asombrado; tienes que **ser** más concreto.

6. Como en el ejercicio anterior.

1. ¡Qué moderna **era** tu abuela! No **fue** / **era** muy consecuente.
2. No **es** que tenga miedo; **es** sólo que no quiero **estar** allí.
3. El jarrón **está** roto; **estaba** entero.
4. **Es** sorprendente; eso de **estar** preso **es** relativo.
5. que **es** idéntico; que **estaba** embarazada...
6. Eso **es** muy abstracto; algo que **sea** más trivial.
7. El mundo **es** sorprendente; no **era** / **fue** posible.
8. ¿No crees que **sería** conveniente...? que **estoy** indignado; que **es** asombrosa.
9. parecía **estar** sorprendido; lo famosa que **era**; que llegarían a ser; Ahora **están** / **estarán** obligados.
10. **Es** desesperante tener; no creo que **sea** factible; Ellos **están** ya tan desesperados.

TEMA 8. *LA PASIVA. RECURSOS PARA EVITARLA*

1. Aquí tienes una serie de datos que pueden interesarte. Completa con una forma correcta de *ser* o *estar*.

1. Mérida **fue** fundada. **Fue** llamada Mérida; Su plaza mayor **está** presidida.
2. en Toledo **estuvo** establecida (*resultado + negación del presente*) / **fue** establecida (*acción de establecer*). Allí **eran** vertidos (*pasiva que expresa costumbre*) / **fueron** vertidos (*acción de verter*).
3. Esta zona **está** repleta; y jabalíes **están** (*expresa el resultado de una ley*) / **son** (*expresa la acción de los que protegen*) protegidos.
4. Los orígenes **están** envueltos; cuna del imperio, **fue** fundada; que **estaban** asentados; Esta tarea **fue** realizada.
5. En la fachada **está** (*resultado presente de una acción pasada*) / **fue** (*acción pasada*) escondida; **está** sentada; dice que **fue** puesta (*acción pasada*) / **está** puesta (*resultado presente de una acción pasada*).

2. Hemos dicho que la pasiva se usa más en los periódicos que en la lengua hablada. Aquí tienes una serie de minidiálogos. Trata de reconstruir la noticia dada en el periódico, usando la pasiva con *ser* o *estar*, según convenga.

1. **Noticia:**
   Un español **ha sido** condenado / **fue** condenado a muerte en Estados Unidos.
   Fue condenado por la declaración de su mujer y puede **ser** ejecutado a pesar de ser inocente.

2. **Noticia:**
   Serán concedidos a los chinos dos hijos por pareja, para evitar que las niñas **sean** abandonadas o vendidas.

3. **Noticia:**
   La custodia de la niña de 11 años **ha sido** concedida a un travestido.

4. **Noticia:**
La sentencia del caso conocido como el de los ministros **ha sido** filtrada por alguien de identidad desconocida. Algunos políticos han recomendado discreción hasta que dicha sentencia **sea** confirmada o negada por los jueces.

5. **Noticia:**
El verdadero funcionamiento del cerebro **ha sido** revelado por los nuevos avances en su estudio.
La novedad es ésta: cuanto más **es** practicada por nosotros una tarea, más aumenta la actividad cerebral para llevarla a cabo.

3. **Ahora te vamos a dar una serie de frases muy parecidas; unas veces tendrás que usar *ser* y otras, *estar*.**
Lo importante es que razones por qué eliges una posibilidad u otra.

1. La cafetera **ha estado** / **estuvo** (*en algunas regiones de España y en América; resultado + tiempo determinado +* ***ahora ya no***) encendida.
2. cómo **fue** encendida (*pasiva de acción*).
3. sólo **serán** atendidas (*pasiva de acción*).
4. yo creo que **está** atendido (*situación*).
5. **está** prohibido hacer (*resultado presente de una norma anterior*).
6. para que **estuviera** prohibido (*resultado de una norma anterior*) / **fuera** prohibido (*acción de prohibir*).
7. si **son** convocadas (*acción de convocar; expresa costumbre*) / **están** convocadas (*define una clase de manifestaciones*).
8. que **estamos** todos convocados (*resultado presente de una acción anterior*).
9. **Está** escrito (*resultado presente de una acción anterior*).
10. **ha sido** / **fue** escrita (*en algunas regiones de España y en América; acción de escribir*).
11. no **ha sido** / **fue** aprobada (*en algunas regiones de España y en América*); en mi país **fue** aprobada.
12. el vuelo **ha sido** / **fue** cancelado (*en algunas regiones de España y en América; acción*).
13. ese vuelo **está** cancelado (*resultado presente de acción pasada + duración*).
14. ya **está** arreglado (*resultado presente de acción pasada*).
15. **Está** encerrado (*resultado presente de acción pasada*).

4. **Aquí tienes unas frases en voz pasiva. ¿Puedes transformarlas tratando de evitarla?**

1. **Transformación:**
Este verano **se han vendido** casi dos millones de teléfonos móviles...

2. **Transformación:**
A las llamadas ETT (empresas de trabajo temporal) unos **las critican** mucho y otros **las alaban** en la misma medida...

3. **Transformación:**
El Ministro dijo que las bases de una nueva y verdadera democracia **las establecía** la Carta Magna...

4. **Transformación:**
...aunque, a efectos legales, **se les ha registrado** como hijos de inmigrantes.

5. **Transformación**:
Para disfrutar de un buen vino **hay que abrirlo** unos minutos antes de que **vayáis a degustarlo**.

TEMA 9. *CONSTRUCCIONES CON* SE

1. **Transforma las oraciones pasivas que van en cursiva, en construcciones con *se*.**

Se te ascenderá a base de voluntad.
1. donde se analice
2. Si se elige la familia, se descuidará el trabajo.
3. Se te respetará si demuestras....
4. se te criticará si no te enfrentas....
6. los malentendidos se aclaren cuanto antes.
7. Tus conocimientos deben renovarse constantemente.
8. Si no quieres que se te aplaste (hay que eliminar *los envidiosos* y *los mediocres*), sé prudente.
10. Finalmente se te reconocerá y se te reclamará.

2. **Completa estos textos con el verbo en forma correcta y añadiéndoles un *se*, si es necesario.**

1. tal como hoy se la conoce; sus orígenes se remontan; el árbol tiene; la parte verde simboliza; las luces representan; se entiende como dador; se llevaban a casa ramas verdes.
2. del que se habla muy poco; se siente o se sufre; se desata en los primeros años; empieza a relacionarse; y se padece; se ve amenazado; crece y se manifiesta con llantos.
3. Se cree que la preeminencia se debe a la necesidad; Por qué se fabrican utensilios; de la ciencia se considera; cuando este gen no se da.

3. **Transforma estas palabras sueltas en oraciones en las que aparezca, si es necesario, una de las construcciones con *se* que hemos estudiado.**

1. Con la presentación de este cupón a la entrada del circo, se le hará una rebaja en el precio.
2. El día de Navidad se celebra en casi todo el mundo, a veces por razones comerciales.
3. En los últimos años, en España se ha duplicado el número de operaciones de cirugía estética.
4. Los defectos físicos causan complejos, aunque no siempre hay / haya motivos reales.
5. Normalmente se debe cambiar un ordenador cada cinco años, porque la memoria se queda corta.
6. Si se trabaja con programas y disquetes de otros ordenadores, se necesita tener buenos antivirus.

4. **Aquí tienes una receta riquísima. Pero antes de probarla, coloca los verbos del recuadro donde creas oportuno, según el sentido de cada frase:**

1. Se ponen las almejas ... las alcachofas se escurren ... y se sumergen en agua templada ... se lavan las almejas ... y se cortan las alcachofas.
2. Se pone(n) el aceite, el ajo ... Se sazonan y se saltean a fuego suave, hasta que se abran ... Se añaden las alcachofas, se espolvorean con pan rallado y se vierte el vino blanco.
3. Se mantiene la cocción y se rectifica la sal. Se espolvorean con perejil y se sirven.

5. **No siempre somos responsables, ¿verdad? Muestra que no tienes la culpa de lo que ocurre. En algunos casos necesitarás un pronombre indirecto.**

1. cómo se arruga.
2. pero se ha quemado (*si ponemos un pronombre, diremos quién tiene la culpa*).
3. Otra vez se ha ido la luz.
4. que va a golpearse.
5. que se (nos) han estropeado los planes; que se (nos) echa encima.
6. porque se me cierran los ojos.
7. se me han olvidado en el coche.
8. que se me / te ha descosido el pantalón.
9. es que se me ha averiado el coche.
10. se les cae más el pelo.
11. se ha secado la ropa.
12. y se ha rayado.

TEMA 10. *VERBOS DE CAMBIO*

1. **Completa estos diálogos con uno de los verbos que hemos estudiado más arriba.**

1. me pongo nerviosísimo.
2. se hace el sordo.
3. estoy convirtiéndome en / estoy volviéndome una máquina; y no nos ponemos así.
4. y me quedé sin habla.
5. puede llegar a ser / volverse / hacerse insostenible.
6. nos volvemos (*más probable por la idea de involuntariedad*) / nos hacemos desconfiados.
7. ¡qué independiente te has vuelto / hecho!
8. y ha llegado a lo más alto.
9. se ha hecho abogado.
10. ahora se me ha hecho / vuelto indispensable.
11. se ha quedado con lo puesto.
12. mira cómo te has puesto / te pusiste (*en algunas regiones de España, y en América*).
13. Y quizás me he vuelto / me he hecho / me volví / me hice (*en algunas regiones de España y en América*) más abierto.
14. lo dejo, estoy hecho(a) un lío.
15. parece que te hubieras convertido en / metido a monje.

2. **Sustituye los verbos destacados en cada frase, haciendo los cambios necesarios, por una construcción equivalente con un verbo de cambio.**

1. que todos nos hemos vuelto locos.
2. ponerse rojo (colorado) es una prueba.
3. se te ha vuelto / puesto dulce la mirada.
4. que me estoy quedando congelado(a).
5. Me ponen enfermo(a) esos tipos.
6. uno se vuelve más blando(a).
7. Nunca llegarás a ser alguien importante.
8. estoy llegando a (poder) vivir sin trabajar.
9. Te has vuelto (*involuntario*) / te has hecho (*más consciente*) un completo / auténtico americano.
10. Llegar a dirigir una empresa.

3. **Reacciona usando alguno de los verbos estudiados. (Las reacciones pueden ser otras).**

1. *Me pongo colorado(a) / rojo(a) / me pongo como un flan / me pongo nervioso(a).*
2. *Me he vuelto rico(a) / me he convertido en millonario(a).*

3. *Por fin he llegado a ser lo que quería / por fin me he convertido en académica.*
4. *Te conviertes al cristianismo, judaísmo, budismo, islamismo, etcétera.*
5. *Me he vuelto/ me he hecho / me he convertido en una persona ordenada.*
6. *Me he puesto muy contento(a)* (porque estoy más joven) */ me he quedado sin habla (de piedra).*
7. *Me he quedado sin fuerzas / me he quedado satisfecho(a).*
8. *¿Te has vuelto demócrata de repente? / ¿Te has hecho de algún partido?*
9. *Estás hecho / te has hecho un hombrecito.*
10. *Os habéis vuelto / habéis convertido en unos auténticos españoles, ¿eh?*

TEMA 11. *SUBJUNTIVO INTRODUCIDO POR VERBOS (I)*

1. Transforma los infinitivos, si es necesario, en la forma correcta de indicativo o subjuntivo.

1. que los otros ganen.
2. que el éxito sea su compañero.
3. Aries destaca en las carreras.
4. sus amigos les sigan; las personas sean tan fuertes..
5. los demás la terminen y aten los cabos sueltos.
6. que resulta raro que Aries padezca enfermedades.

2. Reacciona ante estas frases con alguna de las estructuras estudiadas. (Puede haber otro tipo de reacciones).

1. *Sería una pena que no pudieras venir.*
2. *¿No crees que es peligroso que le digas al jefe lo que debe o no debe hacer? / A mí no me parece muy aconsejable que seas tan sincero(a).*
3. *No me parece que sea muy justo.*
4. *Me parece estupendo que los jóvenes tengan esa oportunidad / ¡Qué bueno que existan países con esa política!*
5. *Es justo que así sea, pero no me lo creo.*
6. *Me encanta que me digas eso, precisamente iba a informarme sobre subvenciones.*
7. *¡Oh! Es lógico que os compréis otro, yo haría lo mismo.*
8. *Habría que saber si los padres quieren que sus hijos los mantengan.*
9. *La cuestión está en que los alumnos estén de acuerdo.*
10. *¿Quién te ha dicho que la pone enferma?*
11. *No está demostrado que la alargue, pero seguro que lo pasas mejor si te ríes.*
12. *Me parece una estupidez que todavía haya gente que diga esas cosas. / ¡Normal que no puedan! Es que somos más inteligentes y hay cosas tontas que nunca podríamos hacer.*

3. Transforma el infinitivo en la forma correcta del subjuntivo. Después, elabora tu propio decálogo, siguiendo el modelo que te damos.

EN *ELLE* NO NOS GUSTA:

viva arriba
estén los mismos
se asocie más
se esconda por vergüenza
dé vergüenza
provoque alegría
tengamos que defenderla
sea un buen ataque
se ataque más con las manos
hagan tanto daño.

4. Transforma el infinitivo en una forma correcta de indicativo o subjuntivo. Después comenta el texto con tu compañero/a.

RETRATO DE UN LIGÓN O DE UNA LIGONA

... que esa señora se nos acerque demasiado... el ligar se convierta / se haya convertido en algo... es que sepamos sacarnos partido... no debemos temer a los guapos... que no caigamos en el mal gusto... ni nos desesperemos.

Ellos

De discoteca: imitar y observar.
Los llorones: los amenace; los consuele.
Los listillos: llevar razón; haya chicas; lo consigan; huyan de ellos.
Los simpáticos: fácil atraer; conservar a las chicas.
Los guapos: que llamen la atención; los quieren.
Los *yuppies*: conseguir poder; que busquen un ligue; que echen mano de; que su corazón se acelere.

Ellas

De discoteca: lleve la iniciativa; se lance.
Las frágiles: que se cuenten chistes verdes; que se den gritos.
Las maduras: que vaya relacionado; que utilicen tácticas; que se les escapen.

Las desinhibidas: que piensen mal; que unos se asusten y que otros se sientan.

Las románticas: que se tengan detalles; las bese; sólo desean; soñar con ese ser; se convierta.

5. **Consulta la lista de verbos que te hemos dado en la teoría y coloca alguno que le dé sentido a las siguientes frases:**

1. es permitir que los niños; no hay que dejarles; ¿Temen los padres...?
2. No conviene / no es bueno que los padres; los hijos desean / pretenden que sus padres.
3. primero pidámosles que demuestren; Si los padres se dan cuenta.
4. procuremos / hagamos que se corte; es preferible que digan.
5. intentando / exigiendo / pidiendo que se les compre; Entendemos / aceptemos (*usamos un imperativo como consejo para los padres*) que lo hagan; Lo recomendable / aconsejable / mejor es que los adultos...

TEMA 12. *SUBJUNTIVO INTRODUCIDO POR VERBOS (II)*

1. **Elige la solución que tenga sentido:**

1. Te has equivocado (*no es necesario el subjuntivo porque no introducimos una restricción, no aparece el valor concesivo*)
2. Dejemos (*te parece = te parece bien*); has sido (*verbos de la cabeza*).
3. Haya cambiado (*verbos. de la cabeza = de entendimiento, en construcción negativa*).
4. Están mejorando; es como para lanzar (*en la lengua hablada a veces se encuentra la fórmula con* ***sea***).
5. Han nombrado (*interrogativa indirecta*).
6. Tendrá (*verbos de la cabeza = de lengua*); se van a poner (*verbos de la cabeza = de entendimiento*).
7. Tienes cita (*verbos de la cabeza = de entendimiento*).
8. No has notado (*verbos de la cabeza en imperativo negativo*); hablaba con tonillo (*verbos de la cabeza = de percepción*); no he notado nada (*interrogativa indirecta*).
9. No quiera ayudarte (*verbos de la cabeza = de lengua, en construcción negativa: corrección de la información*); no puedo (*verbos de la cabeza = de lengua, en construcción afirmativa: información real*); vas a hacerlo (*verbos de la cabeza = de lengua, en construcción afirmativa*).
10. Seas prudente (*verbos de la cabeza = de entendimiento con cambio de significado: influencia*); he olvidado lo que pasó (*verbos de la cabeza en imperativo negativo*); he aprendido la lección (*verbos de la cabeza = de entendimiento*).

2. **Transforma el infinitivo en una forma correcta del indicativo o el subjuntivo.**

1. **Noticias curiosas.**
pueden – llegan – imitan (*constatación*) – empezaron – han terminado – serán / serían – piensan – se parecen.

2. **Problemas cotidianos.**
Provoca (*si nadie niega, todos afirman* (indicativo) seremos (*constatación*) / seamos (*el verbo aceptar = ser normal*) – hace – da – sea – afecta(n) – acecha *otros no ven lo que yo sí veo* (indicativo) piensa – están.

3. **Lo mismo que en el ejercicio anterior.**

Vuelve / ha vuelto – se están tranquilizando / se han tranquilizado – saltó – se hacía – era – estuviera – llegó – se aprovechara – están – son – ha desaparecido / desapareció (*en algunas regiones de España y en América*) – esperará – hace – tiene – se ha suavizado / se suavizó (*en algunas regiones de España y en América*).

4. **Consulta la lista de verbos que te hemos dado en la teoría y coloca alguno que dé sentido a las siguientes frases:**

1. ha asegurado / afirmado / anunciado; esperan.
2. dije / prometí; dices / repites.
3. ha anunciado / publicado; han confirmado / revelado.
4. no creas / pienses / imagines; no creas / pienses.
5. Saben; afirma / manifiesta / mantiene.
6. ha anunciado / confirmado / comentado; no me creo; diciendo / prometiendo / garantizando.
7. se ha observado / explicado / dejado claro; se quejaron.
8. Parece; dices.
9. leer; proclama / sostiene.
10. insistió; opino / creo; decir.

TEMA 13. *ORACIONES DE RELATIVO. CONSTRUCCIONES MODALES*

1. Completa con la forma apropiada de indicativo o subjuntivo.

SI QUIERES ADELGAZAR, TEN CUIDADO CON LO QUE HACES
Desconfía de las dietas que:

Prometen perder;
aseguran que adelgazarás; lo que desees;
están basadas;
se apoyan en la ingestión; sólo deben / deberían tomarse;
incitan a tomar laxantes;
eliminan sistemáticamente;
fomentan el consumo;
se anuncian como basados;
proponen formas extrañas;
enseñan cómo mantener (***el indicativo*** *se refiere a lo general; hablamos así porque tenemos conocimiento de este tipo de dietas: todos hemos leído o visto alguna. Podíamos usar* ***el subjuntivo*** *y estaríamos refiriéndonos a dietas posibles*).

2. Dinos qué tipo de persona te gusta más.

Ejercicio de realización libre. Damos algunos ejemplos.

En general me gustan las personas que
— *tienen sentido del humor*
— *cumplen su palabra*
— *saben disfrutar de la vida*
(**indicativo** porque hablamos de algo que conocemos, o bien estamos generalizando "las personas").

2.1. Ahora, si pudieras elegir, ¿cómo te gustaría que fueran tu profesor/a y tus compañeros/as?

Ejercicio de realización libre. Damos algunos ejemplos:

Me gustaría tener un profesor/a que	*Me gustaría tener unos compañeros/as que*
— *disfrutara enseñando* — *conociera a fondo su materia* — *me ayudara a aprender.*	— *estuvieran motivados/as* — *participaran en clase* — *fueran solidarios/as.*

2.2. Elige el libro de español ideal.

Ejercicio de realización libre. Damos algunos ejemplos.

Quiero encontrar un libro que:	*Un buen libro es el que*
— *explique claramente todas las reglas de gramática* — *sea ameno* — *tenga mucho vocabulario.* (**subjuntivo**, porque hablamos de personas hipotéticas).	— *contiene todo lo anterior* — *está bien maquetado* — *es fácil de consultar.* (**indicativo**, porque generalizamos).

3. Transforma el infinitivo en una forma correcta de indicativo o subjuntivo.

1. se lleven bien (*verbo de influencia*); todos quieran (*verbo de influencia*); todos crean (*generalización basada en la experiencia*).
2. no se sienta manipulado; como le parezca.
3. aumenten sus amigos (*verbo de influencia*).
4. pueda compartir.
5. que se quede (*construcción con* ***ser mejor***).
6. tenga relación; eso signifique que sea (*verbo de entendimiento en forma negativa*).
7. exijan concentración; que alguien venga; lo que tiene.
8. pueda actuar.
9. sea positivo; haya muchas oportunidades; pueda desarrollar.
10. aprecie su talento; le ayude a usarlo.

4. Completa con la forma adecuada de indicativo o subjuntivo.

1. como quieras.
2. todo lo que quiere; como le da la gana; lo que ha conseguido.
3. lo que le pongas (**Ser como una lima** = comer muchísimo).
4. los que quieran (*no sabemos quiénes son*) / quieren (*sí sabemos quiénes son*); estén inscritos (*no sabemos quiénes son*) / están inscritos (*sí sabemos quiénes son*); que se ha apuntado; les gustara; te pusieras (*subjuntivo causado por* ***gustar***).

5. Salgo que nos sirva; y nos lleve; con la que podamos.
6. que esté contento; que lleva; con la que me relaciono; en que viven.
7. le gustaría cambiar; de verdad me interesan; que no se viera (*hipotético; también equivale a* ***para que***).
8. a buen árbol se arrima (**Hacer la pelota** = adular / ser amable para conseguir algo bueno); ha puesto la dirección; no está muy seguro; si no te cayera.
9. en el que se tenga; lo que valgo; (**Poner trabas** = dificultar el trabajo o la labor de otros); le paguen bien y le valoren.
10. que tenga (**Meter la pata** = ser inoportuno / decir o hacer algo que no es apropiado en un determinado momento); según le vienen; que pueden provocar (*generalización*) / que puedan provocar (*damos una idea de antecedente desconocido; es muy usual esta alternancia cuando usamos el verbo* ***poder***).

5. **Completa los diálogos con la forma correcta de indicativo o subjuntivo.**

1. que tiene unos gustos; que suele leer; donde haya; que tenga; no sea; como a su amigo le gusta; una que le parezca buena.
2. que hemos recibido / que recibimos; que se (le) ofrezca; con lo que esperáis; los que no tienen / tenían; y a los que están / estaban por debajo; que conozca este mundillo y sea capaz; el perfil que buscamos; que se relacione bien; que no les dé; a los que no se comporten tal y como dictan; que reúna todo eso; a las que vamos a llamar; el que mejor se adapte; no quiera ganar.

6. **Completa con la forma correcta de indicativo o subjuntivo. Después explica la razón de tus elecciones.**

1. no los tenga / haya tenido (*antecedente desconocido en forma de pregunta*); no se hayan visto (*antecedente desconocido en forma casi negativa:* ***pocas***).
2. que parecía (*antecedente conocido*); se hubiera declarado (*usamos el subjuntivo para resaltar la idea de irrealidad; esto es posible gracias al verbo* ***parecer***); que nos volvía (*antecedente conocido*).
3. (**¡Vaya pinta!** = ¡qué mal aspecto!) que te vea (*antecedente desconocido*: ***cualquiera***); sin que (se) sepa;
4. como lo hicimos (*antecedente conocido*); que lleguen (*antecedente desconocido*).
5. la atención que prestamos; a lo que hacemos; que está motivado; que se vive; que hemos realizado / que se ha realizado (*los indicativos aparecen porque se presenta información nueva a modo de generalización*).
6. como te han dicho / dijeron; los que tienen; como a ti te da la gana (*sé cómo sueles actuar*) / dé la gana (*no sé cómo vas a actuar*); sean (*antecedente desconocido*).
7. lo que digan o hagan (*antecedente desconocido en los dos casos*); como si no existieran.
8. como ella sugiere; que se ha atrevido / atrevió (*antecedente conocido*); que no nos gustaban; que aceptábamos todos (*costumbre*: *antecedente conocido*).
9. es la mejor que se ha hecho (*antecedente conocido*); que he visto / vi / veo una película que estaba / está contada.
10. como si hubiera hecho; a quien todos consideran (*ese* ***alguien*** *eres tú ➔ antecedente conocido*); que llega (*costumbre ➔ antecedente conocido ➔ indicativo*) / que llegue (*presentamos ese primero como un desconocido ➔ subjuntivo*).
11. nadie que tuviera *antecedente hipotético* (*imperfecto de subjuntivo*) (**Ser muy quisquilloso** = enfadarse, desconfiar, protestar por razones insignificantes; buscar la perfección hasta en lo más pequeño).
12. que esté interesado; que no quiera (*antecedente desconocido en forma de pregunta*); alguien que pague (*antecedente desconocido por el significado del verbo* + CD); lo que piden (*imaginamos que ellos saben lo que piden*) / lo que pidan (*lo presentamos como si pudieran pedir cualquier cantidad de dinero*).

TEMA 14. *CONSTRUCCIONES TEMPORALES*

1. **Contesta a las preguntas.**

Ejercicio de realización libre. Damos algunos ejemplos.

1. Cuando lo haya leído.
2. Hasta que nos llamen / Hasta que hayan elegido al que más les gusta para el trabajo.
3. Cuando / En cuanto cobre / apruebes las matemáticas / saques buenas notas.
4. Hasta que se acabaron / se terminaron las bebidas.
5. Tan pronto como lo sepa / me lo den a mí.

6. Hasta que termine la investigación / Hasta que se me acabe el dinero.
7. Después de que hayas terminado / termines los deberes.
8. Cuando tengo tiempo / me apetece / hay silencio en casa / Después de que mi familia se acuesta.
9. Cuando quieras / Cuando sepas algo.
10. Antes de que te vayas / Antes de que llegue el jefe.
11. Siempre que me duele algo / la cabeza / las muelas.
12. Siempre que te apetezca / quieras.
13. Cuando quiero / puedo / encuentro algo; soy autónomo.
14. Cuando lo / la vi en actitud cariñosa con otra/o.
15. Antes de que entre el otoño / os vayáis.

2. Transforma el infinitivo de forma correcta y de acuerdo con el sentido de cada frase.

1. será un recuerdo; tengan un monitor.
2. podrá sernos; cuando queramos saber; cualquiera invada; tendrá que ser; obtendrá el visto bueno.
3. en cuanto se subía, se sentía importante; aumentaba de velocidad, crecía su sentido; hasta que dejaba.
4. el día en que montaron; aquella masa se elevaba; que siento siempre que vuelvo a subir; según va alcanzando.
5. cuando piensan; cómo lo imaginan; perderá el ser humano; que pasen los años, o se volverá más humano; cuando llegue; olvidará la Tierra, o se preocupará más; que la sienta tan lejos; seamos capaces; tendremos tiempo.

3. Sustituye los fragmentos que van en negrita por una construcción equivalente, donde sea posible y haz las transformaciones necesarias.

1. y después de haber aclarado / y tras aclarar los puntos oscuros.
2. en cuanto veo / tan pronto como veo / apenas veo llegar a mi hijo.
3. nada más llegar / en cuanto llegues / tan pronto como llegues; y entre tanto; cuando te oigo.
4. cuando (*sería mejor mantener **mientras***) estemos caminando; apenas / tan pronto como / en cuanto hayamos alcanzado / nada más alcanzar / una vez alcanzado.
5. Antes de que llegara; desde que es responsable / a raíz de hacerle responsable / en cuanto le han hecho responsable / apenas le han hecho responsable; apenas / en cuanto "tomó el mando".
6. Ten cuidado cuando cierres.

4. Coloca una conjunción o estructura temporal que dé sentido a las frases.

1. En cuanto / apenas llegué; hasta que cambié.
2. Cuando / mientras / siempre que hablo; mientras hacía / cuando hacía; ahora que ya tengo; al cumplir / nada más cumplir; y cuando llegaron.
3. Nada más entrar / al entrar; mientras me quitaba; antes de que aquella horrible voz.
4. y tú, entre tanto, / , mientras, / , mientras tanto, preparas.
5. siempre que te piden / cada vez que te piden / cuando te piden; si alguna vez / si en alguna ocasión alguien; cuando alguien me pide.
6. Cuando usted salga; al rellenar / nada más rellenar / después de rellenar / tras rellenar; después de haber / tras haber probado.
7. Cuando la reina; de pequeña / desde pequeña; Desde que se casó; cuando le preguntamos.
8. antes de que / hasta que hayas terminado; antes de haberlo intentado / hasta haberlo intentado.
9. Una vez terminado; mientras tanto / entre tanto, deberían descansar.
10. Hasta que / mientras no te expliquen; hasta / antes de habermelo leído.

TEMA 15. *CONSTRUCCIONES CONCESIVAS*

1. Completa con la forma correcta de indicativo o subjuntivo. Relaciona las frases entre sí y explica qué tienen en común.

1. las cosas sean difíciles (*quitamos importancia a la dificultad*); siquiera sea una vez (*subjuntivo obligatorio*); que lo descubran y lo metan en la cárcel.
2. no son / serán muy populares y de que puedo (*indicativo obligatorio*); no estuvieras de acuerdo (*se presenta como hipótesis*).
3. que resulte; si se pierde / si se perdiera (*el indicativo presenta el hecho de forma más posible / el subjuntivo presenta el hecho como hipotético*).
4. por mucho que te esfuerces / hayas esforzado y trabajes / hayas trabajado (*la solución con sub-*

juntivo es más frecuente); aunque esté / haya estado todo previsto.

5. que lo tenía (*indicativo obligatorio*); que estén las cosas (*subjuntivo obligatorio*).
6. que sea (*subjuntivo obligatorio*); mira que le he / hemos dicho (*indicativo obligatorio*).
7. aunque le costara (*subjuntivo obligatorio*); así sea la locura; con el paro que hay (*indicativo obligatorio*).
8. algunos creen (*información nueva, hecho conocido*) / crean (*quitamos importancia a esa información*); razón que tengamos (*el subjuntivo es la solución más frecuente*).
9. él no manda (*indicativo obligatorio*); alguien sea el jefe (*subjuntivo obligatorio*); y eso que intento (*indicativo obligatorio*).
10. los expertos decían (*información nueva, hecho conocido*) / dijeran (*quitamos valor a su opinión*); por más que sepan o digan que saben.
11. aunque me hubieran dado (*hipótesis*); lo clarísimo que estaba (*indicativo obligatorio*).
12. aunque sea poco (*el subjuntivo es necesario porque no hablamos de un hecho experimentado: todavía no tenemos ese dinero*); apurados que estemos (*subjuntivo obligatorio*).
13. y eso que decían (*indicativo obligatorio*); sentido común que tenga (*subjuntivo obligatorio*).
14. no lo querían (*indicativo obligatorio*); poco goloso que sea; muy dignos que se pusieran (*subjuntivo obligatorio*).
15. así sean (*subjuntivo obligatorio*); la mayoría piensa / pensara como yo.

Tema común:

1, 6 y **9:** las relaciones de un grupo, político quizá, con su líder.

2, 7 y **8:** las relaciones en el trabajo y los distintos puntos de vista ante la actitud de quien manda.

3, 10, 12 y **14:** las dificultades para abrir un negocio y la forma en que se resolvieron.

4 y **5:** organizar bien una conferencia.

2. Elige la respuesta adecuada.

1. c. **2.** b. **3.** c. **4.** a. **5.** b. **6.** c. **7.** a. **8.** b. **9.** a. **10.** a.

3. Hemos seleccionado las construcciones concesivas más coloquiales. Completa con ellas estos minidiálogos.

1. Me voy, pase lo que pase;
   Tanto si me lo suben como si no (me lo suben).
2. Te guste o no (te guste).
3. Ya puede enfadarse.
4. Será un rollo, pero.
5. Con lo que has estudiado.
6. Viejo y todo.
7. Y mira que.
8. Y eso que; Quieras que no.
9. Vayas (por) donde vayas.
10. Ni corriendo.

4. Aquí tienes unas notas para un artículo titulado "Crisis laborales. Cómo salir del lío". Redáctalas usando cada vez una construcción concesiva.

Ejercicio de realización libre. Damos algunos ejemplos:

Introducción: ***Aunque*** en los momentos de crisis ***haya*** conflictos laborales, siempre hay posibilidades de superarlos.

Caso 1.

En el laboratorio no puede ascender ***aunque es*** *muy competente.*

Caso 2.

Aunque se había asustado *mucho por haber perdido unos papeles muy importantes, se decide a confesar su fallo* ***aun a riesgo de recibir*** *una reprimenda. Sus jefes lo comprenden* ***y eso que tienen*** *fama de estrictos.*

Caso 3.

Si bien *una decisión como la de invitar a cenar a los clientes* ***puede*** *parecer una locura por el gasto que supone, puede resultar rentable porque se pueden ganar clientes fijos que hablarán maravillas de nuestro restaurante.*

Caso 4.

Con lo preparadísima que está *nuestra amiga, sigue sin encontrar trabajo a pesar de que lo intenta constantemente. Aunque lo normal sería que se desanimara, no es así y sigue buscando. Al final llega su recompensa: la llaman de un bufete de abogados muy importante.*

Caso 5.

Aun cuando *los primeros intentos* ***fracasen****, no debemos nunca perder la fe.* ***A pesar de que nuestra gran idea sea rechazada****, busquemos otros con mente más abierta. Si es tan buena acabarán reconociéndolo.*

Conclusión:

La mejor forma de salir adelante es no bloquearse, dejar de lado los juicios negativos o las actitudes lloronas ***aunque estemos*** *cargados de razón.* ***Por imposibles*** *de resolver* ***que parezcan*** *los problemas, siempre encontraremos una solución si la buscamos.*

TEMA 16. *CONSTRUCCIONES CAUSALES*

1. **Completa las frases con una conjunción adecuada a su sentido. Añade la razón de tu elección.**

1. que llegamos tarde; es que todavía.
2. como ahora; con la carita de ángel que tiene.
3. debido a causas; por las molestias.
4. puesto que todos; porque tengo.
5. Es que me amenazaron.
6. ya que mucha gente; una por si (acaso) surge.
7. pues ambos temían.

2. **Preguntas y respuestas. Completa con una conjunción adecuada; después responde y compara con las respuestas de tus compañeros/as.**

1. a) porque una ley; puesto que el sistema.
b) porque entonces; por / debido a la intromisión.
c) Ejercicio de realización libre.

2. a) pues / porque no se puede; lo que pasa es que a mucha gente; a fuerza de ver.
b) ya que sirve; gracias a ella.
c) Ejercicio de realización libre.

3. a) les gusta, porque / ya que; por culpa de / por / a causa de su grosería.
b) Teniendo en cuenta que dar; puesto que se considera.
c) Ejercicio de realización libre.

3. **Sustituye la conjunción causal por otra que tenga un significado parecido o que cumpla la misma función. Puedes modificar algo la frase.**

1. Por sentirse demasiado presionada.
2. Como es alguien que.
3. En vista de que / puesto que / como mis intentos.
4. Gracias a la cantidad de amigos.
5. Por culpa de / a causa de las lluvias.
6. Por lo mucho que / por trabajar tanto / por culpa del trabajo.
7. Debido a las circunstancias / a causa de las circunstancias.
8. Como nadie / puesto que nadie.
9. Ya que le hemos dado.
10. Por culpa de / debido a sus faltas.

4. **Corrige la información incorrecta y explica tu comportamiento. Recuerda la teoría.**

Ejercicio de realización libre. Damos algunos ejemplos:

1. no porque a uno lo obliguen, sino porque crea en ello; no es que creas o no.
2. No es que no haya hecho nada, es que he tenido mala suerte.
3. porque hubieras invitado a su ex, sino porque estaba enferma.
4. no porque vayan a pensar mal de mí, sino porque me apetece.
5. no porque me hubiera emborrachado, ... , sino porque el día siguiente tenía que madrugar.

5. **Escribe frases causales con los siguientes matices:**

Ejercicio de realización libre. Ejemplos:

1. por culpa de / de tanto / de tanto como.
2. es que / que / lo que pasa es que.
3. con la de / con lo (que).
4. por si (acaso) / por lo que pueda / pudiera pasar.
5. gracias a (que).
6. como / como quiera que / puesto que.

TEMA 17. *CONSTRUCCIONES CONSECUTIVAS Y FINALES*

1. **Transforma los infinitivos en la forma adecuada y comenta con tus compañeros/as el problema de la adicción al trabajo.**

no hace mucho que se habla; no nos choque que alguien se quede; con miras a que vivan; de modo que se ven; de tal modo que no pueden; con tal de que quisieran; como para que descuide.

2. **Completa con una de las conjunciones del recuadro y transforma de forma adecuada el infinitivo.**

1. por lo tanto tengo que hacer.
2. para que los vecinos vengan.
3. Fíjate si lo estoy que soy; Pero para que no haya.
4. y por eso le molesta; de ahí que resulte; los emigrantes entonces todos son; Así que debemos.

5. Hay tantos trabajos que los españoles... que no se puede decir.
6. a fin de que no se repitan; a los niños a que respeten.

3. Sustituye por otra la conjunción en negrita y haz los cambios que sean necesarios.

1. para no estudiar.
2. lo hacen con el fin de que / con la intención de que.
3. por si (acaso) los clientes se quedan fuera.

4. Elige la respuesta correcta.

1. c. **2.** a. **3.** b. **4.** c. **5.** a. **6.** b. **7.** b. **8.** a. **9.** b. + a. **10.** b.

5. Completa esta conversación con los nexos apropiados.

así que esta noche; O sea que no vienes; tanto trabajo que no sé / un trabajo que no sé; tienes un morro que te lo pisas; con que quédate en tu casa.

TEMA 18. *CONSTRUCCIONES CONDICIONALES CON* SI

1. Completa con una forma correcta del indicativo.

1. no salen como a él le gusta, se enfada y puede estar.
2. si se entera tu jefa, tendrás / vas a tener problemas; si nadie se lo dice, no tiene.
3. si salen los resultados..., llama a casa... y diles si he aprobado.
4. si lo ha dicho, entonces vendrá.
5. y si no le avisó nadie.
6. pues si ya lo habías pensado.
7. si fue un error... el tiempo lo dirá.
8. si se dijo... nadie lo oyó.
9. la gente se llevó; si se llevó / se llevaron... lo sabremos.
10. y si llueve? si llueve, ya veremos.
11. sólo si hacía mal tiempo, se quedaba; si cojo una costumbre, me cuesta mucho.
12. si siguen / seguimos cortando..., se convertirá en un desierto.
13. si crees que vas..., llámame, si no has comido / comiste (*en algunas regiones de España y en América*); podemos / podíamos (*imperfecto de cortesía*) comer juntos.
14. si no sabes..., ven conmigo; sólo si he terminado / termino lo que tengo.
15. si ya lo hemos pagado / pagamos, que no tengamos en cuenta.

2. Completa con una forma correcta de indicativo o subjuntivo. Puedes usar lo estudiado en los puntos 1. y 2.

1. si te quedas, te irán (*la posibilidad es más real*); si te quedaras, te irían (*damos por seguro que no se quedará*).
2. si pasaran (*no creo que pasen*) / pasan (*es muy probable*) como tú dices.
3. no me quedaría. Si yo estuviera..., me iría.
4. si lo buscas, lo encontrarás; si lo buscaras, lo encontrarías.
5. si te hubieras callado (*no te callaste*), no te lamentarías (*lo haces en presente*).
6. si la pidieras, verías; si la hubieras pedido, habrías visto.
7. si me gustara, lo haría.
8. si lo hubiera sabido, habría ido.
9. si a mí me pasa, no sé cómo habría / si a mí me hubiera pasado, no sé cómo habría (*nos ponemos en lugar de la persona a la que le pasó algo: punto de vista pasado*) / si a mí me pasara, no sé cómo reaccionaría (*pensamos que nos puede pasar en el futuro*); si no se ve forzado.
10. si hubiera podido, lo habría hecho; si se ha enfadado, es que no entiende (*en general*) / no ha entendido (*en este caso*).
11. si llovía o hacía mal tiempo, se quedaba.
12. sólo (se) podía soportar si (se) hacía un esfuerzo y (se) olvidaba; pero si había tenido, a veces explotaba y se armaban (*valor de costumbre*).
13. si se enteró, no dijo nada, ni llamó.
14. si te las dije, fue / sería (*probabilidad*) por algo.
15. si hubieras estado, te habrías muerto; si hubiera dicho algo (*nos referimos al pasado: **entonces***), ahora estaría (nos referimos al presente: ***ahora***).

3. Completa las frases de forma que tengan sentido.

1. si me retraso (*posible*) / si me retrasara (*menos probable*).
2. si llega tarde, será (*hablamos en general*) / es (*con toda certeza*); si llegara tarde, sería (*nos referimos al momento de hablar y pensamos que no llegará tarde*).
3. si vino, yo no lo vi.

4. si se ponía a gritar / se enfadaba, yo le daba (*valor de costumbre*).
5. si han regañado, ya se reconciliarán / ya harán las paces.
6. no me lo dijiste / no me lo decías (*se presenta como una costumbre que no se llegó a tener*: *no me decías nada cada vez que te ponía la comida*) si no te gustaban?
7. si yo veo / encuentro / sorprendo a mi hijo, lo cuelgo / le parto la cara / lo echo de casa; si yo viera / encontrara / sorprendiera..., lo colgaría / le partiría... / lo echaría...
8. si hubiera / encontrara / consiguiera billete, podríamos irnos.
9. si fuiste, me gustaría comentar.
10. si parecía..., seguro que era mi primo.
11. si lo vio, ¿por qué no llamó / avisó a la policía?
12. si te quedaras, podríamos ir.

4. Transforma según los modelos.

1. Si te quedas a dormir, luego podemos salir.
2. Si no te acuestas (acostaras) ahora, podemos (podríamos) ir al cine.
3. Si vinieras a pasar..., lo pasaríamos fenomenal.
4. Si buscas (buscaras), te aburrirás (buscarías) mucho menos.
5. Si cambiaras..., gastarías menos gasolina.
6. Si deja de comer a cualquier hora, empezará a adelgazar.
7. Si hubieras ido al concierto, te habría encantado.
8. Si no pones ahí ese sillón, el salón parecerá más grande.
9. Si hablaras claramente con ellos, se acabarían los malos entendidos.
10. Si les hubieras dicho..., te habrías evitado muchos disgustos.
11. Si estudias (estudiaras) ahora, tendrás (tendrías) el fin de semana libre.
12. Si no te hubieras quedado en casa, te habrías divertido de lo lindo.

5. ¡Qué carácter! Completa con la forma correcta de indicativo o subjuntivo.

que podría hacer; si reaccionara; si se atreviera; sería otra persona; si hubiera sido un niño, le habría castigado; si fuera / hubiera sido otra persona, habría aceptado; si no lo conociera, diría / habría dicho que; en que le daría un par de bofetadas.

6. Algunos consejos prácticos. Hay dos contextos en estas frases, ¿cuáles son?

1. Si piensa..., solicite.
2. Si padece... que necesita / necesite..., es conveniente que visite.
3. Si sufre... que exige / exija..., lleve el suministro.
4. Si decide / ha decidido hacer..., entérese.
5. Si tiene alguna duda..., consulte... y ellos le informarán.
6. Si nota / notara (*más improbable*)..., acuda.
7. si compraron alguno..., les rogamos que pasen... y así recibirán.
8. si a usted no le ha llegado / hubiera llegado (*posibilidad remota*)..., por favor pase o llame.
9. Si no se ha decidido / no se hubiera decidido (*posibilidad remota*), no lo dude más; puede / podrá aplazar.
10. si usted entró..., tiene derecho; pero si es / fuera uno de ... ¡prepárese a...!
11. Si no han quedado / hubieran quedado satisfechos (*esta solución sería la más "comercial": no contempla la probabilidad de que haya clientes insatisfechos*)..., queremos ser los primeros (*también ésta es la solución más "comercial": presentamos nuestro deseo de arreglar las cosas en presente de indicativo*) / querríamos ser los primeros.
12. si le gustan..., ahora puede / podrá disfrutar.

Los dos contextos son:

— Consejos para viajar seguros (frases **1** – **6**).
— Una empresa que se dirige a sus clientes para informarles de varias cosas (**7** – **12**).

TEMA 19. *LAS ORACIONES CONDICIONALES Y EL ESTILO INDIRECTO*

1. Pon en estilo indirecto.

1. El otro día el médico me dijo que si tenía tiempo, (que) fuera a pasear.
2. El otro día me dijo que le encantaba pasear y (que) si tenía tiempo, iba todos los días.
3. Hace una semana me dijiste que si yo te lo pedía, te quedarías (te quedabas).
4. Es que me dijeron que si no sabía hacerlo, (que) no lo hiciera.
5. Es que mi profesora me dijo que si quería ..., tenía que estudiar más.
6. Es que el otro día me encontré a Rafael y me dijo que lo queríais vender y a mí...
7. Ya te dije que si se enteraba, te mataría (*el subjuntivo de la oración original es una de dos po-*

sibilidades; por eso elegimos la más neutra al pasarla al estilo indirecto).

8. Pues que si yo fuera pobre, él me cuidaría (*aquí no hay cambio de tiempos ni de modo porque la oración original está en imperfecto y en condicional*).

9. ¿Tú no dijiste que si no lloviera (lo mismo que en **8**), podríamos... ?

10. Marta me dijo que si la carta había llegado, a ella no se la habían dado.

11. Tú me dijiste que si había terminado, que saliera / que podía salir y que te dejara en paz.

12. El profesor me dijo que si lo había hecho bien, no lo repitiera / no tenía / tendría que repetirlo.

13. Te dijo que había mucha gente en la sala y que si tu novio estaba allí, él no lo vio / había visto.

14. El otro día me comentaste que si había habido tormenta, tú no te habías enterado.

15. Me contó que era muy buen alumno, que si tenía..., hacía (*no hay cambios porque las frases originales están en imperfecto*).

16. Él mismo lo ha disculpado diciendo que si ya había leído el libro, no iba a comprarlo otra vez.

17. Me dijiste que si hubieras podido, habrías ido a la fiesta (*aquí debemos convertir la oración en pasado porque la fiesta ya se ha celebrado*).

18. Me dijiste que si tuviera un perro, me sentiría menos solo (como en **8** y **9**).

19. Me dijiste que si te quisiera, no te echaría esas broncas (como en **8**, **9** y **18**).

20. Como me dijiste que si me sobraba dinero, debería / debía comprármelo (*el subjuntivo de la oración original es una de dos posibilidades, por eso elegimos la más neutra al pasarla al estilo indirecto, como en* **7**), pues me lo he comprado.

2. Completa y transforma en estilo indirecto.

1. dijo que llegaría con retraso.

2. me dijeron que estarían / me las tendrían para hoy.

3. que no se encontraba / se sentía / estaba muy bien y que iba a ir / pensaba ir al médico.

4. que me pasara por aquí si quería, pues he venido.

5. Que si tuviera vergüenza, (que) no iría más por allí.

6. ¿No fuiste tú quien dijo que haría bueno, pero que si llovía, no iríamos de excursión / nos quedaríamos en casa?

7. ¿No dijiste el otro día que qué difíciles eran aquellos tiempos?

8. El otro día mamá me contó que de joven tú eras un lanzado, que te conoció en la biblioteca, que salisteis dos o tres veces y que a los pocos días le pediste que se casara contigo.

9. El otro día tú dijiste que si no terminabas a tiempo, no te volverían a dar más trabajo.

10. puesto que decían que si alguna condición no me parecía clara, (que) se lo hiciera saber lo antes posible, paso a exponerles...

TEMA 20. *CONSTRUCCIONES CONDICIONALES*

1. Completa estas frases incluyendo la estructura condicional correspondiente que se da al final de cada una y haciendo los cambios necesarios.

1. En caso de que decida / haya decidido dejar de fumar...

2. mientras no esté convencido...

3. Siempre que sea posible...

4. a condición de que sea un poco estricto...

5. con tal de que se lo tome en serio.

6. de haberlo hecho antes...

7. a no ser que tengas la cabeza...

8. pudiendo evitarlo fácilmente?

9. con que no lo lleves una sola vez...

10. pensándolo bien, no es tan incómodo.

11. "que hubiera llevado puesto el casco y...".

12. de haberlo llevado puesto!

13. excepto que vean de cerca... ... sólo si está presente el médico?

14. como no lleve el cinturón...

15. "Ponte el cinturón y te abrocharás a la vida".

16. en caso de que se tuerzan las cosas.

17. a poco optimista que seas...

18. Las cosas vistas con buen humor...

19. Para persona optimista, que me miren a mí / para optimista, yo.

20. porque seas optimista...

2. Sustituye la oración condicional con *si* por una de las conjunciones que te damos que vaya bien con el sentido. Recuerda que algunas son equivalentes y que, por lo tanto, hay varias posibilidades.

1. En caso de que no te llegue.

2. con tal de que esté dispuesto.

3. siempre y cuando no se lo cuentes.

4. a no ser que le lleves la contraria.

5. a condición de que no surja.

6. siempre que dejara de fumar y me pusiera.
7. Como sigamos así; con tal de que mantengamos.
8. sólo si me apetece.
9. A poco que te esforzaras.
10. a menos que surja algún imprevisto.

3. Haz frases condicionales con estas ideas:

1. **Como** comas tantos dulces, vas a engordar (*advertencia*).
2. **En caso de que** me retrasara, espérame (*es la posibilidad menos probable*).
3. Llegaré para Navidad **a menos que** surgiera algún imprevisto (*única condición para que la afirmación no se cumpla*).
4. No hagas ruido y podrás quedarte aquí / Puedes quedarte aquí, con **tal de que** no hagas ruido (*condición imprescindible para que ocurra*).
5. Aprobarás fácilmente **con que** estudies (*condición mínima para conseguir algo*).
6. Cambia de actitud o no encontrarás trabajo.
7. Sacaremos el proyecto adelante, **sólo si** estamos todos de acuerdo (*condición imprescindible para que ocurra*).
8. No voy, **a no ser que** me inviten formalmente (*como en* **3**).
9. **Supón que** mi libro tuviera mucho éxito, ¿podría ganar el Nobel de Literatura? (*condición hipotética*).
10. Lo tendré terminado en marzo, **a condición de que** no me den otro trabajo extra (*condición imprescindible*).
11. Puedes llevarte el coche, **siempre que** me lo devuelvas mañana por la mañana (*condición imprescindible*).
12. **Como** no lleves el casco, puedes tener un accidente grave (*amenaza*).
13. **A poco que** pienses, podrás jugar al ajedrez por que no es difícil (*idea de poco esfuerzo*).
14. **Que** te ofrecieran un trabajo mejor pagado lejos de tu familia: ¿aceptarías?
15. **Imaginaos que** se realiza vuestro gran sueño, ¿cómo reaccionaríais? (*condición imaginaria*).

4. Elige la solución correcta.

1.C. **2.**A. **3.**C. **4.**A. **5.**B. **6.**B. **7.**B. **8.**A. **9.**A. **10.**B. **11.**A. **12.**C.

TEMA 21. *EXPRESIONES DE DESEO Y DE DUDA. OTROS CASOS*

1. Utiliza la fórmula apropiada según el modelo:

Hay más de una posibilidad. Damos algunos ejemplos:

1. Que cumplas muchos.
2. Que seas / seáis / que sean (*en América*) muy felices; que sea para muchos años.
3. Que lo paséis / la pasen (*en América*) bien; que os divirtáis / que se diviertan (*en América*).
4. Que tengan mucha suerte; que todo les vaya muy bien.
5. Que aproveche; buen provecho.
6. Que tengas suerte; que te salga bien.
7. Que sea leve; que se acabe pronto; que se os dé bien.
8. Que no sea nada (grave).
9. Que te mejores; que te alivies; que te pongas bien.
10. Que no esté allí; que no vaya; que no se presente.

2. Elige la solución adecuada.

1. a **2.** c **3.** c **4.** c **5.** a + a **6.** a **7.** b **8.** b + a **9.** b **10.** a.

3. Te damos una serie de situaciones. Reacciona usando las expresiones estudiadas.

Hay más de una posibilidad. Damos algunos ejemplos:

1. Ni que fuera la selva; Ni que estuviéramos en la selva.
2. Porque así me volvería a quedar en el paro.
3. Es verdad. Ojalá se detuviera en los 35.
4. Así se les atragante el champaña de la celebración.
5. No, mujer, seguramente es extranjero y anda un poco perdido.
6. A ver, a lo mejor lo metí en el bolsillo del pantalón.
7. Quizá se pueda algún día, pero seguramente no será dentro de poco.
8. Que no pierda el tren precisamente hoy; Que no llegue tarde al examen.
9. Hasta mañana y que te mejores.
10. El hecho de que seáis / sean (*en América*) los padres, no significa que seáis / sean (*en América*) perfectos.

4. Y para terminar, unas sonrisas.

Esto nos ha llegado por correo electrónico:

Si recibe un e-mail... elimínelo inmediatamente; el más peligroso ***virus que*** jamás ha existido (*oración de relativo; antecedente conocido*). ***Si*** abre el e-mail, su disco duro se reescribirá (*lo presentamos como muy probable*) / ***Si*** abriera... se reescribiría (*menos probable*); Además, el mensaje se autoenviará / autoenviaría a todas...; Imprimirá / imprimiría en red todas las fotos de ***chicas desnudas que*** tenga (*oración de relativo de antecedente desconocido*); ...borrará / borraría ***cualquier disquete que*** se encuentre / se encontrara (*oración de relativo de antecedente desconocido*); borrará / borraría su agenda y quemará / quemaría su teléfono; Romperá / rompería su silla, partirá / partiría su escritorio... y le rajará / rajaría el pantalón. Cortará / cortaría el suministro... y disparará / dispararía la alarma... Llamará / llamaría a la policía. ***Hará que*** no le ingresen su sueldo..., ***que*** no le disculpen por sus errores y ***que*** no le renueven (*verbo de influencia con tres oraciones dependientes*) el contrato. ... Estropeará / estropearía su nevera ***para que*** se calienten / calentasen las cervezas, se derritan / derritiesen los helados y se le pudran / pudriesen los fiambres (*oraciones finales*). Le enviará / enviaría a su ex novia la foto de ***su nueva novia que*** es (*oración de relativo de antecedente conocido*) mucho más fea... Enviará / enviaría fotos... cada una de ***las fiestas a las que*** haya asistido (*oración de relativo de antecedente desconocido*), incluidas ***aquellas de las que*** más le valdría no acordarse. Esconderá / escondería las llaves... ***para que*** llegue / llegase (*oración final*) tarde... ***Cuando*** salga con una chica, le desinflará las ruedas y le quemará el estéreo.

"A PELO" ***hará que*** usted se enamore (*verbo de influencia*) de ***una mujer que*** le prometerá / prometa serle fiel y que ***cuando*** usted vaya (*oración temporal con idea de futuro*) a trabajar, se acostará con ***cualquiera que*** aparezca (*oración de relativo de antecedente desconocido*). Moverá su coche ***como*** le parezca (*oración de modo desconocido*)... ***para que*** no pueda encontrarlo (*oración final*). Dejará mensajes... ***así que***... tenga cuidado y sea precavido (*oraciones consecutivas; los aparentes subjuntivos son imperativos de la persona **usted***)... ¡¡¡no mande más mensajes!!!

Índice